«Erst mit diesem Film wird klar, dass es wohl keinen anderen Schreiber gibt, dessen Worte und Szenen das Kino schon so vollkommen in sich tragen. Es gibt Dialoge in diesem Film, das sind die besten, schärfsten, erschreckendsten und zugleich lustigsten Wortwechsel, die man seit Ewigkeiten von der Leinwand herab gehört hat.» (Süddeutsche Zeitung)

«Mit John Updike und Philip Roth hat Cormac McCarthy nur eines gemein: Auch der große Apokalyptiker der amerikanischen Literatur hätte den Nobelpreis für sein Werk längst verdient.» (Frankfurter Allgemeine Zeitung)

Cormac McCarthy **Kein Land
für alte Männer**
No Country
for Old Men   Roman

Aus dem Englischen
von
Nikolaus Stingl

Rowohlt
Taschenbuch Verlag

Die Originalausgabe erschien 2005
unter dem Titel «No Country for Old Men»
bei Alfred A. Knopf, New York.

7. Auflage August 2023

Veröffentlicht im Rowohlt Taschenbuch Verlag,
Reinbek bei Hamburg, Oktober 2009
Copyright © 2008 by Rowohlt Verlag GmbH,
Reinbek bei Hamburg
«No Country for Old Men» Copyright © 2005 by M-71 Ltd.
Umschlaggestaltung any.way, Hamburg
nach einem Entwurf von David Pearson
Gesetzt aus der DTL Documenta ST
bei KCS GmbH, Buchholz bei Hamburg
Druck und Bindung CPI books GmbH, Leck
ISBN 978-3-499-24288-5

Der Autor möchte dem Santa Fe Institute seinen Dank für die lange Verbundenheit und den vierjährigen Aufenthalt dort aussprechen. Ebenfalls danken möchte er Amanda Urban.

I

Einen Jungen hab ich in die Gaskammer von Huntsville geschickt. Nur einen einzigen. Meine Verhaftung, meine Zeugenaussage. Ich bin zwei-, dreimal hingefahren und hab ihn im Gefängnis besucht. Dreimal. Das letzte Mal war am Tag seiner Hinrichtung. Keiner hat mich dazu gezwungen, aber ich hab's trotzdem getan. Gewollt hab ich's ganz bestimmt nicht. Er hatte ein vierzehnjähriges Mädchen umgebracht, und ich kann Ihnen gleich sagen, ich hab nie groß das Bedürfnis gehabt, ihn zu besuchen, geschweige denn zu seiner Hinrichtung zu gehen, aber ich hab's trotzdem getan. In der Zeitung hieß es, es wär ein Verbrechen aus Leidenschaft gewesen, aber mir hat er gesagt, mit Leidenschaft hätte das nichts zu tun gehabt. Das Mädchen war seine Freundin, obwohl sie noch so jung war. Er war neunzehn. Und er hat mir gesagt, er hätte schon ungefähr so lange, wie er zurückdenken kann, vorgehabt, jemand umzubringen. Hat gesagt, er würd's wieder tun, wenn sie ihn rausließen. Und er wüsste, dass er zur Hölle fährt. Hat er mir wortwörtlich gesagt. Ich weiß nicht, was ich davon halten soll. Ich weiß es wirklich nicht. Ich hab gedacht, so einen Menschen würd ich nie zu Gesicht kriegen, und ich hab mich gefragt, ob sich's vielleicht um eine neue Art handelt. Ich hab zugesehen, wie sie ihn auf dem Stuhl festgeschnallt und die Tür zugemacht haben. Er hat vielleicht ein bisschen nervös gewirkt, aber das war auch schon so ungefähr alles. Ich glaub wirklich, er hat gewusst, dass er in fünfzehn Minuten in der Hölle sein wird. Das glaube ich. Und darüber hab ich viel nachgedacht. Mit ihm zu reden war nicht schwierig. Hat mich Sheriff genannt. Aber ich hab nicht gewusst, was ich zu ihm sagen soll. Was sagt man zu einem, der nach eigenem Eingeständnis keine Seele hat? Warum soll man überhaupt was zu ihm sagen? Darüber hab ich ziemlich viel nachgedacht. Dabei war er noch gar nichts im Vergleich mit dem, was da auf uns zugekommen ist.

Es heißt, die Augen sind die Fenster der Seele. Ich weiß nicht, von was dem seine Augen die Fenster waren, und ich will's auch gar nicht wissen. Aber da draußen gibt's einen anderen Blick auf die Welt und andere Augen, die sie sehen, und darauf läuft es raus. Mich hat das in meinem Leben an einen Punkt gebracht, von dem ich nie gedacht hätte, dass ich je dort hinkommen würde. Irgendwo da draußen gibt's einen wahrhaftigen, lebendigen Propheten der Vernichtung, und dem will ich mich nicht stellen. Ich weiß, es gibt ihn wirklich. Ich hab seine Werke gesehen. Ich bin ein einziges Mal vor diese Augen hingetreten. Das tu ich nie wieder. Ich werd's nicht drauf ankommen lassen und aufstehen und losziehen, um ihm entgegenzutreten. Das hat nicht bloß mit dem Älterwerden zu tun. Wenn's nur so wär. Und damit, was man bereit ist zu tun, hat das auch nichts zu schaffen. Ich hab nämlich immer gewusst, dass man bereit sein muss zu sterben, wenn man diesen Job machen will. Das war schon immer so. Nicht, dass ich damit angeben will, überhaupt nicht, aber so ist es eben. Die merken es, wenn man's nicht ist. Kriegen es ruck, zuck spitz. Ich glaub, es hat eher damit zu tun, was man bereit ist zu werden. Und ich glaub, dafür müsste man seine Seele aufs Spiel setzen. Und das tu ich nicht. Heute glaub ich, dass ich das vielleicht nie getan hätte.

Der Deputy ließ Chigurh mit auf den Rücken gefesselten Händen in der Ecke des Büros stehen, während er selbst sich auf den Drehstuhl setzte, seinen Hut abnahm, die Füße hochlegte und mit dem Funktelefon Lamar anrief.

Bin gerade zur Tür reingekommen. Sheriff, der hatte so ein Ding auf dem Rücken, das sieht aus wie eine Sauerstoffflasche für einen Lungenkranken oder so. Und dann war da noch ein Schlauch, der hat durch seinen Ärmel zu so einem Bolzenschussgerät geführt, wie sie's im Schlachthaus benutzen. Ja, Sir. So hat's jedenfalls ausgesehen. Sie können es sich anschauen, wenn Sie kommen. Ja, Sir. Ich hab alles im Griff. Ja, Sir.

Als er vom Stuhl aufstand, hakte er den Schlüsselbund von seinem Gürtel und schloss die Schreibtischschublade auf, um die Schlüssel zum Zellenblock herauszunehmen. Er war leicht vornübergebeugt, als Chigurh in die Hocke ging und die Hände in den Handschellen unter dem Gesäß hindurch bis in die Kniekehlen gleiten ließ. In derselben Bewegung wiegte er sich auf dem gekrümmten Rücken zurück, schob die Kette unter den Füßen hindurch und stand augenblicklich und mühelos auf den Beinen. Es sah aus wie häufig geübt und war es vermutlich auch. Er warf dem Deputy die gefesselten Hände über den Kopf, sprang hoch, rammte ihm beide Knie in den Nacken und riss an der Kette nach hinten.

Sie gingen zu Boden. Der Deputy versuchte, die Hände zwischen seinen Hals und die Kette zu zwängen, schaffte es aber nicht. Im Liegen, die Knie zwischen den Armen und das Gesicht abgewandt, zog Chigurh an den Handfesseln. Der Deputy fuchtelte wild herum und hatte begonnen, sich wie seitwärtsgehend im Kreis über den Boden zu bewegen, trat den Papierkorb um und den Stuhl durchs Zimmer. Er trat die Tür zu und knäuelte den Läufer um sich und den Angreifer. Er röchelte und blutete aus dem Mund. Er erstickte an seinem eigenen Blut. Chigurh zog nur umso fester. Die vernickelten Handschellen schnitten bis auf den Knochen. Die rechte Schlagader des Deputys platzte, ein Blutstrahl schoss durch den Raum, klatschte an die Wand und rann daran herunter. Die Beine des Deputys erlahmten und standen still. Er zuckte. Dann rührte er sich gar nicht mehr. Chigurh lag ruhig atmend da und hielt ihn fest. Als er aufstand, hakte er den Schlüsselbund vom Gürtel des Deputys, schloss die Handschellen auf, steckte sich den Revolver des Deputys in den Hosenbund und ging auf die Toilette.

Er ließ sich kaltes Wasser über die Handgelenke laufen, bis sie zu bluten aufhörten, riss dann mit den Zähnen Streifen von einem Handtuch ab, die er sich um die Gelenke schlang, und ging ins Büro zurück. Er setzte sich an den Schreibtisch, befestigte die Handtuchstreifen mit Klebeband aus einem Spender und musterte dabei den Toten, der vom Boden zu ihm aufstarrte. Als er fertig war, zog er dem Toten die Brieftasche aus der Hosentasche, nahm das Geld heraus, steckte es in seine Hemdtasche und ließ die Brieftasche auf den Boden fallen. Dann hob er den Druckluftbehälter und das Bolzenschussgerät auf, ging zur Tür hinaus, stieg in den Wagen des Deputys, ließ den Motor an, stieß im Bogen zurück und fuhr auf die Straße hinaus.

Auf der Interstate griff er eine Ford-Limousine neueren Modells mit nur einem Insassen heraus, schaltete die Signallichter ein und ließ kurz die Sirene aufheulen. Der Wagen fuhr auf den Standstreifen. Chigurh hielt hinter ihm an, stellte den Motor ab, hängte sich den Druckluftbehälter über die Schulter und stieg aus. Der Mann beobachtete ihn im Rückspiegel, während er näher kam.

Was ist denn, Officer?, fragte er.

Würden Sie bitte aussteigen, Sir?

Der Mann machte die Tür auf und stieg aus. Worum geht es denn?, fragte er.

10

Würden Sie bitte vom Fahrzeug wegtreten.

Der Mann trat vom Fahrzeug weg. Chigurh sah, wie sich angesichts der blutbefleckten Gestalt vor ihm Zweifel in seinen Blick stahlen, aber es war zu spät. Wie ein Wunderheiler legte er ihm die Hand auf den Kopf. Das pneumatische Zischen und Klicken des Bolzens klang wie das Geräusch einer sich schließenden Tür. Der Mann glitt geräuschlos zu Boden, in der Stirn ein rundes Loch, aus dem Blut sprudelte, ihm in die Augen rann und mit sich nahm, was er von seiner langsam zerfallenden Welt noch wahrnehmen konnte. Chigurh wischte sich mit seinem Taschentuch die Hand ab. Ich wollte bloß nicht, dass Sie den Wagen vollbluten, sagte er.

Die Stiefelabsätze in das vulkanische Geröll des Höhenzuges gestemmt, saß Moss auf dem Boden und suchte mit einem deutschen Fernglas mit zwölffacher Vergrößerung die unter ihm liegende Wüste ab. Er hatte den Hut in den Nacken geschoben. Die Ellbogen auf die Knie gestützt. Die an einem Riemen aus Geschirrleder über seiner Schulter hängende Büchse war eine .270 mit schwerem Lauf, dem Schloss einer 98er Mauser und einem laminierten Schaft aus Ahorn- und Walnussholz. Aufmontiert war ein Unertl-Zielfernrohr mit derselben Vergrößerung wie das Fernglas. Die Antilopen waren etwa anderthalb Kilometer entfernt. Die Sonne war erst vor knapp einer Stunde aufgegangen, und der Schatten des Höhenzuges, der Palmlilien und der Felsen reichte weit hinaus auf das vor ihm liegende Schwemmland. Irgendwo da draußen war auch sein, Moss', eigener Schatten. Er senkte das Fernglas und betrachtete die Landschaft. Weit im Süden die schroffen Berge Mexikos. Die Steilufer des Flusses. Nach Westen hin das Terrakotta-Terrain des verschwimmenden Grenzlandes. Er spuckte trocken aus und wischte sich den Mund an der Schulter seines Baumwollhemdes.

Die Büchse schoss einen Streukreis von einer halben Winkelminute. Auf neunhundert Meter ergab das einen Streukreis von knapp dreizehn Zentimetern. Die Stelle, von der aus er schießen wollte, lag knapp unterhalb einer langen Lavageröllhalde und damit sehr viel näher an seinem Ziel. Nur würde er bis dorthin fast eine Stunde brauchen, und die Antilopen entfernten sich beim Grasen von ihm. Ein Vorteil war immerhin, dass kein Wind wehte.

Am Fuß der Geröllhalde angelangt, richtete er sich langsam auf und hielt nach den Antilopen Ausschau. Sie hatten sich nicht weit von der Stelle wegbewegt, an der er sie zuletzt gesehen hatte, aber die Schussentfernung betrug noch immer sechs- bis siebenhundert Meter. Er studierte die Tiere durch das Fernglas. In der komprimierten Luft winzige Teilchen und Hitzeverzerrungen. Ein tiefliegender Dunst aus schimmerndem Staub und Pollen. Es gab keine andere Deckung, und zu einem zweiten Schuss würde er nicht kommen.

Er schob sich im Geröll zurecht, zog einen Stiefel aus, legte ihn auf die Steine, senkte den Vorderschaft der Büchse auf das Leder, entsicherte mit dem Daumen und visierte durch das Zielfernrohr.

Die Tiere hatten allesamt den Kopf gehoben und schauten in seine Richtung.

Verdammt, flüsterte er. Die Sonne stand hinter ihm, sodass sie keinen Lichtreflex im Glas des Zielfernrohrs gesehen haben konnten. Sie hatten schlicht und einfach ihn gesehen.

Die Büchse hatte einen auf knapp dreihundert Gramm eingestellten Abzug. Ganz behutsam zog er sie und den Stiefel zu sich heran, visierte abermals durch das Fernrohr und hielt ganz leicht über das Blatt des Tiers, das ihm am deutlichsten die Seite zukehrte. Er kannte den exakten Abfall der Geschossflugbahn pro hundert Meter. Unsicher war lediglich die Entfernung. Er legte den Finger in die Krümmung des Abzugs. Der Hauer, den er an einer Goldkette um den Hals trug, glitt auf die Steine an der Innenseite seines Ellbogens.

Trotz des schweren Laufs und der Mündungsbremse verriss die Büchse nach oben. Als er die Tiere wieder in die Optik des Zielfernrohrs holte, sah er sie dastehen wie zuvor. Die zehn Gramm schwere Kugel brauchte bis zu ihnen knapp eine Sekunde, der Schall dagegen doppelt so lang. Sie sahen zu der Staubfahne hin, die die einschlagende Kugel aufgewirbelt hatte. Dann gingen sie durch. Rannten aus dem Stand mit Höchstgeschwindigkeit hinaus auf den Barrial, während der langgezogene Knall des Büchsenschusses in der frühmorgendlichen

Einsamkeit hinter ihnen herrollte, von den Felsen hin- und hergeworfen wurde und über das offene Land zurückhallte.

Er stand da und sah ihnen nach. Dann hob er das Fernglas. Eines der Tiere war zurückgefallen und zog ein Bein nach. Wahrscheinlich, dachte er, war die Kugel vom Boden abgeprallt und hatte es an der linken Hinterhand getroffen. Er beugte sich vor und spuckte aus. Verdammt, sagte er.

Er sah ihnen nach, bis sie jenseits der felsigen Vorhügel im Süden verschwunden waren. Der fahl orangefarbene Staub, der im windstillen Morgenlicht hing, verblasste und verschwand dann ebenfalls. Still und leer lag der Barrial in der Sonne. Als wäre dort überhaupt nichts geschehen. Er setzte sich hin, zog seinen Stiefel an, hob die Büchse auf, ließ die leere Patronenhülse herausgleiten, steckte sie in seine Hemdtasche und verriegelte das Patronenlager. Dann hängte er sich die Büchse über die Schulter und marschierte los.

Er brauchte ungefähr vierzig Minuten, um den Barrial zu durchqueren. Dahinter stieg er einen langgezogenen vulkanischen Hang hinauf und folgte dem Kamm des Höhenzugs bis zu einem Aussichtspunkt oberhalb der Landschaft, in der die Tiere verschwunden waren. Mit dem Fernglas suchte er langsam das Terrain ab. Ein großer, schwanzloser Hund mit schwarzem Fell durchquerte das Gelände. Moss beobachtete das Tier. Es hatte einen riesigen Kopf mit gestutzten Ohren und lahmte schwer. Es verhielt. Es blickte hinter sich. Dann ging es weiter. Er senkte das Fernglas und sah ihm nach.

Den Daumen unter den Schulterriemen der Büchse gehakt und den Hut in den Nacken geschoben, marschierte er weiter den Höhenzug entlang. Sein Hemdrücken war bereits schweißnass. In die Felsen dort waren Zeichnungen eingeritzt, die etwa tausend Jahre alt waren. Von Männern, die Jäger gewesen waren wie er. Andere Spuren von ihnen gab es nicht.

14

Am Ende des Höhenzugs befand sich ein Felsrutsch, durch den ein holpriger Pfad abwärtsführte. Candelilla und Katzenklaue. Er setzte sich auf die Steine, stützte die Ellbogen auf die Knie und suchte mit dem Fernglas das Gelände ab. Etwa anderthalb Kilometer entfernt auf dem Schwemmland standen drei Fahrzeuge.

Er senkte das Fernglas und ließ den Blick über die Landschaft als Ganzes gehen. Dann hob er das Fernglas wieder. Es sah so aus, als lägen dort Männer auf dem Boden. Er stemmte die Stiefel in das Geröll und stellte das Fernglas schärfer. Bei den Fahrzeugen handelte es sich um allradgetriebene Pick-ups oder Broncos mit großen Geländereifen, Winde und aufs Dach montierter Scheinwerferleiste. Die Männer schienen tot zu sein. Er senkte das Fernglas, hob es wieder, senkte es erneut und saß einfach nur da. Nichts rührte sich. Er blieb lange Zeit sitzen.

Als er sich den Pick-ups näherte, hatte er die Büchse von der Schulter genommen und hielt sie entsichert auf Hüfthöhe in der Armbeuge. Er blieb stehen. Er musterte das Gelände, dann musterte er die Fahrzeuge. Sie waren völlig zerschossen. Zum Teil bildeten die Einschusslöcher im Karosserieblech regelmäßige, lineare Muster, was ihm verriet, dass sie von automatischen Waffen stammten. Die Scheiben waren größtenteils herausgeschossen, die Reifen platt. Er stand da. Lauschte.

Im ersten Fahrzeug war ein Mann tot über dem Lenkrad zusammengesunken. Dahinter lagen zwei weitere Leichen im schütteren gelben Gras. Getrocknetes Blut schwarz auf dem Boden. Er blieb stehen und lauschte. Nichts. Das Summen der Fliegen. Er ging um das Heck des Pick-ups herum. Dort lag ein großer, toter Hund von derselben Art wie der, den er das Schwemmland hatte durchqueren sehen. Der Hund hatte einen Bauchschuss. Dahinter lag mit dem Gesicht nach unten eine dritte Leiche. Durch das Fenster betrachtete er den Mann in der

Fahrerkabine. Er war durch den Kopf geschossen worden. Überall Blut. Er ging zum zweiten Fahrzeug, aber es war leer. Er ging zu der Stelle, wo die dritte Leiche lag. Im Gras lag eine Schrotflinte mit kurzem Lauf, Pistolengriff und einem Trommelmagazin für zwanzig Schuss. Mit der Stiefelspitze stieß er den Mann am Fuß an und musterte die umliegenden flachen Hügel.

Das dritte Fahrzeug war ein Bronco mit hochgelegter Federung und dunklen Rauchglasscheiben. Er öffnete die Fahrertür. Auf dem Sitz saß ein Mann, der ihn ansah.

Moss stolperte zurück und hob die Büchse. Das Gesicht des Mannes war blutig. Er bewegte mühsam die Lippen. Agua, cuate, sagte er. Agua, por dios.

Auf seinem Schoß lag eine kurzläufige Heckler & Koch-Maschinenpistole mit einem Schulterriemen aus schwarzem Nylon, und Moss griff danach, nahm sie an sich und trat zurück. Agua, sagte der Mann. Por dios.

Ich hab kein Wasser.

Agua.

Moss ließ die Tür offen, hängte sich die Heckler & Koch über die Schulter und entfernte sich. Der Mann folgte ihm mit den Augen. Moss ging um den Kühler des Wagens herum und öffnete die Beifahrertür. Er löste den Entriegelungshebel und klappte den Sitz nach vorn. Der Stauraum dahinter war mit einer silbermetallicfarbenen Plane abgedeckt. Er zog sie zurück. Eine Ladung ziegelsteingroßer Päckchen, jedes in Plastik eingeschweißt. Ein Auge auf den Mann gerichtet, zückte er sein Messer und schlitzte eines der Päckchen auf. Ein loses braunes Pulver rieselte heraus. Er leckte den Zeigefinger an, steckte ihn in das Pulver und roch daran. Dann wischte er sich die Finger an der Hose ab, zog die Plane wieder über die Päckchen, trat zurück und blickte abermals in die Runde. Nichts. Er ging ein Stück weit vom Wagen weg, blieb stehen und suchte mit dem Fernglas die flachen Hügel ab. Den Höhenzug aus Lavagestein. Das Flachland im Süden. Er zog sein Taschentuch, ging zurück und wischte alles ab, was er angefasst hatte. Den Türgriff, den Entriegelungshebel des Sitzes, die Plane und das Plastikpäckchen. Er ging um den Wagen herum auf die andere Seite und wischte auch dort alles ab. Er überlegte, was er vielleicht sonst noch angefasst hatte. Er ging zurück zum ersten Pick-up, machte mit dem Taschentuch die Tür auf und schaute hinein. Er öffnete das Handschuhfach und schloss es wieder. Er musterte den Toten am Steuer. Er ließ die Tür offen und ging um den Wagen herum auf die Fahrerseite. Die Tür war voller Einschusslöcher. Die Windschutzscheibe. Kleines Kaliber. Sechs Millimeter. Vielleicht Viererschrot. Bildeten regelrechte Muster. Er öffnete die Tür und drückte den Fensterheber, aber die Zündung war nicht eingeschaltet. Er schloss die Tür, stand da und musterte die flachen Hügel.

Er ging in die Hocke, nahm die Büchse von der Schulter, legte sie ins Gras, nahm die Maschinenpistole und schob mit dem Handrücken den Zubringer zurück. In der Kammer befand sich eine Patrone, das Magazin enthielt jedoch nur noch zwei Schuss. Er schnupperte an der Mündung der Waffe. Er nahm das Magazin heraus. Hängte sich die Büchse über die eine und die Maschinenpistole über die andere Schulter, ging zu dem Bronco zurück und hielt das Magazin hoch, sodass der Mann es sehen konnte. Otra, sagte er. Otra.

Der Mann nickte. En mi bolsa.

Sprichst du Englisch?

Der Mann gab keine Antwort. Offenbar versuchte er, mit dem Kinn auf etwas zu deuten. Moss konnte zwei Magazine aus der Tasche der Segeltuchjacke ragen sehen, die der Mann trug. Er griff in die Fahrerkabine, nahm die Magazine an sich und trat zurück. Geruch von Blut und Fäkalien. Er führte eines der vollen

Magazine in die Maschinenpistole ein und steckte die anderen beiden in die Tasche. Agua, cuate, sagte der Mann.

Moss suchte das umliegende Land ab. Ich hab's dir doch gesagt, sagte er. Ich hab kein Wasser.

La puerta, sagte der Mann.

Moss sah ihn an.

La puerta. Hay lobos.

Hier gibt's keine lobos.

Sí, sí. Lobos. Leones.

Moss stieß mit dem Ellbogen die Tür zu.

Er ging zum ersten Wagen zurück und betrachtete die offene Beifahrertür. Sie wies keine Einschusslöcher auf, aber es war Blut auf dem Sitz. Der Schlüssel steckte noch, und er griff hinein, drehte ihn und betätigte dann den Fensterheber. Langsam knirschte die Scheibe aus dem Schlitz nach oben. Sie wies zwei Einschusslöcher und auf der Innenseite ein feines Gesprüh getrockneten Blutes auf. Er stand da und dachte darüber nach. Er betrachtete den Boden. Blutflecken im Lehm. Blut im Gras. Er blickte die Fahrspur entlang nach Süden durch die Caldera, in die Richtung, aus der der Wagen gekommen war. Es musste noch einer übrig sein. Und das war nicht der um Wasser bittende cuate in dem Bronco.

Er ging hinaus auf das Schwemmland und schlug einen weiten Bogen, um festzustellen, wo die Reifenspur im dünnen Gras in der Sonne sichtbar war. Knapp dreißig Meter weiter südlich suchte er nach Hinweisen. Er nahm die Spur des Mannes auf und folgte ihr, bis er auf Blut im Gras stieß. Dann noch mehr Blut.

Du kommst nicht weit, sagte er. Du glaubst vielleicht, du schaffst es. Aber du irrst dich.

Er verfolgte die Spur nicht weiter, sondern steuerte, die Maschinenpistole entsichert unter dem Arm, den höchstgelegenen

Punkt im Gelände an, den er sehen konnte. Mit dem Fernglas suchte er nach Süden hin das Terrain ab. Nichts. Er nestelte an dem Hauer auf seiner Hemdenbrust. Jetzt, sagte er, liegst du wahrscheinlich irgendwo im Schatten und beobachtest den Weg, den du gekommen bist. Und die Chancen, dass ich dich sehe, bevor du mich siehst, stehen praktisch bei null.

Er ging in die Hocke, stützte die Ellbogen auf die Knie und suchte mit dem Fernglas die Felsen am oberen Ende des Tals ab. Er setzte sich im Schneidersitz auf den Boden, überprüfte das Terrain langsamer, senkte dann das Fernglas und saß einfach nur da. Lass dir hier draußen, sagte er, bloß nicht aus Dämlichkeit den Arsch wegschießen. Bloß nicht.

Er drehte sich um und schaute zur Sonne hin. Es war ungefähr elf Uhr. Wir wissen ja noch nicht mal, ob sich das Ganze gestern Abend abgespielt hat. Hätte auch vor zwei Tagen gewesen sein können. Vielleicht sogar vor drei.

Hätte aber auch gestern Abend gewesen sein können.

Ein leichter Wind war aufgekommen. Er schob sich den Hut in den Nacken, wischte sich mit seinem Halstuch die Stirn und steckte es wieder in die Hüfttasche seiner Jeans. Er blickte über die Caldera auf die niedrige Felsenkette am östlichen Rand.

Was verletzt ist, geht niemals bergauf, sagte er. Das passiert einfach nicht.

Der Anstieg zum Kamm des Höhenzugs war anstrengend, und als er oben ankam, war es fast Mittag. Weit im Norden konnte er die Silhouette eines Sattelzugs durch die schimmernde Landschaft gleiten sehen. Fünfzehn Kilometer. Vielleicht zwanzig. Der Highway 90. Er setzte sich auf den Boden und suchte mit dem Fernglas das neue Terrain ab. Dann hielt er inne.

Am Fuß eines Felsrutsches am Rand der Bajada sah er ein kleines Stück von etwas Blauem. Er beobachtete es lange Zeit durch das Fernglas. Nichts rührte sich. Er musterte das umliegende Land. Dann beobachtete er weiter das Stück Blau. Es verging fast eine Stunde, ehe er aufstand und sich an den Abstieg machte.

Der Tote lag an einem Felsen, zwischen den Beinen im Gras eine Government .45 Automatic mit gespanntem Hahn. Er hatte gesessen und war zur Seite gekippt. Seine Augen waren offen. Er sah aus, als studierte er etwas Kleines im Gras. Es war Blut auf dem Boden und Blut auf dem Felsen hinter ihm. Das Blut war immer noch dunkelrot, lag allerdings auch noch im Schatten. Moss hob die Pistole auf, drückte mit dem Daumen den Sicherungshebel am Griff und entspannte den Hahn. Er ging in die Hocke und versuchte, am Hosenbein des Mannes das Blut von den Griffschalen zu wischen, aber es war bereits zu stark geronnen. Er stand auf, steckte sich die Pistole hinten in den Hosenbund, schob seinen Hut zurück und wischte sich mit dem Hemdsärmel den Schweiß von der Stirn. Er drehte sich um und musterte die Landschaft. Neben dem Knie des Toten stand aufrecht ein robuster Aktenkoffer aus Leder, und Moss wusste genau, was darin war, und es ängstigte ihn auf eine Weise, die er gar nicht verstand.

Als er den Aktenkoffer schließlich aufhob, ging er damit nur ein kurzes Stück, setzte sich ins Gras, ließ die Büchse von der Schulter gleiten und legte sie beiseite. Er saß mit leicht gespreizten Beinen, die Maschinenpistole im Schoß, den Aktenkoffer zwischen den Knien. Dann öffnete er die beiden Schnallen, ließ die Messingschließe aufschnappen, hob den Deckel und klappte ihn zurück.

Der Koffer war randvoll mit Hundertdollarnoten. Sie waren mit Banderolen, die den Aufdruck $ 10 000 trugen, zu kleinen Päckchen gebündelt. Er wusste nicht, wie viel es insgesamt war, hatte aber eine ziemlich gute Vorstellung davon. Er saß da, betrachtete das Geld, schloss dann den Deckel und verharrte mit gesenktem Kopf. Sein ganzes Leben lag da vor ihm. Tag für Tag, von morgens bis abends, bis zu seinem Tod. Alles konzentriert auf vierzig Pfund Papier in einem Aktenkoffer.

Er hob den Kopf und blickte hinaus auf die Bajada. Leichter Wind von Norden. Kühl. Sonnig. Ein Uhr nachmittags. Er betrachtete den Mann, der tot im Gras lag. Seine guten Krokodillederstiefel, die mit Blut vollgesogen waren und schwarz wurden. Das Ende seines Lebens. Hier an dieser Stelle. Die fernen Berge im Süden. Der Wind im Gras. Die Stille. Er ließ die Schließe einrasten, schloss die Schnallen, stand auf, schulterte die Büchse, hob den Aktenkoffer und die Maschinenpistole auf, orientierte sich anhand seines Schattens und marschierte los.

Er meinte zu wissen, wie er zu seinem Wagen kam, und dachte daran, bei Dunkelheit durch die Wüste zu gehen. In dieser Gegend gab es Mojave-Klapperschlangen, und wenn er nachts hier draußen gebissen wurde, würde ihn aller Wahrscheinlichkeit nach das gleiche Schicksal treffen wie die anderen Männer, und dann würden der Aktenkoffer und sein Inhalt an einen anderen Besitzer gehen. Gegen diese Überlegungen sprach, dass es ein Problem war, am helllichten Tag mit einer vollautomatischen Waffe über der Schulter und einem Aktenkoffer mit mehreren Millionen Dollar zu Fuß offenes Gelände zu überqueren. Abgesehen davon war er todsicher, dass irgendwer nach dem Geld suchen würde. Vielleicht sogar mehr als einer.

Er dachte daran, zurückzugehen und die Schrotflinte zu holen. Er hielt sehr viel von der Schrotflinte. Er dachte sogar daran, die Maschinenpistole dazulassen. Der Besitz einer solchen Waffe war eine Straftat, auf die Gefängnis stand.

Er ließ nichts da, und er kehrte auch nicht zu den Fahrzeugen zurück. Er setzte sich querfeldein in Marsch, nutzte die Einschnitte in den vulkanischen Höhenzügen und durchquerte das

21

flache oder leicht gewellte Gelände dazwischen. Und erreichte spät am Tag den Viehweg, auf dem er am Morgen im Dunkeln, vor so langer Zeit, gekommen war. Etwa anderthalb Kilometer weiter kam er zum Pick-up.

Er öffnete die Beifahrertür und stellte die Büchse auf den Boden. Dann ging er um den Wagen herum, öffnete die Fahrertür, drückte den Entriegelungshebel, ließ den Sitz nach vorn gleiten und legte den Aktenkoffer und die Maschinenpistole dahinter. Die .45er und das Fernglas legte er auf den Sitz, stieg ein, schob den Sitz so weit zurück, wie es ging, und steckte den Schlüssel ins Zündschloss. Dann nahm er seinen Hut ab, lehnte sich zurück, legte den Kopf an das kalte Glas hinter ihm und schloss die Augen.

Beim Highway angelangt, bremste er ab, holperte über die Rundeisen der Viehsperre, fuhr dann auf den Asphalt und schaltete die Scheinwerfer ein. Er fuhr nach Westen in Richtung Sanderson und hielt sich dabei peinlich genau an die Geschwindigkeitsbegrenzung. Bei der Tankstelle am Ostende der Stadt machte er halt, um Zigaretten zu kaufen und ein großes Glas Wasser zu trinken, dann fuhr er weiter zum Desert Aire, hielt vor dem Wohnwagen an und schaltete den Motor aus. Drinnen brannte Licht. Und wenn du hundert Jahre alt wirst, sagte er, so einen Tag erlebst du nicht nochmal. Kaum hatte er es gesagt, bereute er es auch schon.

Er nahm seine Taschenlampe aus dem Handschuhfach, stieg aus, holte die Maschinenpistole und den Aktenkoffer hinter dem Sitz hervor und kroch unter den Wohnwagen. Im Dreck liegend, blickte er zur Unterseite auf. Billige Plastikrohre und Sperrholz. Isoliermaterial. Er zwängte die Maschinenpistole in einen Winkel, zog die Isolierung darüber und dachte nach. Dann kroch er mit dem Aktenkoffer darunter hervor, klopfte sich den Staub ab, stieg die Stufen hinauf und ging hinein.

Sie fläzte sich auf dem Sofa, sah fern und trank dazu ein Coke. Sie blickte nicht einmal auf. Drei Uhr, sagte sie.

Ich kann später wiederkommen.

Über die Sofalehne hinweg sah sie ihn an, dann kehrte ihr Blick zum Bildschirm zurück. Was hast du in dem Aktenkoffer?

Er ist voller Geld.

Bestimmt. Wer's glaubt, wird selig.

Er ging in die Küche und holte sich ein Bier aus dem Kühlschrank.

Kann ich die Schlüssel haben?, fragte sie.

Wo willst du denn hin?

Zigaretten holen.

Zigaretten.

Ja, Llewelyn. Zigaretten. Ich sitze schon den ganzen Tag hier rum.

Wie steht's mit Zyanid? Haben wir davon noch genug?

Gib mir einfach die Schlüssel. Ich setz mich zum Rauchen in den verdammten Hof.

Er trank einen Schluck Bier, ging nach hinten ins Schlafzimmer, ließ sich auf ein Knie nieder und schob den Aktenkoffer unter das Bett. Dann kam er zurück. Ich hab dir Zigaretten mitgebracht, sagte er. Ich hol sie eben.

Er ließ das Bier auf der Frühstückstheke stehen, ging hinaus, holte die zwei Päckchen Zigaretten, das Fernglas und die Pistole, hängte sich die .270 über die Schulter, schloss die Tür des Pick-ups und ging in den Wohnwagen. Er gab ihr die Zigaretten und ging weiter ins Schlafzimmer.

Wo hast du die Pistole her?, rief sie.

Wo ich sie halt herhab.

Hast du das Ding gekauft?

Nein. Ich hab's gefunden.

Sie setzte sich auf. Llewelyn?

Er kam zurück. Was denn?, fragte er. Schrei doch nicht so.

Was hast du für das Ding hingelegt?

Du musst nicht alles wissen.

Wie viel?

Ich hab's dir doch gesagt. Ich hab's gefunden.

Das nehm ich dir nicht ab.

Er setzte sich auf das Sofa, legte die Beine auf den Couchtisch und trank das Bier. Sie gehört mir nicht, sagte er. Ich hab keine Pistole gekauft.

Das will ich dir auch geraten haben.

Sie riss eines der Zigarettenpäckchen auf, nahm eine Zigarette heraus und zündete sie mit einem Feuerzeug an. Wo warst du den ganzen Tag?

Zigaretten für dich holen.

Ich will's gar nicht wissen. Ich will gar nicht wissen, was du so getrieben hast.

Er trank Bier und nickte. So ist es recht, sagte er.

Ich glaub, es ist besser, wenn ich's gar nicht weiß.

Wenn du nicht bald die Klappe hältst, nehm ich dich mit nach hinten und vögle dich.

Sprüche.

Mach nur so weiter.

Ich hab's ja gesagt.

Ich trinke nur eben das Bier leer. Dann werden wir sehen, was du gesagt hast und was nicht.

Als er aufwachte, zeigte die Digitaluhr auf dem Nachtschränkchen 1:06. Er lag da und blickte zur Decke auf, während das grelle Gleißen der Neonlampe draußen das Schlafzimmer in ein kaltes, bläuliches Licht tauchte. Wie ein Wintermond. Oder irgendein anderer Mond. Das Licht hatte etwas Stellares, Fremdartiges, mit dem er sich wohl zu fühlen gelernt hatte. Alles, nur nicht im Dunkeln schlafen.

Er schwang die Beine unter der Bettdecke hervor und setzte sich auf. Er betrachtete ihren nackten Rücken. Ihr Haar auf dem Kissen. Er zog ihr die Decke bis über die Schulter hoch, stand auf und ging in die Küche. Er nahm die Wasserflasche aus dem Kühlschrank, schraubte den Deckel ab und trank im Licht des offenen Kühlschranks. Dann stand er einfach nur da, in der Hand das kalt beschlagene Glas, und schaute durch das Fenster den Highway entlang zu den Lichtern hin. Er blieb lange so stehen.

Ins Schlafzimmer zurückgekehrt, hob er seine Boxershorts vom Boden auf, schlüpfte hinein, ging ins Bad und schloss die Tür. Dann ging er weiter ins zweite Schlafzimmer, zog den Aktenkoffer unter dem Bett hervor und klappte ihn auf.

Den Koffer zwischen den Beinen saß er auf dem Boden, fuhr mit beiden Händen zwischen die Banknoten und wühlte sie auf. Die Bündel waren zu je zwanzig aufeinandergestapelt. Er schob sie in den Koffer zurück, den er auf dem Boden hin- und herschüttelte, damit sie sich setzten. Mal zwölf. Das konnte er im Kopf ausrechnen. Zwei Komma vier Millionen. Alles gebrauchte Scheine. Er saß da und betrachtete das Geld. Du musst das ernst nehmen, sagte er. Du kannst das nicht als glücklichen Zufall behandeln.

Er klappte den Koffer zu, schloss die Schnallen, schob ihn unter das Bett, stand auf und blickte zum Fenster hinaus auf die Sterne über dem felsigen Steilhang nördlich der Stadt. Totenstille. Nicht einmal ein Hund. Aber er war nicht des Geldes wegen aufgewacht. Bist du tot da draußen?, sagte er. Ach was, du bist nicht tot.

Sie wachte auf, während er sich anzog, drehte sich im Bett um und sah ihm zu.

Llewelyn?

Ja.

Was machst du?

Ich zieh mich an.

Wo willst du hin?

Raus.

Wo willst du hin, Baby?

Hab was vergessen. Ich bin bald wieder da.

Was hast du vor?

Er zog die Schublade auf, nahm die .45er heraus, ließ das Magazin herausschnappen, überprüfte es, führte es wieder ein und steckte sich die Pistole in den Hosenbund. Er drehte sich um und sah sie an.

Was ich vorhab, ist so dämlich, dämlicher geht's nicht, aber ich tu's trotzdem. Wenn ich nicht wiederkomme, sag Mutter, dass ich sie liebe.

Deine Mutter ist tot, Llewelyn.

Dann sag ich's ihr eben selber.

Sie setzte sich im Bett auf. Du machst mir richtig Angst, Llewelyn. Bist du in irgendwelchen Schwierigkeiten?

Nein. Schlaf weiter.

Ich soll weiterschlafen?

Ich bin bald wieder da.

Zum Teufel mit dir, Llewelyn.

Er trat zurück in die Tür und sah sie an. Und wenn ich nun nicht zurückkäme? Sind das deine letzten Worte?

Sie schlüpfte in ihren Bademantel, während sie ihm den Flur entlang in die Küche folgte. Er holte einen leeren Vierliter-Plastikkanister unter der Spüle hervor und füllte ihn am Wasserhahn.

Weißt du, wie spät es ist?, fragte sie.

Ja. Ich weiß, wie spät es ist.

Baby, ich will nicht, dass du gehst. Wohin willst du überhaupt? Ich will nicht, dass du gehst.

Tja, Liebling, da sind wir völlig einer Meinung, ich will nämlich auch nicht. Ich bin bald wieder da. Warte nicht auf mich.

An der Tankstelle hielt er unter den Lichtern, stellte den Motor ab, nahm die Übersichtskarte aus dem Handschuhfach, entfaltete sie auf dem Sitz und studierte sie. Schließlich markierte er die Stelle, wo er die Pick-ups vermutete, und zeichnete eine querfeldein verlaufende Route zu Harkles Viehgatter. Er hatte gute Geländereifen aufgezogen und zwei Reserveräder auf der Ladefläche, aber das war schwieriges Gelände. Er betrachtete die Linie, die er gezeichnet hatte. Dann beugte er sich vor, studierte das Terrain und zeichnete eine zweite Linie. Danach saß er einfach nur da und betrachtete die Karte. Als er den Motor anließ und auf den Highway hinausfuhr, war es Viertel nach zwei Uhr morgens, die Straße war verlassen, und das Autoradio war in diesem entlegenen Landstrich so tot, dass von einem Ende des Bandes bis zum anderen nicht einmal atmosphärische Störungen zu hören waren.

Er hielt am Gatter, stieg aus, öffnete es, fuhr hindurch, stieg aus, schloss es wieder und lauschte einen Moment lang der Stille. Dann stieg er wieder ein und fuhr auf dem Viehweg Richtung Süden.

Er beließ es beim Zweiradantrieb und fuhr im zweiten Gang. Das Licht des nicht aufgegangenen Mondes vor ihm beschien die dunklen Hügel wie Rampenlichter einen Theatervorhang. Ein Stück vor der Stelle, an der er am Morgen geparkt hatte, bog er auf einen alten Fuhrweg ab, der ostwärts über Harkles Land führte. Als der Mond schließlich aufging, hing er fahl, geschwollen und verformt zwischen den Hügeln und erleuchtete das ganze umliegende Land, sodass Moss die Scheinwerfer ausschalten konnte.

Eine halbe Stunde später hielt er an, ging den Kamm einer Erhebung entlang und blickte nach Südosten über das Land. Der

Mond hoch am Himmel. Eine blaue Welt. Sichtbare Wolkenschatten glitten über das Schwemmland. Wurden an den Hängen schneller. Die Beine vor sich gekreuzt, setzte er sich in das Lavagestein. Keine Kojoten. Nichts. Nicht mal für einen mexikanischen Rauschgifthändler. Ja. Tja. Jeder ist halt irgendwas.

Zum Wagen zurückgekehrt, bog er von der Fahrspur ab und orientierte sich am Mond. Am oberen Ende des Tals fuhr er am Fuß eines vulkanischen Vorsprungs entlang und wandte sich wieder Richtung Süden. Er hatte ein gutes Gedächtnis für Landschaften. Er durchquerte Gelände, das er früher am Tag von dem Höhenzug aus erkundet hatte, dann hielt er erneut an und stieg aus, um zu lauschen. Zum Wagen zurückgekehrt, entfernte er die Plastikkappe der Innenbeleuchtung, nahm die Birne heraus und legte sie in den Aschenbecher. Mit der Taschenlampe studierte er abermals die Karte. Als er das nächste Mal anhielt, stellte er einfach den Motor ab und blieb bei heruntergekurbeltem Fenster sitzen. Lange Zeit saß er da.

Er parkte den Wagen knapp einen Kilometer vor dem oberen Ende der Caldera, hob den Plastikkanister mit Wasser aus dem Fußraum und steckte die Taschenlampe in seine Hüfttasche. Dann nahm er die .45er vom Sitz, schloss, den Daumen auf dem Verriegelungsknopf, leise die Tür, drehte sich um und marschierte in Richtung der Pick-ups los.

Sie standen da, wie er sie zurückgelassen hatte, auf ihre plattgeschossenen Reifen gekauert. Er näherte sich mit der gespannten .45er in der Hand. Totenstille. Konnte am Mond liegen. Sein eigener Schatten war mehr Gesellschaft, als ihm recht war. Hässliches Gefühl hier draußen. Ein Eindringling. Bei den Toten. Nun fang bloß nicht an zu spinnen, sagte er. Du bist keiner von denen. Noch nicht.

Die Tür des Bronco war offen. Als er das sah, ließ er sich auf ein Knie nieder. Er stellte den Wasserkanister auf den Boden.

Du Blödmann, sagte er. Da hast du's. Zu blöd, um am Leben zu bleiben.

Er drehte sich langsam um, suchte das Land bis zum Horizont ab. Das Einzige, was er hören konnte, war sein Herz. Er schob sich auf den Pick-up zu und verhielt geduckt an der offenen Tür. Der Mann war seitwärts auf die Mittelkonsole gesunken. Noch immer vom Gurt gehalten. Überall frisches Blut. Moss zückte die Taschenlampe, beschirmte das Glas mit der gewölbten Hand und schaltete sie ein. Der Mann war durch den Kopf geschossen worden. Keine Lobos. Keine Leones. Mit der abgedeckten Lampe leuchtete er in den Stauraum hinter den Sitzen. Alles weg. Er knipste die Lampe aus und blieb einen Moment lang stehen. Dann ging er langsam zu der Stelle, wo die anderen Leichen lagen. Die Schrotflinte war weg. Der Mond hatte bereits ein Viertel seiner Bahn zurückgelegt. Es war fast taghell. Er kam sich vor wie auf dem Präsentierteller.

Er hatte die Hälfte des Rückweges durch die Caldera zu seinem Pick-up hinter sich, als irgendetwas ihn veranlasste, stehenzubleiben. Er duckte sich, die gespannte Pistole auf dem Oberschenkel. Im Mondlicht sah er den Pick-up oben auf der Erhebung stehen. Um ihn besser erkennen zu können, richtete er den Blick auf einen Punkt seitlich davon. Jemand stand daneben. Dann war er verschwunden. Es gibt keine Definition eines Idioten, sagte er, der du nicht entsprichst. Und jetzt wirst du sterben.

Er schob sich die .45er hinten in den Hosenbund und hielt in leichtem Laufschritt auf den Höhenzug aus Lavagestein zu. In der Ferne hörte er einen Motor anspringen. Auf der Erhebung näherten sich Scheinwerferlichter. Er begann zu rennen.

Als er bei den Felsen ankam, war der Pick-up schon ein gutes Stück in die Caldera hineingefahren, die Scheinwerfer hüpften über den unebenen Boden. Moss sah sich nach einem Versteck um. Keine Zeit. Mit dem Gesicht nach unten, den Kopf zwischen den Unterarmen, legte er sich ins Gras und wartete. Entweder hatten sie ihn gesehen oder nicht. Er wartete. Der Pickup fuhr vorbei. Als er fort war, stand Moss auf und begann den Hang hinaufzuklettern.

Auf halbem Weg blieb er nach Atem ringend stehen und versuchte zu lauschen. Die Lichter waren irgendwo unterhalb von ihm. Er kletterte weiter. Nach einer Weile konnte er die dunklen Umrisse der Fahrzeuge unten sehen. Dann kam der Pick-up mit ausgeschaltetem Licht zurück.

An den Boden gepresst, lag er bei den Felsen. Der Strahl eines Suchscheinwerfers huschte über die Lava und kam zurück. Der Pick-up bremste ab. Moss hörte den Motor leerlaufen. Das langsame Blubbern des Auspuffs. Großer Blockmotor. Wieder strich der Strahl des Suchscheinwerfers über die Felsen. Schon in Ordnung, sagte er. Man muss dich von deinem Elend erlösen. Ist für alle Beteiligten das Beste.

Der Motor drehte leicht hoch und ging dann wieder in den Leerlauf über. Der Auspuff hatte einen tiefen, gutturalen Klang. Sportauspuff, ausgebauter Schalldämpfer und Gott weiß was sonst noch. Nach einer Weile fuhr der Wagen im Dunkeln weiter.

Auf dem Kamm des Höhenzuges angelangt, kauerte Moss sich nieder, zog die .45er aus dem Hosenbund, entspannte sie, steckte sie wieder zurück und hielt nach Norden und Osten Ausschau. Kein Anzeichen von dem Pick-up.

Wie würde es dir gefallen, mit deiner alten Kiste zu versuchen, diesem Ding davonzufahren?, sagte er. Dann ging ihm auf, dass er seinen Pick-up nie wiedersehen würde. Tja, sagte er. Es gibt 'ne ganze Menge, was du nie wiedersehen wirst.

Am oberen Ende der Caldera tauchte der Suchscheinwerfer wieder auf und bewegte sich über den Höhenzug. Moss lag auf dem Bauch und behielt ihn im Auge. Er kam wieder zurück.

Wenn du wüsstest, dass da draußen jemand rumläuft, der zwei Millionen Dollar von deinem Geld hat, wann würdest du dann die Suche nach ihm aufgeben?

Genau. Niemals.

Er lag da und lauschte. Er konnte den Pick-up nicht hören. Nach einer Weile stand er auf und arbeitete sich auf die andere Seite des Höhenzuges vor. Musterte dabei die Landschaft. Das Schwemmland draußen im Mondlicht breit und still. Keine Möglichkeit, es zu überqueren, und sonst konnte er nirgends hin. Tja, mein Lieber, was machst du jetzt?

Es ist vier Uhr morgens. Was meinst du, wo dein Süßer steckt?

Ich sag dir was. Warum steigst du nicht einfach in deinen Pick-up, fährst da raus und bringst dem Scheißkerl einen Schluck Wasser?

Der Mond stand klein und hoch am Himmel. Er behielt die Ebene im Auge, während er den Hang entlangkletterte. Wie motiviert bist du?, sagte er.

Verdammt motiviert.

Das will ich dir auch geraten haben.

Er hörte den Pick-up. Er kam mit ausgeschalteten Scheinwerfern um das Vorland des Höhenzuges herum und fuhr im Mondlicht am Rand des Schwemmlandes entlang. Moss drückte sich tiefer zwischen die Felsen. Zu allem Übel musste er nun auch noch an Skorpione und Klapperschlangen denken. Unentwegt fuhr der Strahl des Suchscheinwerfers auf dem Hang des Höhenzuges hin und her. Methodisch. Helles Schiffchen, dunkler Webstuhl. Moss rührte sich nicht.

Der Pick-up fuhr auf die andere Seite hinüber und kam zurück. Kutschierte im zweiten Gang dahin, hielt mit tuckerndem

Motor an. Moss schob sich vorwärts, um ihn besser sehen zu können. Von einer Wunde an der Stirn lief ihm immer wieder Blut ins Auge. Er wusste gar nicht, wo er sie sich zugezogen hatte. Mit dem Handballen wischte er sich das Auge, dann wischte er sich die Hand an der Hose ab. Er zog sein Taschentuch und drückte es sich an den Kopf.

Du könntest nach Süden zum Fluss gehen.

Ja. Könntest du.

Weniger offenes Gelände.

Weniger heißt aber nicht gar keins.

Das Taschentuch noch immer an die Stirn gedrückt, drehte er sich um. Keine Wolken in Sicht.

Wenn es hell wird, musst du irgendwo sein.

Zu Hause im Bett wäre schön.

Er musterte das blaue Schwemmland draußen in der Stille. Ein riesiges, atemloses Amphitheater. Er wartete. Er hatte dieses Gefühl schon einmal gehabt. In einem anderen Land. Er hätte nie gedacht, dass er es noch einmal haben würde.

Er wartete lange Zeit. Der Pick-up kam nicht zurück. Er marschierte südwärts den Höhenzug entlang. Er blieb stehen und lauschte. Kein Kojote, nichts.

Bis er zur Flussebene abgestiegen war, zeigte der Himmel im Osten den ersten schwachen Hauch von Licht. Dunkler als so würde es heute Nacht nicht mehr werden. Die Ebene erstreckte sich bis zum Steilufer, und er lauschte ein letztes Mal und trabte dann los.

Es war ein langes Stück Weg, und er war noch knapp zweihundert Meter vom Fluss entfernt, als er den Pick-up hörte. Über den Hügeln erschien ein schmutzig graues Licht. Als er zurückblickte, sah er den Staub vor dem neuen Horizont. Noch immer fast anderthalb Kilometer entfernt. Das Geräusch in der Morgendämmerung nicht unheimlicher als ein Motorboot auf einem See. Dann hörte er ihn herunterschalten. Er zog die .45er aus dem Hosenbund, damit er sie nicht verlor, und rannte los.

Als er erneut zurückblickte, hatte der Wagen die Entfernung deutlich verringert. Moss war noch etwa hundert Meter vom Fluss entfernt und wusste nicht, was er vorfinden würde, wenn er dort ankam. Womöglich eine steile Felsschlucht. Die ersten langen Lichtbündel ragten durch eine Lücke in den Bergen im Osten und legten sich fächerförmig über das Land vor ihm. Der Pick-up erstrahlte im Licht sämtlicher Scheinwerfer, derer auf dem Dach und derer auf dem Stoßfänger. Der Motor heulte immer wieder auf, wenn die Räder vom Boden abhoben.

Sie werden nicht auf dich schießen, sagte er. Das können sie sich nicht leisten.

Der langgezogene Knall eines Gewehrschusses rollte über die Ebene. Was er über sich hatte hinwegwispern hören, ging ihm auf, war die fehlgegangene und in Richtung Fluss verschwindende Kugel. Er blickte zurück und sah einen Mann aufrecht stehend aus dem Sonnendach ragen, eine Hand auf dem Dach der Fahrerkabine, in der anderen mit nach oben zeigendem Lauf ein Gewehr.

Er erreichte den Fluss an einer Stelle, an der er in weitem Bogen aus einem Canyon kam und an ausgedehnten Schilfdickichten vorbeiführte. Weiter flussabwärts schlug er gegen ein Steilufer und vollführte einen Schwenk Richtung Süden. Tief im Canyon Dunkelheit. Das Wasser dunkel. Moss sprang in die Senke, stürzte, überkugelte sich, stand auf und begann auf einem langen sandigen Grat zum Flussufer abzusteigen. Er war noch keine zehn Meter weit gegangen, als ihm aufging, dass er dazu keine Zeit hatte. Er warf einen Blick zurück zur Kante, dann ging er in die Hocke und stieß sich, die .45er mit beiden Händen festhaltend, an der Seite des Hanges nach unten ab.

Er kugelte sich und rutschte ein ganzes Stück, die Augen zum

Schutz gegen den Staub und den Sand, den er aufwirbelte, fast ganz geschlossen, die Pistole an die Brust gedrückt. Dann hörte das alles auf, und er fiel einfach. Er öffnete die Augen. Über ihm in langsamer Drehung die frische Welt des Morgens.

Er knallte in ein Kiesbett und gab ein Stöhnen von sich. Dann kugelte er durch eine Art grobes Gras. Er kam zum Stillstand und blieb nach Luft schnappend auf dem Bauch liegen.

Die Pistole war weg. Er kroch durch das plattgedrückte Gras zurück, bis er sie fand, hob sie auf, drehte sich um und suchte den oberen Rand des Flusstals ab, während er sich mit dem Pistolenlauf den Staub aus dem Ärmel klopfte. Sein Mund war voller Sand. Seine Augen. Er sah die Silhouetten zweier Männer vor dem Himmel auftauchen, spannte die Pistole und schoss auf sie, worauf sie wieder verschwanden.

Er wusste, er hatte keine Zeit, zum Fluss zu robben, deshalb stand er einfach auf und rannte darauf zu, platschte über die ineinanderverschlungenen Kiesbetten und eine lange Sandbank entlang, bis er zum Hauptwasserlauf kam. Er holte seine Schlüssel und seine Brieftasche hervor, steckte beides in seine Hemdtasche und knöpfte sie zu. Der kalte Wind, der vom Wasser her wehte, roch nach Eisen. Er konnte ihn schmecken. Er warf die Taschenlampe weg, entspannte den Hahn der .45er und steckte sie sich vorn in die Hose. Dann streifte er seine Stiefel ab, schob sie sich zu beiden Seiten verkehrt herum unter den Gürtel, zog diesen so stramm, wie er konnte, und sprang kopfüber in den Fluss.

Die Kälte verschlug ihm den Atem. Er drehte sich um und blickte zur Kante auf, während er prustete und das schiefergraue Wasser trat. Da war nichts. Er drehte sich um und schwamm los.

Die Strömung trug ihn in die Biegung des Flusses und bis an die Felsen heran. Er stieß sich davon ab. Über ihm ragte dunkel

34

und tief gehöhlt das Steilufer auf, und das Wasser in den Schatten war schwarz und kabbelig. Als er schließlich vom Schusswasser erfasst wurde und zurückblickte, sah er den Pick-up oben auf dem Steilufer stehen, aber keine Menschen. Er überzeugte sich davon, dass er seine Stiefel und die Pistole noch hatte, dann drehte er sich um und begann auf das andere Ufer zuzuschwimmen.

Als er sich zitternd aus dem Fluss hievte, war er ungefähr anderthalb Kilometer von der Stelle entfernt, wo er hineingesprungen war. Seine Socken waren weg, und er lief barfuß auf das Röhricht zu. Im schräg abfallenden Felsen runde Vertiefungen, wo die Alten gemahlen hatten. Als er erneut zurückblickte, war der Pick-up verschwunden. Zwei Männer, die sich deutlich vor dem Himmel abzeichneten, trabten oben auf dem Steilufer dahin. Er hatte das Röhricht fast erreicht, als es plötzlich überall um ihn herum raschelte und ein dumpfer Knall zu hören war, dem das Echo vom anderen Ufer folgte.

Er wurde von einer Schrotkugel am Oberarm getroffen, und sie brannte wie ein Hornissenstich. Er legte die Hand über die halb in die Rückseite seines Arms eingedrungene Bleikugel und tauchte in das Röhricht ein. Sein linkes Bein drohte immer wieder unter ihm nachzugeben, und er hatte Mühe mit dem Atmen.

Tief im Gestrüpp fiel er auf die Knie und rang nach Luft. Er löste seinen Gürtel, ließ die Stiefel in den Sand fallen, zog die .45er, legte sie neben sich und tastete die Rückseite seines Arms ab. Die Schrotkugel war verschwunden. Er knöpfte sich das Hemd auf, legte es ab und zog seinen Arm nach vorn herum, um die Wunde zu untersuchen. Man sah lediglich ein leicht blutendes Einschussloch, von Hemdfaserstückchen verklebt. Die ganze Rückseite seines Arms verfärbte sich bereits zu einem hässlichen blauroten Fleck. Er wrang das Wasser aus seinem

Hemd, zog es wieder an, knöpfte es zu, schlüpfte in die Stiefel, stand auf und schnallte sich den Gürtel zu. Er hob die Pistole auf, nahm das Magazin heraus, ließ die Patrone aus der Kammer schnellen, schüttelte die Waffe, pustete durch den Lauf und führte das Magazin wieder ein. Er wusste nicht, ob sie schießen würde, hielt es aber für wahrscheinlich.

Als er auf der anderen Seite aus dem Röhricht herauskam, blieb er stehen und blickte zurück, aber die Halme waren fast zehn Meter hoch, und er konnte nichts sehen. Flussabwärts befand sich ein breites, terassenförmiges Stück Ufer mit einem Pappelgehölz. Als er dort ankam, begannen seine bloßen Füße in den nassen Stiefeln bereits Blasen zu bekommen. Sein Arm war geschwollen und pochte, aber die Blutung schien aufgehört zu haben, und er ging auf einer Kiesbank in die Sonne hinaus, setzte sich hin, zog die Stiefel aus und betrachtete die wunden Stellen an seinen Fersen. Sobald er saß, begann sein Bein wieder zu schmerzen.

Er ließ das kleine Lederfutteral an seinem Gürtel aufschnappen, nahm sein Messer heraus, stand auf und zog abermals sein Hemd aus. Er schnitt die Ärmel an den Ellbogen ab, setzte sich hin, umwickelte sich damit die Füße und zog die Stiefel an. Er verstaute das Messer wieder im Futteral, schloss es, hob die Pistole auf und verharrte lauschend. Ein Sumpfhordenvogel. Nichts.

Als er sich in Marsch setzte, hörte er am anderen Flussufer ganz leise den Pick-up. Er hielt danach Ausschau, sah ihn aber nicht. Er glaubte, dass die beiden Männer mittlerweile wohl den Fluss überquert hatten und irgendwo hinter ihm waren.

Er ging weiter zwischen den Bäumen hindurch. Die Stämme vom Hochwasser verschlammt und versandet, die Wurzeln ein Gewirr zwischen den Felsen. Er zog die Stiefel wieder aus, um den Kies zu überqueren, ohne Spuren zu hinterlassen, dann stieg er, die Stiefel, die Fußlappen und die Pistole in den Händen, einen langen, felsigen Rincon zum Südrand des Fluss-Canyons hinauf, wobei er das unten liegende Terrain im Auge behielt. Die Sonne schien in den Canyon, sodass die Felsen, die er überquerte, in Minutenschnelle getrocknet sein würden. An einer terrassenförmigen Stelle nahe dem oberen Rand blieb er stehen und legte sich, die Stiefel neben sich im Gras, auf den Bauch. Bis nach oben waren es noch zehn Minuten, aber er glaubte nicht, dass er zehn Minuten hatte. Auf der anderen Seite des Flusses flog mit dünnem Schrei ein Falke von den Felsen auf. Moss wartete. Nach einer Weile trat aus dem Röhricht flussaufwärts ein Mann und blieb stehen. Er trug eine Maschinenpistole. Hinter ihm tauchte ein zweiter Mann auf. Sie wechselten einen Blick und setzten sich wieder in Marsch.

Sie gingen unterhalb von ihm vorbei, und er sah ihnen nach, bis sie flussabwärts außer Sicht waren. Er dachte eigentlich gar nicht an sie. Er dachte an seinen Wagen. Wenn Montagmorgen um neun Uhr die Stadtverwaltung aufmachte, würde irgendwer sich nach der Autonummer erkundigen und seinen Namen und seine Adresse erfahren. Bis dahin waren es noch vierundzwanzig Stunden. Dann würden sie wissen, wer er war, und würden niemals aufhören, nach ihm zu suchen. Niemals.

Er hatte einen Bruder in Kalifornien, was sollte er dem erzählen? Arthur, da sind ein paar Jungs unterwegs zu dir, die haben vor, dir die Eier zwischen die Backen eines Schraubstocks zu klemmen und den Spanngriff dann jedes Mal eine Vierteldrehung weiterzudrehen, ob du nun weißt, wo ich bin, oder nicht. Du solltest vielleicht überlegen, nach China zu ziehen.

Er setzte sich auf, umwickelte sich die Füße, zog die Stiefel an, stand auf und nahm das letzte Stück Canyon bis zum oberen Rand in Angriff. Von dort aus erstreckte sich das Land topfeben nach Süden und Osten. Rote Erde und Kreosot. In weiter und mittlerer Entfernung Berge. Dort draußen war nichts. Hitze-flimmern. Er steckte sich die Pistole in den Hosenbund, blickte ein letztes Mal zum Fluss hinunter und marschierte dann Richtung Osten los. Langtry, Texas, lag in Luftlinie knapp fünfzig Kilometer entfernt. Vielleicht weniger. Zehn Stunden. Zwölf. Die Füße taten ihm jetzt schon weh. Das Bein tat ihm weh. Die Brust. Der Arm. Der Fluss blieb hinter ihm zurück. Er hatte noch nicht einmal etwas getrunken.

II

Ich weiß nicht, ob die Polizeiarbeit heute gefährlicher ist, als sie früher war. Ich weiß noch, als ich mein Amt angetreten hab, da gab's zum Beispiel irgendwo eine Schlägerei, da ist man dann hin, um die Kampfhähne zu trennen, und dann war man auf einmal selber derjenige, mit dem sie sich prügeln wollten. Und manchmal musste man ihnen den Gefallen eben tun. Anders ging's einfach nicht. Und man hat besser nicht verloren. Heute erlebt man das nicht mehr so oft, aber dafür erlebt man vielleicht Schlimmeres. Einmal hat einer einen Revolver gegen mich gezogen, und ich hab das Ding zufällig zu fassen gekriegt, als er gerade abdrücken wollte, und der Stift vorn am Hahn ist glatt durch den fleischigen Teil von meinem Daumen durchgegangen. Da können Sie noch die Narbe sehen. Aber der Mann hatte die feste Absicht, mich umzubringen. Vor ein paar Jahren, so lange ist das noch gar nicht her, bin ich mal nachts eine von diesen kleinen zwei-spurigen Straßen entlanggefahren und hab mich einem Pick-up genähert, wo zwei alte Burschen auf der Ladefläche saßen. Die haben im Scheinwerferlicht ganz harmlos geblinzelt, und ich hab mich ein Stück zurückfallen lassen, aber der Wagen hatte Nummernschilder aus Coahuila, und ich hab gedacht, tja, ich muss die alten Burschen anhalten und sie mir mal genauer ansehen. Also schalt ich die Lichter ein, und kaum hab ich das gemacht, seh ich das Schiebefenster hinten an der Fahrerkabine aufgehen, und jemand reicht den beiden alten Burschen auf der Ladefläche eine Schrotflinte raus. Ich sag Ihnen, ich bin mit beiden Füßen auf die Bremse gestiegen. Der Wagen ist seitlich ausgebrochen, und die Scheinwerfer haben ins Unterholz geleuchtet, aber das Letzte, was ich auf der Ladefläche von dem Pick-up gesehen hab, war, wie einer von den alten Kerlen gerade anlegt. Ich hab mich auf den Sitz fallen lassen, und kaum hab ich gelegen, da ist auch schon die Windschutzscheibe auf mich runtergehagelt, die zerfallen ja immer in so winzig kleine Stückchen. Ich hatte immer noch einen Fuß auf der Bremse und hab gespürt, wie der Wagen in den Graben schlittert, und ich hab gedacht, gleich überschlägt's ihn, hat's dann aber doch nicht. Ist nur jede Menge Dreck in den Wagen reingekommen. Der Alte hat noch zweimal auf mich geschossen und sämtliches Glas auf einer Seite rausgeballert, und inzwischen war ich zum Stehen gekommen, hab auf dem Sitz gelegen und meine Pistole gezogen, und dann hab ich den Pick-up losfahren hören, hab mich hochgerappelt und mehrere Schüsse auf seine Rücklichter abgegeben, aber er war natürlich längst weg.

Ich will damit sagen, man weiß nicht, was auf einen zukommt, wenn man jemanden anhält. Man fährt auf den Highway raus. Man geht auf einen Wagen zu und hat keine Ahnung, was einen erwartet. Ich bin damals noch lang im Wagen sitzen geblieben. Der Motor war aus, aber das Licht war noch an. Die Fahrerkabine voller Glas und Dreck. Irgendwann bin ich dann ausgestiegen, hab mich abgeklopft, bin wieder eingestiegen und hab einfach nur dagesessen. Einfach meine Gedanken gesammelt. Die Scheibenwischer waren nach innen aufs Armaturenbrett geklappt. Ich hab das Licht ausgemacht und hab einfach nur dagesessen. Wenn einem wer unterkommt, der tatsächlich eine Waffe gegen einen Polizeibeamten zieht und auf ihn schießt, dann hat man's mit einem richtig schweren Jungen zu tun. Den Pick-up damals hab ich nie wiedergesehen. Auch sonst keiner. Die Nummernschilder genauso wenig. Vielleicht hätte ich ihn verfolgen sollen. Oder es jedenfalls versuchen. Ich weiß nicht. Ich bin nach Sanderson zurückgefahren und hab vor dem Café gehalten, und ich sag Ihnen, die sind von überallher gekommen, um sich den Streifenwagen anzusehen. Voller Einschusslöcher. Hat ausgesehen wie der Wagen von Bonnie und Clyde. Ich selber hatte keinen Kratzer abgekriegt. Nicht mal von dem ganzen Glas. Dafür bin ich dann auch noch kritisiert worden. Dass ich mich da so hinstelle. Das wär Angeberei, hat's geheißen. Vielleicht war's das ja. Aber die Tasse Kaffee, die hab ich gebraucht, das kann ich Ihnen sagen.

Ich lese jeden Morgen Zeitung. Hauptsächlich wohl deshalb, weil ich rauskriegen will, was auf mich zukommen könnte. Nicht, dass es mir allzu gut gelungen wär, es abzuwenden. Das wird immer schwerer. Da gab's vor einer Weile zwei Jungs, die sind einander zufällig über den Weg gelaufen, der eine war aus Kalifornien, der andere aus Florida. Und irgendwo dazwischen sind sie einander begegnet. Und dann sind sie zusammen losgezogen, sind durchs Land gereist und haben Leute umgebracht. Wie viele, hab ich vergessen. Was meinen Sie, wie groß ist die Wahrscheinlichkeit, dass so was passiert? Die beiden hatten sich vorher noch nie gesehen. So viele von der Sorte kann es nicht geben. Glaub ich jedenfalls. Aber wissen tun wir's nicht. Hier gab's neulich mal eine Frau, die hat ihr Baby in eine Müllpresse geworfen. Wie kriegt man so was bloß fertig? Meine Frau liest keine Zeitung mehr. Wahrscheinlich hat sie recht. Das hat sie fast immer.

Bell stieg die Treppe zum Hintereingang des Gerichts-
gebäudes hinauf und ging den Flur entlang zu seinem
Büro. Er drehte seinen Stuhl herum, setzte sich und sah das Telefon an. Nun mach schon, sagte er. Ich bin da.

Das Telefon klingelte. Er nahm ab. Sheriff Bell, sagte er.

Er lauschte. Er nickte.

Mrs. Downie, der kommt bestimmt gleich wieder runter. Rufen Sie mich einfach etwas später hier an. Ja, Ma'am.

Er nahm seinen Hut ab, legte ihn auf den Schreibtisch, schloss
die Augen und knetete sich mit Daumen und Zeigefinger den
Nasenrücken. Ja, Ma'am, sagte er. Ja, Ma'am.

Mrs. Downie, so viele tote Kater auf Bäumen hab ich noch
nicht gesehen. Ich glaub, er wird gleich runterkommen, wenn
Sie ihn einfach in Ruhe lassen. Rufen Sie mich später zurück,
ja?

Er legte auf und betrachtete das Telefon. Es liegt am Geld,
sagte er. Wenn man genug davon hat, muss man sich nicht mit
Leuten über Kater auf Bäumen unterhalten.

Na ja. Vielleicht doch.

Quäkend meldete sich das Funkgerät. Er nahm den Hörer ab,
drückte auf den Knopf und legte die Füße auf den Schreibtisch.
Bell, sagte er.

Er hörte zu. Er stellte die Füße auf den Boden und setzte sich
auf. Nimm den Schlüssel und schau in den Kofferraum. Ja, genau. Ich warte.

Er trommelte mit den Fingern auf den Schreibtisch.

In Ordnung. Lass deine Lichter an. Ich bin in fünfzig Minuten
da. Und Torbert? Mach den Kofferraum zu.

Er und Wendell fuhren vor dem Streifenwagen auf die Stand-
spur, hielten an und stiegen aus. Torbert stieg ebenfalls aus und
blieb an der Tür seines Wagens stehen. Der Sheriff nickte. Er ging

am Straßenrand entlang und studierte die Reifenspuren. Das hier hast du gesehen, nehm ich mal an, sagte er.

Ja, Sir.

Na, dann schauen wir mal.

Torbert öffnete den Kofferraum, und sie betrachteten den Toten. Die Vorderseite seines Hemdes war mit teils getrocknetem Blut getränkt. Sein ganzes Gesicht war blutig. Bell beugte sich vor, griff in den Kofferraum, zog etwas aus der Hemdtasche des Toten und faltete es auseinander. Es war eine blutbefleckte Quittung für Benzin von einer Tankstelle in Junction, Texas. Tja, sagte er. Hier war die Straße für Bill Wyrick zu Ende.

Ich hab nicht nachgesehen, ob er eine Brieftasche bei sich hat.

Ist schon gut. Er hat keine. Das hier war einfach nur verdammter Zufall.

Er musterte das Loch in der Stirn des Mannes. Sieht aus wie Kaliber .45. Sauber. Fast wie bei einem Flachkopf.

Was ist ein Flachkopf?

Ein Geschoss fürs Scheibenschießen. Hast du die Schlüssel?

Ja, Sir.

Bell klappte den Kofferraumdeckel zu. Er blickte sich um. Die auf der Interstate vorbeikommenden Lastwagen schalteten im Näherkommen herunter. Ich hab schon mit Lamar geredet. Ihm gesagt, dass er seinen Streifenwagen in ungefähr drei Tagen wiederkriegt. Ich hab in Austin angerufen, die erwarten dich gleich morgen früh. Ich lad ihn nicht in einen von unseren Wagen um, und einen Hubschrauber braucht er ganz bestimmt nicht mehr. Du fährst Lamars Wagen nach Sonora zurück, wenn du fertig bist, dann rufst du an, und Wendell oder ich kommen dich holen. Hast du Geld dabei?

Ja, Sir.

Den Bericht füllst du so aus wie sonst auch.

43

Ja, Sir.

Männlich, weiß, Ende dreißig, mittelgroß.

Wie schreibt man Wyrick?

Gar nicht. Wir wissen noch nicht sicher, wie er heißt.

Ja, Sir.

Vielleicht hat er irgendwo Familie.

Ja, Sir. Sheriff?

Ja.

Was wissen wir vom Täter?

Gar nichts. Gib Wendell deine Schlüssel, bevor du's vergisst.

Die sind im Wagen.

Wir lassen keine Schlüssel in den Fahrzeugen, wenn's recht ist.

Ja, Sir.

Ich seh dich dann in zwei Tagen.

Ja, Sir.

Ich hoffe, der Scheißkerl ist in Kalifornien.

Ja, Sir. Ich weiß, was Sie meinen.

Ich hab so ein Gefühl, dass er's nicht ist.

Ja, Sir. Ich auch.

Wendell, bist du so weit?

Wendell beugte sich vor und spuckte aus. Ja, Sir, sagte er. Ich bin so weit. Er sah Torbert an. Wenn du mit dem Knaben im Kofferraum angehalten wirst, dann sag einfach, du weißt von nichts. Sag ihnen, dass ihn dir jemand da reingelegt haben muss, während du Kaffee getrunken hast.

Torbert nickte. Rückst du dann mit dem Sheriff an, und ihr holt mich aus dem Todestrakt?

Wenn wir's nicht schaffen, dich rauszuholen, fahren wir mit dir zusammen ein.

Macht euch gefälligst nicht so über die Toten lustig, sagte Bell.

Wendell nickte. Ja, Sir, sagte er. Sie haben recht. Vielleicht bin ich eines Tages selber einer.

Während der Fahrt auf der 90 zur Abzweigung bei Dryden sah er einen toten Bussard auf der Straße liegen. Die Federn bewegten sich im Wind. Er fuhr rechts heran, stieg aus, ging zurück, hockte sich auf die Stiefelabsätze und betrachtete den Vogel näher. Er hob einen Flügel an und ließ ihn fallen. Das kalte gelbe Auge blind für das blaue Gewölbe über ihnen.

Es war ein großer Rotschwanzbussard. Er hob ihn an einer Flügelspitze auf, trug ihn zum Straßengraben und legte ihn ins Gras. Sie jagten an der Asphaltstraße, saßen auf den hohen Strommasten und beobachteten den Highway kilometerweit in beide Richtungen. Nahmen jedes noch so kleine Ding wahr, das sich daraufwagte. Näherten sich ihrer Beute gegen die Sonne. Schattenlos. Gingen ganz in der Konzentration des Jägers auf. Er würde nicht zulassen, dass die Lastwagen ihn überfuhren.

Er stand da und blickte auf die Wüste hinaus. So still. Das leise Summen des Windes in den Kabeln. Entlang der Straße hohes Blutkraut. Rispengras und Sacahuista. Dahinter, in den Stein-Arroyos, die Spuren von Echsen. Die nackten Felsenberge in die Schatten der späten Sonne getaucht, und nach Osten hin die schimmernde Abszisse der Wüstenebenen unter einem Himmel, von dem überall entlang dem Bogen des Horizonts Regenvorhänge, dunkel wie Ruß, herabhingen. Jener Gott hüllt sich in Schweigen, der das folgende Land mit Salz und Asche gescheuert hat. Er ging zum Wagen zurück, stieg ein und fuhr los.

Als er vor dem Sheriffbüro von Sonora anhielt, sah er als Erstes das gelbe Absperrband, das über den Parkplatz gespannt war. Die üblichen Gaffer. Er stieg aus und überquerte die Straße.

Was ist passiert, Sheriff?

Ich weiß nicht, sagte Bell. Ich bin gerade erst gekommen. Er duckte sich unter dem Band hindurch und ging die Treppe hinauf. Lamar blickte auf, als er an die Tür klopfte. Komm rein, Ed Tom, sagte er. Komm rein. Hier ist der Teufel los.

Sie gingen hinaus auf den Rasen vor dem Gerichtsgebäude. Einige Leute folgten ihnen.

Geht ihr mal weiter, sagte Lamar. Ich und der Sheriff hier müssen was bereden.

Er wirkte abgespannt. Er sah Bell an und senkte den Blick auf den Boden. Er schüttelte den Kopf und wandte den Blick ab. Als Junge hab ich hier Mumbletypeg gespielt. Ich glaub, die Jungs heute wissen gar nicht mehr, was das ist. Ed Tom, wir haben's mit einem verdammten Wahnsinnigen zu tun.

Verstehe.

Hast du irgendwelche Anhaltspunkte?

Eigentlich nicht.

Lamar wandte den Blick ab. Er wischte sich mit dem Ärmel die Augen. Eins sag ich dir – der Scheißkerl wird nicht einen Tag vor Gericht erleben. Jedenfalls nicht, wenn ich ihn kriege.

Tja, zuerst müssen wir ihn mal kriegen.

Der Junge war verheiratet.

Das hab ich nicht gewusst.

Dreiundzwanzig Jahre alt. Anständiger Bursche. Ganz geradlinig. Jetzt muss ich zu ihm nach Hause, bevor seine Frau es im Radio hört.

Da beneide ich dich nicht drum. Ganz bestimmt nicht.

Ich glaub, ich hör auf, Ed Tom.

Soll ich mitfahren?

Nein. Aber danke für das Angebot. Ich muss jetzt los.

In Ordnung.

Ich hab das blöde Gefühl, wir haben es mit was zu tun, was wir noch nie erlebt haben.

Geht mir genauso. Ich ruf dich heute Abend an.

Wär nett.

Er sah Lamar nach, wie er über den Rasen ging und die Treppe zu seinem Büro hinaufstieg. Ich hoffe, du hörst nicht auf, sagte er. Ich glaub, wir werden jeden brauchen, den wir kriegen können.

Als sie vor dem Café hielten, war es zwanzig nach eins am Morgen. Im Bus waren nur drei Leute.

Sanderson, sagte der Fahrer.

Moss ging nach vorne. Er hatte gesehen, wie der Fahrer ihn im Spiegel beäugt hatte. Hören Sie, sagte er. Meinen Sie, Sie könnten mich beim Desert Aire rauslassen? Meinem Bein geht's nicht so gut, und ich wohne dort, aber ich hab niemanden, der mich abholt.

Der Fahrer schloss die Tür. Ja, sagte er. Das lässt sich machen.

Als er hereinkam, sprang sie von der Couch auf, rannte zu ihm und warf ihm die Arme um den Hals. Ich hab gedacht, du wärst tot, sagte sie.

Bin ich aber nicht, also werd mir bloß nicht gefühlsduselig.

Werd ich nicht.

Warum machst du mir nicht ein paar Eier mit Speck, ich geh solang unter die Dusche.

Lass mich mal die Wunde an deinem Kopf sehen. Was ist dir passiert? Wo ist dein Wagen?

Ich muss unter die Dusche. Mach mir was zu essen. Mein Magen glaubt schon, mir wär die Kehle durchgeschnitten worden.

Nachdem er geduscht hatte, zog er Shorts an, und als er sich in der Küche an den kleinen Tisch mit der Resopalplatte setzte, sagte sie als Erstes: Was hast du da hinten am Arm?

Wie viele Eier sind das?

Vier.

Hast du noch Toast?

Es sind noch zwei Scheiben in der Mache. Was ist das?

Was möchtest du denn gern hören?

Die Wahrheit.

Er trank einen Schluck Kaffee und machte sich daran, die Eier zu salzen.

Du sagst es mir nicht, stimmt's?

Ja.

Was ist mit deinem Bein passiert?

Das ist ein Ausschlag.

Sie bestrich den frischen Toast mit Butter, legte ihn auf den Teller und setzte sich auf den Stuhl gegenüber. Ich frühstücke gern nachts, sagte er. Das erinnert mich an meine Junggesellenzeit.

Was ist eigentlich los, Llewelyn?

Ich sag dir, was los ist, Carla Jean. Du musst deine Sachen zusammenpacken, damit du gleich morgen früh von hier verschwinden kannst. Was du hier lässt, siehst du nicht mehr wieder, also nimm alles mit, woran dir was liegt. Viertel nach sieben geht ein Bus. Ich möchte, dass du nach Odessa fährst und dort wartest, bis ich dich anrufen kann.

Sie lehnte sich auf dem Stuhl zurück und musterte ihn. Du möchtest, dass ich nach Odessa fahre, sagte sie.

Genau.

Du machst keine Witze, oder?

Ich? Nein. Ich mach keine Witze. Haben wir keine Marmelade mehr?

Sie stand auf, holte die Marmelade aus dem Kühlschrank, stellte sie auf den Tisch und setzte sich wieder. Er schraubte das Glas auf, löffelte sich etwas Marmelade auf seinen Toast und verstrich sie mit dem Messer.

Was ist in der Tasche, die du mitgebracht hast?

Das hab ich dir doch gesagt.

Du hast gesagt, sie wär voller Geld.

Na, dann wird sie's wohl auch sein.

Wo ist sie?

Im hinteren Zimmer unterm Bett.

Unterm Bett.

Jawohl, Ma'am.

Kann ich sie mir mal ansehen?

Du bist ein freier Mensch und einundzwanzig, also kannst du tun und lassen, was du willst.

Ich bin nicht einundzwanzig.

Was du halt bist.

Und ich soll mit dem Bus nach Odessa fahren.

Du fährst mit dem Bus nach Odessa.

Und was soll ich Mama sagen?

Tja, versuch's doch mal damit, dass du dich in die Tür stellst und rufst: Mama, ich bin wieder zu Hause.

Wo ist dein Wagen?

Den Weg allen Fleisches gegangen. Nichts ist für die Ewigkeit.

Wie sollen wir denn da morgens hinkommen?

Ruf Miss Rosa von da drüben an. Die hat nichts zu tun.

Was hast du getan, Llewelyn.

Ich hab die Bank in Fort Stockton ausgeraubt.

Du bist ein verlogener Du-weißt-schon-was.

Wenn du mir nicht glaubst, warum fragst du mich dann? Sieh zu, dass du deinen Kram gepackt kriegst. Bis Tagesanbruch haben wir noch ungefähr vier Stunden.

Lass mich mal sehen, was du da am Arm hast.

Das hast du doch gesehen.

Lass mich was drauftun.

Ja, ich glaube, im Schrank ist noch Schrotkugelsalbe, falls wir nicht alles verbraucht haben. Hörst du jetzt bitte auf, mir auf den Wecker zu gehen? Ich möchte essen.

Hat jemand auf dich geschossen?

Nein. Das hab ich bloß gesagt, um dich wachzurütteln. Nun mach schon.

Er überquerte den Pecos River knapp nördlich von Sheffield und nahm die Route 349 in Richtung Süden. Als er an der Tankstelle bei Sheffield hielt, war es fast dunkel. Eine lange rote Dämmerung, in der Tauben auf dem Weg zu irgendwelchen Ranch-Tanks den Highway südwärts überflogen. Er ließ sich vom Besitzer Kleingeld geben, führte ein Telefongespräch, tankte voll, ging hinein und bezahlte.

Regnet's denn auch mal in eurer Gegend?, fragte der Besitzer.

Welche Gegend soll denn das sein?

Ich hab gesehen, dass Sie aus Dallas sind.

Chigurh pflückte sein Wechselgeld vom Ladentisch. Und was geht Sie das an, woher ich bin, Freundchen?

Ich hab's doch nicht so gemeint.

Sie haben's nicht so gemeint.

Das war nur so dahingesagt.

Bei euch armen Schluckern gilt so was wohl als Höflichkeit.

Also, ich hab mich entschuldigt, Sir. Wenn Sie meine Entschuldigung nicht annehmen wollen, weiß ich auch nicht, was ich noch für Sie tun kann.

Wie viel kosten die hier?

Sir?

Wie viel die hier kosten.

Neunundsechzig Cent.

Chigurh faltete eine Dollarnote auseinander und legte sie auf die Ladentheke. Der Mann tippte den Betrag ein und stapelte das Wechselgeld vor ihm, wie ein Croupier Chips platziert. Chigurh hatte ihn unverwandt angesehen. Der Mann wandte den Blick ab. Er hustete. Mit den Zähnen riss Chigurh die Plastiktüte Cashewnüsse auf, schüttelte sich ein Drittel des Inhalts auf den Handteller und begann zu essen.

Darf's sonst noch was sein?, fragte der Mann.

Keine Ahnung. Darf es?

Stimmt irgendwas nicht?

Womit?

Mit irgendwas.

Das wollen Sie von mir wissen? Ob irgendwas mit irgendwas nicht stimmt?

Der Mann wandte sich ab, drückte sich die Faust auf den Mund und hustete erneut. Er sah Chigurh an, dann wandte er den Blick ab. Er sah zum Fenster an der Vorderseite des Ladens hinaus. Die Zapfsäulen und das Auto, das dort stand. Chigurh aß noch eine kleine Handvoll Cashewnüsse.

Darf's noch irgendwas sein?

Das haben Sie mich schon mal gefragt.

Ich wollte dann nämlich zumachen.

Zumachen.

Ja, Sir.

Um welche Zeit machen Sie denn zu?

Jetzt. Wir machen jetzt zu.

Jetzt ist keine Zeit. Um welche Zeit machen Sie zu.

Im Allgemeinen, wenn's dunkel wird. Bei Einbruch der Dunkelheit.

Chigurh kaute gemächlich. Sie wissen gar nicht, wovon Sie reden, stimmt's?

Sir?

Ich hab gesagt, Sie wissen gar nicht, wovon Sie reden, stimmt's.

Ich rede vom Zumachen. Davon red ich.

Um welche Zeit gehen Sie schlafen?

Sir?

Sie hören wohl schwer, was? Ich hab gefragt, um welche Zeit Sie schlafen gehen.

Na ja. Ich würd sagen, so gegen halb zehn. So um halb zehn rum.

Chigurh schüttete sich Cashewnüsse auf den Handteller. Dann könnte ich ja wiederkommen, sagte er.

Dann haben wir zu.

Das macht nichts.

Aber wieso wollen Sie denn dann wiederkommen? Wir haben dann zu.

Das haben Sie schon mal gesagt.

Ist ja auch so.

Wohnen Sie in dem Haus hinterm Laden?

Ja.

Wohnen Sie schon Ihr ganzes Leben lang hier?

Der Mann nahm sich Zeit mit der Antwort. Das Haus hat dem Vater von meiner Frau gehört, sagte er. Ursprünglich.

Sie sind durch die Heirat drangekommen.

Wir haben viele Jahre in Temple, Texas, gewohnt. Haben dort Kinder großgezogen. In Temple. Hierhergekommen sind wir erst vor ungefähr vier Jahren.

Sie sind durch die Heirat drangekommen.

Wenn Sie das unbedingt so nennen wollen.

Ich will das überhaupt nicht so nennen. Es ist so.

Tja, ich muss jetzt zumachen.

Chigurh schüttete sich die letzten Cashewnüsse auf den Handteller, zerknüllte die kleine Tüte und legte sie auf den Ladentisch. Er stand merkwürdig aufrecht, während er kaute.

Sie haben ja eine ganze Menge Fragen, sagte der Tankstellenbesitzer. Für jemand, der nicht sagen will, wo er herkommt.

Was war der höchste Verlust, den Sie je beim Münzenwerfen erlebt haben?

Sir?

Ich hab gesagt, was war der höchste Verlust, den Sie je beim Münzenwerfen erlebt haben.

Beim Münzenwerfen?

Beim Münzenwerfen.

Ich weiß nicht. Normalerweise schließt man auf einen Münzwurf keine Wetten ab. Man macht das eher, um irgendwas zu entscheiden.

Was war die wichtigste Entscheidung, die Sie je erlebt haben?

Ich weiß nicht.

Chigurh zog eine 25-Cent-Münze aus der Tasche und schnickte sie in das bläuliche Gleißen der Leuchtstoffröhren an der Decke. Er fing sie auf und klatschte sie sich knapp oberhalb der blutigen Bandage auf den Unterarm. Kopf oder Zahl, sagte er.

Kopf oder Zahl?

Ja.

Worum geht's denn?

Sagen Sie einfach Kopf oder Zahl.

Aber ich muss doch wissen, worum es geht.

Würde das irgendwas ändern?

Zum ersten Mal schaute der Mann in Chigurhs Augen. Blau wie Lapis. Zugleich glänzend und vollkommen undurchsichtig. Wie feuchte Steine. Sie müssen Kopf oder Zahl sagen, sagte Chigurh. Ich kann das nicht für Sie machen. Das wär nicht fair. Es wär noch nicht mal richtig. Sagen Sie einfach Kopf oder Zahl.

Ich hab gar nichts gesetzt.

Doch, haben Sie. Und zwar schon Ihr ganzes Leben lang. Sie haben's bloß nicht gewusst. Wissen Sie, was für eine Jahreszahl auf dieser Münze steht?

Nein.

Neunzehnhundertachtundfünfzig. Sie war zweiundzwanzig Jahre unterwegs, um hierherzukommen. Und jetzt ist sie da. Und ich bin da. Und ich hab die Hand drauf. Und jetzt heißt es entweder Kopf oder Zahl. Und das bestimmen Sie. Sagen Sie schon.

Ich weiß nicht, was ich gewinnen kann.

Im blauen Licht war das Gesicht des Mannes mit feinen Schweißperlen überzogen. Er leckte sich die Oberlippe.

Sie können alles gewinnen, sagte Chigurh. Alles.

Ich weiß nicht, was das soll, Mister.

Sagen Sie schon.

Na gut, dann Kopf.

Chigurh nahm die Hand von der Münze. Er hielt dem Mann den Arm hin. Gut gemacht, sagte er.

Er pflückte sich die Münze vom Handgelenk und reichte sie über den Ladentasch.

Was soll ich damit?

Nehmen Sie sie. Das ist Ihre Glücksmünze.

Die brauch ich nicht.

O doch. Nehmen Sie sie.

Der Mann nahm die Münze. Ich muss jetzt zumachen, sagte er.

Stecken Sie sie nicht in die Tasche.

Sir?

Stecken Sie sie nicht in die Tasche.

Wo soll ich sie denn hinstecken?

Jedenfalls nicht in die Tasche. Sonst wissen Sie nicht, welche es ist.

Na gut.

Alles kann zum Werkzeug werden, sagte Chigurh. Kleine Dinge. Dinge, die einem gar nicht auffallen würden. Sie gehen von Hand zu Hand. Die Leute beachten sie nicht. Und eines Tages wird dann Bilanz gezogen. Und danach ist nichts mehr so, wie es war. Na ja, sagen Sie, es ist bloß eine Münze. Zum Beispiel. Nichts Besonderes. Wovon könnte das ein Werkzeug sein? Sie sehen, worin das Problem besteht. Die Handlung vom Gegenstand zu trennen. Als wären die Bestandteile irgendeines Augenblicks in der Geschichte mit denen eines anderen Augenblicks vertauschbar. Wie könnte das sein? Tja, es ist bloß eine Münze. Ja. Das stimmt. Oder?

Mit der hohlen Hand schob Chigurh sein Wechselgeld vom Ladentisch auf seinen Handteller, steckte es ein, drehte sich um und ging zur Tür hinaus. Der Besitzer sah ihm nach. Sah zu, wie er in den Wagen stieg. Der Motor ging an, und der Wagen fuhr von dem gekiesten Vorplatz in Südrichtung auf den Highway. Die Scheinwerfer blieben ausgeschaltet. Er legte die Münze auf den Ladentisch und betrachtete sie. Dann stemmte er beide Hände auf den Ladentisch und verharrte vorgebeugt, mit gesenktem Kopf.

Als er nach Dryden kam, war es ungefähr acht Uhr. Er saß bei ausgeschalteten Scheinwerfern und laufendem Motor an der Kreuzung vor Condra's Feed Store. Dann schaltete er die Scheinwerfer ein und fuhr auf dem Highway 90 in Richtung Osten.

Die weißen Markierungen am Straßenrand, auf die er schließlich stieß, sahen aus wie die Markierungen von Landvermessern, aber es waren keine Zahlen da, bloß die Winkel. Er merkte sich den Kilometerstand auf dem Tacho, fuhr noch anderthalb Kilometer weiter, bremste und bog vom Highway ab. Er schaltete die Scheinwerfer aus, ließ den Motor laufen, stieg aus, ging zum Gatter und kam zurück. Er fuhr über die Stangen der Viehsperre, stieg aus, schloss das Gatter wieder und blieb lauschend stehen. Dann stieg er ein und fuhr die tiefgefurchte Fahrspur entlang.

Er folgte einem in Südrichtung verlaufenden Zaun, der Ford

schlingerte über den holprigen Boden. Der Zaun war lediglich ein Überbleibsel, drei an Mesquite-Pfosten befestigte Drähte. Nach etwa anderthalb Kilometern kam er auf einer ebenen Geröllfläche heraus, auf der mit ihm zugewandtem Kühler ein Dodge Ramcharger stand. Er fuhr neben ihn und stellte den Motor ab.

Die Scheiben des Ramcharger waren so dunkel getönt, dass sie schwarz aussahen. Chigurh öffnete die Tür und stieg aus. Auf der Beifahrerseite des Dodge stieg ein Mann aus, klappte den Sitz nach vorn und stieg hinten ein. Chigurh ging um das Fahrzeug herum, stieg ein und machte die Tür zu. Fahren wir, sagte er.

Hast du mit ihm geredet?, fragte der Fahrer.

Nein.

Er weiß gar nicht, was passiert ist?

Nein. Fahren wir.

Im Dunkeln rollten sie hinaus in die Wüste.

Wann willst du's ihm denn sagen?, fragte der Fahrer.

Sobald ich weiß, was ich ihm überhaupt sagen kann.

Als sie zu Moss' Pick-up kamen, beugte sich Chigurh vor, um ihn zu studieren.

Ist das sein Wagen?

Ja. Die Nummernschilder sind weg.

Halt mal an. Hast du einen Schraubenzieher?

Guck mal im Handschuhfach.

Chigurh stieg mit dem Schraubenzieher aus, ging zu dem Pick-up hinüber und öffnete die Tür. Er hebelte das an der Innenseite festgenietete Typenschild aus Aluminium los, steckte es ein, kam zurück, stieg ein und legte den Schraubenzieher wieder ins Handschuhfach. Wer hat die Reifen zerstochen?, fragte er.

Wir waren's nicht.

Chigurh nickte. Fahren wir, sagte er.

Sie hielten ein Stück weit von den Pick-ups entfernt, gingen zu Fuß zu ihnen hin und betrachteten sie. Chigurh blieb lange Zeit stehen. Es war kalt auf dem Barrial, und er trug keine Jacke, aber es schien ihm nichts auszumachen. Die anderen Männer standen abwartend da. Er hatte eine Taschenlampe in der Hand, knipste sie an, ging zwischen den Fahrzeugen umher und sah sich die Leichen an. Die beiden Männer folgten ihm mit etwas Abstand.

Wessen Hund war das?, fragte Chigurh.

Keine Ahnung.

Er betrachtete den über der Mittelkonsole zusammengesackten Toten. Er leuchtete mit der Taschenlampe in den Stauraum hinter den Sitzen.

Wo ist die Box?, fragte er.

Im Wagen. Willst du sie haben?

Empfängst du damit irgendwas?

Nein.

Gar nichts?

Keinen Pieps.

Chigurh musterte den Toten. Er stupste ihn mit der Taschenlampe an.

Die Blödmänner haben sich ganz schön aufs Kreuz legen lassen, sagte einer der Männer.

Chigurh gab keine Antwort. Er schob sich rückwärts aus dem Wagen, richtete sich auf und schaute auf die vom Mondlicht beschienene Bajada. Totenstille. Der Mann im Bronco war noch keine drei Tage tot. Chigurh zog die Pistole aus seinem Hosenbund, drehte sich zu den beiden Männern um, schoß beide in rascher Folge einmal durch den Kopf und steckte sich die Pistole wieder in den Hosenbund. Der zweite Mann hatte sich noch halb zu dem ersten hingedreht, als dieser zu Boden gefallen war.

Chigurh trat zwischen sie, bückte sich zu dem zweiten nieder, löste dessen Schultergurt, nahm die Glock an sich, die der Mann getragen hatte, ging zurück zum Wagen, stieg ein, ließ den Motor an, wendete und fuhr aus der Caldera heraus zurück in Richtung Highway.

III

Ich weiß nicht, ob die Polizeiarbeit so sehr vom technischen Fortschritt profitiert. Was wir an Werkzeugen in die Hand kriegen, kriegen die auch. Nicht, dass man das Rad zurückdrehen kann. Will man ja auch gar nicht. Früher hatten wir diese alten Motorola-Gegensprechfunkgeräte. Jetzt haben wir schon seit einigen Jahren diese Hochfrequenz-Dinger. Aber einiges hat sich nicht geändert. Der gesunde Menschenverstand hat sich nicht geändert. Manchmal sag ich meinen Deputys, sie sollen einfach den Brotkrumen folgen. Ich mag immer noch die alten Colts. Den .44-40. Wenn ihn das nicht stoppt, schmeißt du das Ding besser hin und gehst stiften. Ich mag die alte Winchester 97. Mir gefällt, dass sie einen Hahn hat. Ich mag's nicht, wenn ich an einer Waffe den Sicherungshebel suchen muss. Manches ist natürlich auch schlechter geworden. Mein Wagen zum Beispiel ist sieben Jahre alt. Hat die Zweitausender-Maschine. Den Motor kriegt man heute nicht mehr. Ich hab auch mal einen von den neuen gefahren. Die kämen nicht mal einem dicken Kerl davon. Ich hab dem Mann gesagt, ich würd lieber bei dem bleiben, was ich hab. Das ist nicht immer eine gute Devise. Aber auch nicht immer eine schlechte.

Da ist noch was, was ich nicht weiß. Die Leute fragen mich öfter danach. Ganz ausschließen würd ich's natürlich nicht. Aber ich möchte das nicht unbedingt nochmal sehen. Nochmal miterleben. Diejenigen, die wirklich in die Todeszelle gehören, kommen sowieso nie dorthin. Das glaub ich jedenfalls. Von so was behält man bestimmte Sachen in Erinnerung. Zum Beispiel haben die Leute nicht gewusst, was sie anziehen sollen. Ein oder zwei sind in Schwarz gekommen, und das war in Ordnung, denk ich. Von den

Männern sind welche in Hemdsärmeln gekommen, und das hat mich irgendwie gestört. Ich weiß nicht recht, ob ich Ihnen sagen könnte, warum.

Trotzdem haben sie anscheinend gewusst, was sie tun müssen, und das hat mich überrascht. Die meisten, das weiß ich, waren vorher noch nie bei einer Hinrichtung gewesen. Als es vorbei war und er zusammengesackt da drin saß, hat man den Vorhang um die Gaskammer zugezogen, und die Leute sind einfach aufgestanden und im Gänsemarsch rausgegangen. Wie aus der Kirche oder so. Das ist mir einfach merkwürdig vorgekommen. Es war ja auch merkwürdig. Ich muss wohl sagen, dass es wahrscheinlich der ungewöhnlichste Tag war, den ich je erlebt hab.

Eine ganze Menge Leute sind nicht dafür. Sogar von denen, die im Todestrakt arbeiten. Sie würden sich wundern. Einige waren's, glaube ich, irgendwann mal. Da sieht man einen manchmal jahrelang jeden Tag, und eines Tages führt man den Mann dann einen Flur entlang und richtet ihn hin. Tja. Da würde so ziemlich jedem das Lachen vergehen. Es ist mir egal, wer es ist. Und natürlich waren einige von den Burschen nicht besonders helle. Kaplan Pickett hat mir von einem erzählt, den er betreut hat, der hat seine Henkersmahlzeit gegessen, und dazu hatte er sich was ganz Bestimmtes zum Nachtisch bestellt, was genau, weiß ich nicht mehr. Und dann wird es Zeit zu gehen, und Pickett, der fragt ihn, ob er seinen Nachtisch nicht essen will, und der Bursche antwortet, den hebt er sich für nachher auf, wenn er wiederkommt. Ich weiß nicht, was ich dazu sagen soll. Pickett hat's auch nicht gewusst.

Ich hab nie jemand töten müssen, und darüber bin ich sehr froh. Einige von den Sheriffs früher haben noch nicht mal eine Schusswaffe getragen. Viele Leute können das kaum glauben, aber es stimmt. Jim Scarborough zum Beispiel hat nie eine getragen. Den jüngeren Jim mein ich jetzt. Gaston Boykins genauso wenig. Oben in Comanche County. Ich hab schon immer gern Geschichten von den alten Hasen gehört. Hab keine Gelegenheit dazu ausgelassen. So wie die Sheriffs damals auf ihre Leute geschaut haben, das gibt's heute gar nicht mehr. Das spürt man ganz deutlich. Nigger Hoskins drüben in Bastrop County hat von jedem im ganzen County die Telefonnummer auswendig gewusst.

Schon komisch, wenn man sich's überlegt. Gelegenheiten zum Missbrauch gibt's so gut wie überall. Die Verfassung von Texas stellt keine Anforderungen an Leute, die Sheriff sein wollen. Keine einzige. Und so was wie ein County-Recht gibt's nicht. Stellen Sie sich einen Job vor, bei dem Sie so ziemlich die gleiche Macht haben wie der liebe Gott, keine Anforderungen an Sie gestellt werden und Sie dafür verantwortlich sind, für die Einhaltung nicht existierender Gesetze zu sorgen, und dann sagen Sie mir, ob das merkwürdig ist oder nicht. Ich find's nämlich schon merkwürdig. Ob es funktioniert? Ja. Zu neunzig Prozent. Anständige Menschen bei der Stange zu halten, dazu gehört sehr wenig. Sehr wenig. Und schlechte Menschen lassen sich überhaupt nicht bei der Stange halten. Wenn, hab ich jedenfalls noch nie davon gehört.

Der Bus hielt um Viertel vor neun in Fort Stockton, und Moss stand auf, lüpfte seine Tasche von der Gepäckablage, nahm den Aktenkoffer vom Sitz und blickte auf Carla Jean herab.

Steig mit dem Ding in kein Flugzeug, sagte sie. Sonst machen sie dich fertig.

Meine Mama hat keine dämlichen Kinder großgezogen.

Wann rufst du mich an?

In ein paar Tagen.

Na gut.

Pass auf dich auf.

Ich hab ein blödes Gefühl, Llewelyn.

Und ich hab ein gutes. Das müsste sich ja dann ausgleichen.

Hoffentlich.

Ich kann dich nur von einem Münztelefon aus anrufen.

Ich weiß. Ruf mich an.

Mach ich. Hör auf, dir wegen allem Sorgen zu machen.

Llewelyn?

Was?

Nichts.

Was denn?

Nichts. Ich wollt's bloß sagen.

Pass auf dich auf.

Llewelyn?

Was?

Tu niemandem was. Hast du verstanden?

Die Tasche über die Schulter gehängt, stand er da. Versprechen tu ich gar nichts, sagte er. Dann kriegt man nämlich garantiert was ab.

Bell hatte gerade den ersten Bissen seines Abendessens zum Mund geführt, als das Telefon klingelte. Er ließ die Gabel wieder sinken. Sie schob bereits ihren Stuhl zurück, doch er wischte sich den Mund mit seiner Serviette und stand auf. Ich geh dran, sagte er.

Na gut.

Woher zum Teufel wissen die, wann man isst? Wir essen nie so spät.

Du sollst nicht fluchen.

Er nahm den Hörer ab. Sheriff Bell, sagte er.

Er hörte eine Zeitlang zu. Dann sagte er: Ich esse noch fertig. Wir treffen uns dort in ungefähr vierzig Minuten. Lass einfach die Lichter an deinem Wagen an.

Er legte auf, kehrte an den Tisch zurück, setzte sich, legte die Serviette auf seinen Schoß und griff zur Gabel. Jemand hat ein brennendes Auto gemeldet, sagte er. Auf dieser Seite vom Lozier Canyon.

Was hältst du davon?

Er schüttelte den Kopf.

Er aß. Er trank den letzten Schluck Kaffee. Komm doch mit, sagte er.

Ich hole eben meine Jacke.

Am Gatter bogen sie von der Straße ab, fuhren über die Viehsperre und hielten hinter Wendells Wagen. Wendell kam zu ihnen, und Bell kurbelte das Fenster herunter.

Es ist ungefähr einen Kilometer weiter, sagte Wendell. Fahren Sie mir einfach nach.

Ich kann's sehen.

Ja, Sir. Vor ungefähr einer Stunde hat's richtig gut gebrannt. Die Leute, die es gemeldet haben, haben es von der Straße aus gesehen.

Sie hielten ein kurzes Stück davon entfernt, stiegen aus und sahen sich die Sache an. Man konnte die Hitze im Gesicht spüren. Bell ging um seinen Wagen herum, öffnete die Tür und reichte seiner Frau die Hand. Sie stieg aus und verschränkte die Arme vor der Brust. Ein Stück weiter parkte ein Pick-up, bei dem zwei Männer im stumpfroten Schimmer standen. Sie nickten jeweils mit dem Kopf und sagten Sheriff.

Wir hätten Würstchen mitbringen können, sagte sie.

Ja. Marshmallows.

Würd man nicht glauben, dass ein Auto so brennt.

Nein. Habt ihr irgendwas gesehen?

Nein, Sir. Bloß das Feuer.

Und es ist nichts und niemand vorbeigekommen?

Nein, Sir.

Sieht das für dich nach einem 77er Ford aus, Wendell?

Könnte sein.

Ich würde sagen, es ist einer.

War's das, was der alte Junge gefahren hat?

Ja. Mit Nummernschildern von Dallas.

Es war nicht sein Tag, was, Sheriff?

Nein, ganz bestimmt nicht.

Was glauben Sie, warum haben die ihn angezündet?

Ich weiß nicht.

Wendell drehte sich weg und spuckte aus. War wohl nicht das, woran er gedacht hat, als er von Dallas weggefahren ist, oder?

Bell schüttelte den Kopf. Nein, sagte er. Ich würd sagen, nichts hat ihm ferner gelegen.

Als er am Morgen ins Büro kam, klingelte das Telefon. Torbert war noch nicht zurück. Um halb zehn rief er schließlich an, und Bell schickte Wendell los, um ihn abzuholen. Dann legte er die Füße auf den Schreibtisch und starrte seine Stiefel an. So saß er

65

eine ganze Weile. Dann griff er nach dem Handy und rief Wendell an.

Wo bist du?

Kurz hinterm Sanderson Canyon.

Kehr um und komm zurück.

In Ordnung. Was ist mit Torbert?

Ruf ihn an und sag ihm, er soll sich nicht von dort wegrühren. Ich komm ihn heute Nachmittag holen.

Ja, Sir.

Fahr zu mir nach Hause, lass dir von Loretta die Schlüssel für den Pick-up geben und häng den Pferdetransporter dran. Sattle mein Pferd und das von Loretta und lad beide ein, wir treffen uns dann in ungefähr einer Stunde da draußen.

Ja, Sir.

Er beendete das Gespräch, stand auf und ging nach den Arrestzellen sehen.

Sie fuhren durch das Gatter, schlossen es wieder, fuhren etwa dreißig Meter am Zaun entlang und parkten. Wendell löste die Verriegelungen der Heckklappe des Transporters, ließ sie herunter und führte die Pferde heraus. Bell nahm die Zügel des Pferdes seiner Frau. Du reitest Winston, sagte er.

Sind Sie sicher?

Ich bin sogar mehr als sicher. Eins kann ich dir sagen, wenn Lorettas Pferd irgendwas passiert, willst du ganz bestimmt nicht derjenige sein, der draufgesessen hat.

Er reichte Wendell einen der Unterhebelrepetierer, die er mitgebracht hatte, schwang sich in den Sattel und zog sich den Hut in die Stirn. Bist du so weit?, fragte er.

Sie ritten nebeneinanderher. Wir sind überall durch ihre Spuren durchgefahren, aber man sieht trotzdem noch, was es war, sagte Bell. Große Geländereifen.

Der Wagen, zu dem sie schließlich kamen, war nur noch ein geschwärztes Wrack.

Mit den Nummernschildern haben Sie recht gehabt, sagte Wendell.

Aber was die Reifen angeht, hab ich gelogen.

Wieso denn?

Ich hab gesagt, sie würden immer noch brennen.

Es sah aus, als stünde der Wagen in vier Teerpfützen und die Räder wären von einem schwarzen Drahtgeflecht umsponnen. Sie ritten weiter. Von Zeit zu Zeit deutete Bell auf den Boden. Man kann die Tagspuren von den Nachtspuren unterscheiden, sagte er. Sie sind ohne Licht hier rausgefahren. Siehst du, wie krumm die Spur ist? Wie wenn man gerade nur so weit sieht, dass man dem Strauch vor einem ausweichen kann. Oder Lackspuren an einem Felsen hinterlässt, so wie da drüben.

In einer sandigen Auswaschung saß er ab, ging ein Stück weit, kam wieder zurück und blickte in Richtung Süden. Die Reifenspur, die reinführt, führt auch wieder raus. Beide etwa zur gleichen Zeit entstanden. Man sieht die Lamellen ganz deutlich. In welche Richtung sie zeigen. Ich würd sagen, es hat zwei Fahrten in jede Richtung gegeben, vielleicht auch mehr.

Die Hände auf dem großen Sattelknauf gekreuzt, saß Wendell auf seinem Pferd. Er beugte sich zur Seite und spuckte aus. Zusammen mit dem Sheriff blickte er nach Süden. Was meinen Sie, was werden wir da unten finden?

Ich weiß es nicht, sagte Bell. Er stellte den Fuß in den Steigbügel, schwang sich mühelos in den Sattel und setzte das kleine Pferd in Bewegung. Ich weiß es nicht, wiederholte er. Aber ich kann nicht behaupten, dass ich mich sonderlich drauf freue.

Bei Moss' Pick-up angekommen, betrachtete der Sheriff ihn eine Weile und ritt dann drumherum. Beide Türen waren offen.

Jemand hat das Typenschild von der Tür abgehebelt, sagte er.

Die Nummer steht auf dem Fahrgestell.

Ja. Ich glaub aber nicht, dass sie's genommen haben, damit wir ihn nicht finden.

Ich kenn den Wagen.

Ich auch.

Wendell beugte sich vor und tätschelte dem Pferd den Hals. Der Junge heißt Moss.

Ja.

Bell ritt um die Rückseite des Pick-ups herum zurück, stellte das Pferd in Richtung Süden und sah Wendell an. Weißt du, wo er wohnt?

Nein, Sir.

Er ist verheiratet, stimmt's?

Ich glaub, ja.

Der Sheriff betrachtete den Wagen. Ich hab grad gedacht, es wär schon komisch, wenn er seit zwei, drei Tagen vermisst wird und kein Mensch was gesagt hat.

Ziemlich komisch.

Bell blickte hinunter in Richtung der Caldera. Ich glaub, wir haben's hier mit 'ner richtig üblen Sache zu tun.

Ich verstehe, Sheriff.

Glaubst du, der Junge ist ein Drogenschmuggler?

Ich weiß nicht. Hätt ich eigentlich nicht gedacht.

Ich auch nicht. Reiten wir da runter und sehen wir uns den Rest von der Schweinerei an.

Die Winchester-Büchsen senkrecht vor sich auf dem Sattelbogen, ritten sie in die Caldera hinab. Ich hoffe, der Junge liegt nicht tot da unten, sagte Bell. Die ein-, zweimal, wo ich ihn gesehen hab, ist er mir wie ein anständiger Bursche vorgekommen. Hübsche Frau hat er auch.

Sie ritten an den auf dem Boden liegenden Leichen vorbei, hielten an, saßen ab und ließen die Zügel fallen. Die Pferde tänzelten nervös.

Führen wir die Pferde ein Stück weit weg, sagte Bell. Die müssen das nicht sehen.

Ja, Sir.

Als er zurückkam, reichte Bell ihm zwei Brieftaschen, die er bei den Toten gefunden hatte. Er schaute zu den Pick-ups hin.

Die beiden sind noch nicht so lange tot, sagte er.

Wo sind sie her?

Dallas.

Er gab Wendell eine Pistole, die er aufgehoben hatte, dann ging er, auf sein Gewehr gestützt, in die Hocke. Die beiden sind hingerichtet worden, sagte er. Von einem Komplizen, würd ich sagen. Der da hat noch nicht mal seine Pistole entsichert. Beide zwischen die Augen geschossen.

Der andere hat keine Kanone gehabt?

Vielleicht hat sie ihm der Killer abgenommen. Vielleicht hat er aber auch keine gehabt.

Blöd, ohne Kanone in 'ne Schießerei zu geraten.

Allerdings.

Sie gingen zwischen den Pick-ups umher. Die Scheißkerle haben geblutet wie abgestochene Schweine, sagte Wendell.

Bell bedachte ihn mit einem Blick.

Ja, sagte Wendell. Ich schätze, man muss drauf achten, dass man nicht abfällig über Tote redet.

Zumindest würd ich sagen, dass wahrscheinlich kein Segen drauf liegt.

Es sind doch bloß ein paar mexikanische Drogenschmuggler.

Das waren sie. Jetzt sind sie's nicht mehr.

Ich weiß nicht recht, was Sie damit meinen.

Ich meine bloß, dass sie jetzt nur noch tot sind, ganz gleich, was sie vorher waren.

Da muss ich erst mal drüber schlafen.

Der Sheriff klappte den Sitz des Bronco nach vorn und warf einen Blick in den Stauraum. Er leckte seinen Finger an, drückte ihn auf den Teppich und hielt ihn ans Licht. In der Kiste war mal was von dem guten alten mexikanischen braunen Dope.

Mittlerweile allerdings längst weg, oder?

Längst weg.

Wendell ging in die Hocke und musterte den Boden vor der Tür. Sieht so aus, als wär da auch was auf dem Boden. Vielleicht hat jemand eins von den Päckchen aufgeschnitten. Geguckt, was drin ist.

Vielleicht auch die Qualität überprüft. Weil er ins Geschäft kommen wollte.

Die sind nicht ins Geschäft gekommen. Die haben sich gegenseitig abgeknallt.

Bell nickte.

Vielleicht war noch nicht mal Geld da.

Möglich.

Aber glauben tun Sie das nicht.

Bell dachte darüber nach. Nein, sagte er. Eigentlich nicht.

Hier draußen hat's noch eine zweite Auseinandersetzung gegeben.

Ja, sagte Bell. Mindestens.

Er richtete sich auf und schob den Sitz zurück. Dieser brave Bürger hier hat auch einen zwischen die Augen gekriegt.

Ja.

Sie gingen um den Pick-up herum. Bell deutete auf die Karosserie.

Das stammt von einem Schnellfeuergewehr, die geraden Reihen da.

Würd ich auch sagen. Was meinen Sie, wo der Fahrer hin ist?

Ist wahrscheinlich einer von denen, die da drüben im Gras liegen.

Bell hatte sein Taschentuch gezückt, hielt es sich vor die Nase, langte in den Wagen, hob ein paar Patronenhülsen aus Messing vom Boden auf und betrachtete die in den Hülsenboden eingestanzten Zahlen.

Was für Kaliber haben Sie da, Sheriff?

Neun Millimeter. Ein paar .45 ACP.

Er ließ die Hülsen auf den Wagenboden fallen, trat zurück und griff nach seinem Gewehr, das er an das Fahrzeug gelehnt hatte. Wie's aussieht, hat jemand mit einer Schrotflinte auf das Ding geschossen.

Meinen Sie, die Löcher sind groß genug?

Ich glaub nicht, dass das Doppelnull sind. Eher Vierer-Schrot.

Mehr Wumm fürs Geld.

So könnte man sagen. Wenn du eine Gasse freischießen willst, kannst du damit wenig verkehrt machen.

Wendell blickte über die Caldera hin. Tja, sagte er. Irgendwer ist von hier weggegangen.

Das kannst du laut sagen.

Was meinen Sie, wie kommt's, dass die Kojoten nicht an denen dran gewesen sind?

Bell schüttelte den Kopf. Keine Ahnung, sagte er. Angeblich fressen sie ja keine Mexikaner.

Die da drüben sind keine Mexikaner.

Auch wieder wahr.

Das muss einen Krach gemacht haben wie in Vietnam.

Vietnam, sagte der Sheriff.

Sie gingen zwischen den Pick-ups hindurch. Bell las noch ein paar Patronenhülsen auf, betrachtete sie und ließ sie wieder fallen. Er hob einen Schnelllader aus blauem Plastik auf, blieb stehen und ließ den Blick über den Schauplatz wandern. Ich sag dir was, sagte er.

Was denn.

Dass der letzte Mann überhaupt nichts abgekriegt hat, ist nicht sehr logisch.

Da bin ich Ihrer Meinung.

Warum holen wir nicht die Pferde, reiten ein Stück da lang und sehen uns ein bisschen um. Suchen vielleicht ein bisschen nach Spuren.

Das können wir machen.

Kannst du mir sagen, was die hier draußen mit einem Hund wollten?

Keine Ahnung.

Als sie anderthalb Kilometer weiter in nordöstlicher Richtung den Toten zwischen den Felsen fanden, blieb Bell einfach auf dem Pferd seiner Frau sitzen. Er verharrte lange Zeit so.

Was meinen Sie, Sheriff?

Der Sheriff schüttelte den Kopf. Er saß ab und ging hinüber zu der Stelle, wo zusammengesackt der Tote lag. Im Gehen trug er das Gewehr wie ein Joch auf den Schultern. Er ging in die Hocke und musterte das Gras.

Haben wir hier noch 'ne Hinrichtung, Sheriff?

Nein, ich glaub, der hier ist eines natürlichen Todes gestorben.

Eines natürlichen Todes?

Jedenfalls für die Branche, in der er war.

Er hat keine Kanone.

Nein.

Wendell beugte sich zur Seite und spuckte aus. Jemand war vor uns hier.

Würd ich auch sagen.

Meinen Sie, er hat das Geld gehabt?

Die Wahrscheinlichkeit ist ziemlich hoch, würd ich sagen.

Also haben wir den letzten Mann immer noch nicht gefunden, oder?

Bell gab keine Antwort. Er stand auf und blickte über das Land hin.

Schöne Schweinerei, was, Sheriff?

Wenn nicht, kann's jedenfalls gut dafür herhalten.

Sie ritten über das obere Ende der Caldera zurück. Vom Pferderücken aus blickten sie auf Moss' Pick-up hinunter.

Was meinen Sie, wo der Junge abgeblieben ist?, fragte Wendell.

Ich weiß nicht.

Ich nehm mal an, dass sein Aufenthaltsort auf Ihrer Prioritätenliste ziemlich weit oben steht.

Der Sheriff nickte. Ziemlich, sagte er.

Sie fuhren in die Stadt zurück, und der Sheriff schickte Wendell mit dem Transporter und den Pferden zu sich nach Hause.

Dass du mir ja an die Küchentür klopfst und dich bei Loretta bedankst.

Mach ich. Ich muss ihr sowieso die Schlüssel geben.

Das County zahlt ihr nichts dafür, dass wir ihr Pferd benutzen.

Ich hab verstanden.

Mit dem Funktelefon rief er Torbert an. Ich komm dich jetzt holen, sagte er. Bleib einfach, wo du bist.

Als er vor Lamars Büro hielt, war noch immer Absperrband über den Rasen vor dem Gerichtsgebäude gespannt. Torbert saß auf der Treppe. Er stand auf und kam zum Wagen.

Alles klar bei dir?, fragte Bell.

Ja, Sir.

Wo ist Sheriff Lamar?

Unterwegs.

Sie fuhren hinaus in Richtung Highway. Bell erzählte dem Deputy von der Caldera. Torbert hörte schweigend zu. Während der Fahrt sah er zum Fenster hinaus. Nach einer Weile sagte er: Ich hab den Bericht aus Austin gekriegt.

Was haben sie denn gesagt?

Nicht viel.

Womit ist er erschossen worden?

Das wissen sie nicht.

Das wissen sie nicht?

Nein, Sir.

Wie können sie das nicht wissen? Da war keine Austrittswunde.

Ja, Sir. Das haben sie auch ohne weiteres zugegeben.

Das haben sie zugegeben?

Ja, Sir.

Was zum Teufel haben sie denn nun gesagt, Torbert?

Dass er eine Schusswunde in der Stirn hat, die nach einem großen Kaliber aussieht, und dass die fragliche Wunde annähernd sechs Zentimeter tief in den Schädel und den Frontallappen hineinreicht, dass aber keine Kugel zu finden war.

Die fragliche Wunde.

Ja, Sir.

Bell fuhr auf die Interstate. Er trommelte mit den Fingern auf das Lenkrad. Er sah seinen Deputy an.

Was du da sagst, ergibt keinen Sinn, Torbert.

Das hab ich denen auch gesagt.

Und was haben sie darauf geantwortet?

Gar nichts. Sie schicken den Bericht mit FedEx. Samt Röntgenbildern und allem Pipapo. Morgen früh ist er bei Ihnen im Büro, haben sie gesagt.

Sie fuhren schweigend dahin. Nach einer Weile sagte Torbert: Das Ganze ist eine richtig üble Geschichte, was, Sheriff.

Ja.

Wie viele Leichen sind's insgesamt?

Gute Frage. Ich weiß gar nicht, ob ich überhaupt gezählt hab. Acht. Mit Deputy Haskins neun.

Torbert musterte die Landschaft draußen. Die lang auf der Straße liegenden Schatten. Wer zum Teufel sind diese Leute?, sagte er.

Ich weiß nicht. Ich hab immer gesagt, es sind die gleichen, mit denen wir's schon immer zu tun hatten. Die gleichen, mit denen schon mein Großvater zu tun gehabt hat. Damals haben sie Vieh geklaut. Jetzt schmuggeln sie Rauschgift. Aber ich weiß nicht, ob das noch stimmt. Ich bin wie du. Ich bin mir nicht sicher, ob wir diese Leute schon mal gesehen haben. Diese Art von Leuten. Ich weiß noch nicht mal, was man mit ihnen anstellen soll. Wenn man sie alle umbringen würde, müssten sie in der Hölle anbauen.

Chigurh fuhr kurz vor Mittag ins Desert Aire ein, hielt knapp hinter Moss' Wohnwagen und stellte den Motor ab. Er stieg aus, ging über die nackte Erde des Hofes, stieg die Stufen hinauf und klopfte an die Aluminiumtür. Er wartete. Dann klopfte er erneut. Er drehte sich um und musterte mit dem Rücken zum Wohnwagen die kleine Anlage. Nichts rührte sich. Kein Hund. Er wandte sich wieder dem Wohnwagen zu, führte die Hand ans Türschloss, schoss mit dem Kobaltstahlbolzen des Schussgeräts den Schlosszylinder heraus, öffnete die Tür, ging hinein und machte sie hinter sich zu.

Den Revolver des Deputys in der Hand, blieb er stehen. Dann warf er einen Blick in die Küche. Er ging nach hinten ins Schlafzimmer. Er durchquerte es, stieß die Badezimmertür auf und ging ins zweite Schlafzimmer. Kleider auf dem Boden. Die Schranktür offen. Er zog die oberste Kommodenschublade heraus und schloss sie wieder. Er steckte den Revolver in den Hosenbund, zog das Hemd darüber und ging zurück in die Küche.

Er öffnete den Kühlschrank, nahm einen Karton Milch heraus, schraubte ihn auf, roch daran und trank. Den Karton in einer Hand, schaute er zum Fenster hinaus. Er trank erneut, stellte den Karton in den Kühlschrank zurück und schloss die Tür.

Er ging ins Wohnzimmer und setzte sich aufs Sofa. Auf dem Tisch stand ein recht gutes, mittelgroßes Fernsehgerät. Er betrachtete sich in dem toten grauen Bildschirm.

Er rappelte sich hoch, hob die Post vom Boden auf, setzte sich wieder und ging sie durch. Drei der Umschläge faltete er, steckte sie in seine Hemdtasche, stand dann auf und ging hinaus.

Er fuhr bis zum Büro, hielt an und ging hinein. Ja, Sir?, sagte die Frau.

Ich suche Llewelyn Moss.

Sie musterte ihn. Haben Sie's bei seinem Wohnwagen versucht?

Ja, hab ich.

Tja, dann würde ich sagen, er ist bei der Arbeit. Wollen Sie ihm eine Nachricht hinterlassen?

Wo arbeitet er?

Sir, es ist mir nicht gestattet, Informationen über unsere Bewohner zu geben.

Chigurh ließ den Blick durch das kleine Sperrholzkabuff wandern. Er sah die Frau an.

Wo arbeitet er?

Sir?

Wo er arbeitet, hab ich gefragt.

Haben Sie mich nicht verstanden? Wir dürfen keine Informationen geben.

Irgendwo war eine Toilettenspülung zu hören. Ein Türriegel klickte. Erneut sah Chigurh die Frau an. Dann ging er hinaus, stieg in den Ramcharger und fuhr weg.

Er machte beim Café halt, zog die Umschläge aus der Hemdtasche, faltete sie auseinander, riss sie auf und las die Briefe. Er riss den Umschlag der Telefonrechung auf und sah sie sich an. Es standen Anrufe nach Del Rio und Odessa darauf.

Er ging ins Café, ließ sich Kleingeld geben, ging zum Münztelefon und wählte die Nummer in Del Rio, aber es nahm niemand ab. Er rief die Nummer in Odessa an, eine Frau nahm ab, und er fragte nach Llewelyn. Die Frau sagte, er sei nicht da.

Ich hab versucht, ihn in Sanderson zu erreichen, aber ich glaube, da ist er nicht mehr.

Ein kurzes Schweigen trat ein. Dann sagte die Frau: Ich weiß nicht, wo er ist. Wer spricht denn da?

Chigurh legte auf, ging zum Tresen hinüber, setzte sich und bestellte eine Tasse Kaffee. War Llewelyn heute schon da?, fragte er.

Als er vor der Werkstatt anhielt, saßen dort zwei Männer mit dem Rücken zur Gebäudewand und aßen ihren Lunch. Er ging hinein. Am Schreibtisch saß ein Mann, der Kaffee trank und Radio hörte. Ja, Sir?, sagte er.

Ich bin auf der Suche nach Llewelyn.

Der ist nicht da.

Wann erwarten Sie ihn denn?

Ich weiß nicht. Er hat nicht angerufen oder so, deswegen kann ich auch nur raten. Er legte leicht den Kopf zur Seite. Als wollte er Chigurh genauer ins Auge fassen. Kann ich irgendwas für Sie tun?

Ich glaube nicht.

Draußen stand er auf dem rissigen, ölfleckigen Pflaster. Er sah die beiden Männer an, die am Ende des Gebäudes saßen.

Wissen Sie, wo Llewelyn ist?

Sie schüttelten den Kopf. Chigurh stieg in den Ramcharger und fuhr zurück in Richtung Stadt.

Der Bus kam am frühen Nachmittag in Del Rio an, und Moss nahm seine Taschen und stieg aus. Er ging die Straße entlang zum Taxistand, öffnete die hintere Tür des dort stehenden Taxis und stieg ein. Fahren Sie mich zu einem Motel, sagte er.

Der Fahrer sah ihn im Rückspiegel an. Haben Sie an ein bestimmtes gedacht?

Nein. Einfach was Billiges.

Sie fuhren zu einem Etablissement namens Trail Motel, Moss stieg mit seiner Reisetasche und dem Aktenkoffer aus, bezahlte den Fahrer und ging ins Büro. Dort saß eine Frau und sah fern. Sie stand auf und trat hinter den Empfang.

Haben Sie ein Zimmer?

Ich hab mehr als eins. Wie viele Nächte?

Ich weiß nicht.

Ich frag deshalb, weil wir einen Wochenpreis haben. Fünfunddreißig Dollar plus ein Dollar fünfundsiebzig Steuer. Sechsunddreißig fünfundsiebzig.

Sechsunddreißig fünfundsiebzig.

Ja, Sir.

Für eine Woche.

Ja, Sir. Für eine Woche.

Und das ist Ihr bestes Angebot?

Ja, Sir. Auf den Wochenpreis gibt's keinen Nachlass.

Na gut, dann machen wir's lieber tageweise.

Ja, Sir.

Er bekam den Schlüssel, ging zum Zimmer, trat ein, schloss die Tür und stellte die Taschen aufs Bett. Er zog die Vorhänge zu und betrachtete durch den Spalt dazwischen den verwahrlosten kleinen Hof. Totenstille. Er legte die Türkette vor und setzte sich aufs Bett. Dann zog er den Reißverschluss der Reisetasche auf, nahm die Maschinenpistole heraus, legte sie auf die Tagesdecke und streckte sich daneben aus.

Als er aufwachte, war es Spätnachmittag. Er lag da und blickte die fleckige Asbestdecke an. Er setzte sich auf, zog Stiefel und Socken aus und sah nach den Pflastern an seinen Fersen. Er ging ins Bad, betrachtete sich im Spiegel, zog sein Hemd aus und untersuchte die Rückseite seines Arms. Sie war von der Schulter bis zum Ellbogen verfärbt. Er ging ins Zimmer zurück und setzte sich wieder aufs Bett. Er betrachtete die Waffe, die neben ihm lag. Nach einer Weile stieg er auf den billigen Holzschreibtisch und machte sich daran, mit der Klinge seines Taschenmessers das Schutzgitter der Belüftung abzuschrauben, dessen Schrauben er sich eine nach der anderen in den Mund steckte. Dann nahm er das Gitter ab, legte es auf den Schreibtisch, stellte sich auf die Zehenspitzen und blickte in den Belüftungsschacht.

Er schnitt ein Stück von der Jalousienschnur am Fenster

ab und band ein Ende davon an dem Aktenkoffer fest. Dann klappte er dessen Deckel auf, zählte tausend Dollar ab, faltete die Scheine, steckte sie in die Tasche, klappte den Aktenkoffer zu, ließ die Schließe zuschnappen und schloss die Schnallen.

Er nahm die Kleiderstange aus dem Schrank, ließ die Kleiderbügel auf den Boden gleiten, stellte sich wieder auf den Schreibtisch und schob den Aktenkoffer so weit in den Belüftungsschacht hinein, wie er reichen konnte. Der Koffer passte knapp hinein. Mit der Stange schob er ihn weiter, bis er gerade noch das Ende der Schnur erreichen konnte. Er setzte das Schutzgitter mitsamt seiner Staubschicht wieder ein, zog die Schrauben fest, stieg herunter, ging ins Bad und duschte. Danach legte er sich in Boxershorts auf das Bett und zog die Chenille-Tagesdecke über sich und die neben ihm liegende Maschinenpistole. Er entsicherte die Waffe. Dann schlief er ein.

Als er aufwachte, war es dunkel. Er schwang die Beine über die Bettkante, saß da und lauschte. Dann stand er auf, trat ans Fenster, zog den Vorhang ein Stückchen zurück und schaute hinaus. Tiefe Schatten. Stille. Nichts.

Er zog sich an, schob die noch immer entsicherte Waffe unter die Matratze, strich den Volant glatt, setzte sich aufs Bett, nahm den Hörer des Telefons ab und bestellte sich ein Taxi.

Er musste dem Fahrer zehn Dollar zusätzlich bezahlen, damit der ihn über die Brücke nach Ciudad Acuña fuhr. Er durchstreifte die Straßen, blickte in die Schaufenster. Der Abend war mild und warm, und in der kleinen Alameda ließen sich unter gegenseitigem Zurufen Stärlinge auf den Bäumen nieder. Er ging in ein Stiefelgeschäft und sah sich die exotischen Exemplare – Krokodil-, Straußen- und Elefantenleder – an, aber ihre Qualität reichte nicht an die Larry Mahans heran, die er trug. Er ging in eine Farmacia, kaufte sich eine Schachtel Pflaster, setzte sich in den Park und verpflasterte seine wunden Füße. Seine Socken waren schon blutig. An der Ecke fragte ihn ein Taxifahrer, ob er die Mädchen sehen wolle, und Moss hielt die Hand hoch, damit der andere seinen Ehering sah, und ging weiter.

Er aß in einem Restaurant mit weißen Tischdecken und Kellnern in weißen Jacken. Er bestellte ein Glas Rotwein und ein Porterhouse-Steak. Es war noch früh, und bis auf ihn war das Restaurant leer. Er trank den Wein in kleinen Schlucken, und als das Steak kam, machte er sich darüber her, kaute langsam und dachte über sein Leben nach.

Er kam kurz nach zehn zum Motel zurück und saß bei laufendem Motor im Taxi, während er das Geld für den Fahrer abzählte. Er reichte die Scheine über die Rückenlehne und machte Anstalten auszusteigen, tat es dann aber doch nicht. Die Hand am Türgriff, saß er da. Fahren Sie mich da entlang, sagte er.

Der Fahrer legte den Gang ein. Welches Zimmer?, fragte er.

Fahren Sie mich einfach da entlang. Ich will sehen, ob jemand da ist.

Sie fuhren langsam an seinem Zimmer vorbei. Zwischen den Vorhängen klaffte eine Lücke, von der er ziemlich sicher war, dass nicht er sie hinterlassen hatte. Schwer zu sagen. So schwer aber auch wieder nicht. Das Taxi rollte langsam vorbei. Keine Autos auf dem Parkplatz, die nicht schon vorher da gewesen waren. Fahren Sie weiter, sagte er.

Der Fahrer sah ihn im Rückspiegel an.

Fahren Sie weiter, sagte Moss. Nicht anhalten.

Ich will hier nicht in irgendeinen Schlamassel geraten, Kumpel.

Fahren Sie einfach weiter.

Wie wär's, wenn ich Sie hier rauslasse und wir diskutieren nicht weiter drüber.

Ich will, dass Sie mich zu einem anderen Motel fahren.

Sagen wir einfach, wir sind quitt.

Moss beugte sich vor und hielt einen Hundertdollarschein über die Rückenlehne. Sie stecken schon in einem Schlamassel, sagte er. Ich versuche, Sie da wieder rauszukriegen. Und jetzt fahren Sie mich zu einem Motel.

Der Fahrer nahm den Schein, steckte ihn in seine Hemdtasche und fuhr vom Parkplatz auf die Straße hinaus.

Moss verbrachte die Nacht im Ramada Inn am Highway, und am Morgen ging er hinunter in den Speisesaal, frühstückte und las Zeitung. Dann saß er einfach nur da.

Sie waren bestimmt nicht mehr da, wenn die Zimmermädchen zum Aufräumen kamen.

Die Zimmer mussten bis elf Uhr geräumt sein.

Sie konnten das Geld gefunden haben und schon wieder weg sein.

Nur dass ihn wahrscheinlich mindestens zwei Parteien suchten, und egal, mit welcher er es hier zu tun hatte, die andere war auch noch da und würde sich nicht in Wohlgefallen auflösen.

Als er aufstand, wusste er, dass er wahrscheinlich jemanden würde umbringen müssen. Er wusste nur noch nicht, wen.

Er nahm ein Taxi, fuhr in die Stadt, ging in ein Jagd- und Sportgeschäft und kaufte eine Winchester-Repetierschrotflinte Kaliber zwölf und eine Schachtel Doppelnull-Schrotpatronen. Die Schachtel Patronen enthielt fast genau die gleiche Feuerkraft wie eine Claymore-Mine. Er ließ sich die Waffe einpacken und ging mit ihr unter dem Arm die Pecan Street entlang zu einem Eisenwarengeschäft. Dort kaufte er eine Metallbügelsäge, eine Flachfeile und diverse andere Sachen. Eine Kneifzange und einen Seitenschneider. Einen Schraubenzieher. Taschenlampe. Eine Rolle Klebeband.

Mit seinen Käufen verharrte er kurz auf dem Bürgersteig. Dann drehte er sich um und ging die Straße entlang zurück.

Wieder im Jagd- und Sportgeschäft, fragte er denselben Verkäufer, ob er Aluminium-Zeltstangen habe. Er versuchte zu erklären, dass es ihm nicht darauf ankomme, um was für ein Zelt es sich handele, sondern dass er bloß die Stangen brauche.

Der Verkäufer musterte ihn. Ganz egal, um was für ein Zelt es sich handelt, sagte er, wir müssten die Stangen dafür trotzdem bestellen. Dazu muss man den Hersteller und die Modellnummer wissen.

Sie verkaufen doch Zelte, oder?

Wir haben drei verschiedene Modelle.

Und welches hat die meisten Stangen?

Tja, das müsste unser Drei-Meter-Steilwandzelt sein. Darin kann man stehen. Jedenfalls können manche Leute darin stehen. Es hat eine lichte Höhe von einsachtzig am First.

Das nehme ich.

Ja, Sir.

Der Verkäufer holte das Zelt aus dem Lager und legte es auf den Ladentisch. Es steckte in einem Sack aus orangefarbenem Nylon. Moss legte die Schrotflinte und die Tüte mit dem Werkzeug auf den Ladentisch, löste die Verschnürung des Zeltsacks und zog das Zelt samt Stangen und Schnüren heraus.

Es ist alles da, sagte der Verkäufer.

Was bekommen Sie?

Hundertneunundsiebzig plus Steuer.

Moss legte zwei Hundertdollarscheine auf den Ladentisch. Die Zeltstangen befanden sich in einem separaten Beutel, den er herauszog und zu seinen anderen Sachen legte. Der Verkäufer gab ihm sein Wechselgeld und die Quittung, Moss sammelte die Schrotflinte, die gekauften Werkzeuge und die Zeltstangen auf, bedankte sich, drehte sich um und ging. Und was ist mit dem Zelt?, rief der Verkäufer ihm nach.

Im Hotelzimmer wickelte er die Schrotflinte aus, klemmte sie

in eine offene Schublade, hielt sie fest und sägte knapp vor dem
Magazin den Lauf ab. Er feilte den Schnitt gerade, glättete die
Kante, wischte die Mündung mit einem feuchten Waschlappen
aus und legte diesen beiseite. Dann sägte er den Schaft hinter
dem Pistolengriff ab, setzte sich aufs Bett und feilte den Griff
glatt. Als das Ergebnis seinen Vorstellungen entsprach, ließ er
den Vorderschaft zurück- und wieder vorgleiten, senkte mit
dem Daumen den Hahn ab, drehte die Waffe zur Seite und betrachtete sie. Sie sah ziemlich gut aus. Er drehte sie um, öffnete
die Patronenschachtel und schob die schweren, gewachsten
Patronen eine nach der anderen ins Magazin. Er zog den Verschluss zurück, sodass eine Patrone ins Patronenlager glitt,
ließ den Hahn herab, führte eine weitere Patrone ins Magazin
ein und legte sich die Waffe quer auf den Schoß. Sie war keine
sechzig Zentimeter lang.

Er rief im Trail Motel an und sagte der Frau, er werde noch einen Tag bleiben. Dann schob er die Waffe, die Patronen und die
Werkzeuge unter die Matratze und verließ abermals das Hotel.

Er ging zu Wal-Mart und kaufte sich etwas Kleidung und ei-
nen kleinen Beutel mit Reißverschluss, um sie darin unterzu-
bringen. Eine Jeans, zwei Hemden und Socken. Am Nachmittag
machte er einen langen Spaziergang am See entlang und nahm
dazu im Beutel den abgesägten Flintenlauf und den Schaft mit.
Den Lauf schleuderte er so weit es ging in den See hinaus, den
Schaft vergrub er am Fuß eines Schiefervorsprungs. Durch das
Wüstengesträuch bewegte sich Wild von ihm weg. Er hörte die
Tiere schnauben und sah sie hundert Meter weiter auf einen
Kamm heraustreten, wo sie stehenblieben und zu ihm zurück-
blickten. Den leeren Beutel gefaltet im Schoß, setzte er sich auf
ein Stück Kiesstrand und sah dem Sonnenuntergang zu. Sah zu,
wie das Land blau und kalt wurde. Ein Fischadler stieß auf den
See herab. Dann war da nur noch die Dunkelheit.

IV

Ich war schon mit fünfundzwanzig Sheriff dieses Countys. Schwer zu glauben. Mein Vater war kein Gesetzeshüter. Jack war mein Großvater. Er und ich waren zur gleichen Zeit Sheriff, er in Plano, ich hier. Ich glaub, darauf war er ziemlich stolz. Ich war's jedenfalls ganz bestimmt. Ich war gerade aus dem Krieg zurückgekommen. Hatte ein paar Orden und so gekriegt, und davon hatten die Leute natürlich Wind bekommen. Ich hab einen ziemlich intensiven Wahlkampf geführt. Das muss man. Ich hab versucht, fair zu bleiben. Jack hat immer gesagt, jedes Mal, wenn man mit Dreck schmeißt, verliert man Boden, aber ich glaub, er hätte das gar nicht gekonnt. Schlecht von jemand zu reden. Und mir hat es nie was ausgemacht, so zu sein wie er. Meine Frau und ich sind seit einunddreißig Jahren verheiratet. Keine Kinder. Wir haben ein Mädchen verloren, aber darüber möcht ich nicht reden. Ich hab zwei Amtszeiten abgeleistet, dann sind wir nach Denton in Texas gezogen. Jack hat immer gesagt, Sheriff zu sein wär einer der besten Jobs, die man haben kann, und Ex-Sheriff zu sein einer der schlechtesten. Das ist vielleicht mit vielem so. Wir waren jedenfalls erst mal weg und sind auch weggeblieben. Ich hab andere Sachen gemacht. War eine Zeitlang Detective bei der Eisenbahn. Zu der Zeit war meine Frau gar nicht so sicher, dass wir wieder hierher zurückkommen. Von wegen meiner Kandidatur. Aber dann hat sie gesehen, dass ich will, also haben wir's gemacht. Sie ist ein besserer Mensch als ich, das geb ich jederzeit zu, und zwar gegenüber jedem, der mir zuhören mag. Nicht, dass das so viel sagt. Sie ist ein besserer Mensch als jeder, den ich kenne. Punkt.

Die Leute denken, sie wissen, was sie wollen, aber im Allgemeinen stimmt das nicht. Wenn sie Glück haben, kriegen sie's manchmal auch so. Ich, ich hab immer Glück gehabt. Mein Leben lang. Sonst wär ich nicht hier. Bei den Schwulitäten, in die ich schon geraten bin. Aber der Tag, an dem ich sie aus Kerr's Mercantile hab kommen und über die Straße gehen sehen und sie an mir vorbeigekommen ist und ich an meinen Hut getippt und dafür fast so was wie ein Lächeln gekriegt hab, der Tag war der glücklichste.

Die Leute beklagen sich darüber, wie viel Schlechtes ihnen passiert, ohne dass sie's verdient hätten, aber von dem Guten reden sie selten. Darüber, womit sie das verdient haben. Ich kann mich nicht erinnern, dass ich dem Herrgott jemals besonders viel Grund geliefert hab, mir gut zu sein. Aber er war's.

Als Bell am Dienstagmorgen ins Café kam, war es gerade Tag geworden. Er holte sich seine Zeitung und ging zu seinem Tisch in der Ecke. Die Männer am großen Tisch, an denen er vorbeikam, nickten ihm zu und sagten Sheriff. Die Kellnerin brachte ihm seinen Kaffee, ging nach hinten zur Küche und bestellte seine Eier. Mit dem Löffel rührte er seinen Kaffee um, obwohl es, da er ihn schwarz trank, nichts umzurühren gab. Das Bild des jungen Haskins war auf der Titelseite der in Austin erscheinenden Zeitung. Bell las kopfschüttelnd. Die Frau des Jungen war zwanzig Jahre alt. Und was konnte man für sie tun? Nicht das Geringste. Lamar hatte in über zwanzig Jahren keinen Mann verloren. Genau das würde er jetzt in Erinnerung behalten. Und dafür in Erinnerung behalten werden.

Sie kam mit seinen Eiern, und er faltete die Zeitung zusammen und legte sie neben den Teller.

Er nahm Wendell mit, und sie fuhren zum Desert Aire und standen wartend vor der Tür, während Wendell klopfte.

Sieh dir mal das Schloss an, sagte Bell.

Wendell zog seinen Revolver und öffnete die Tür. Büro des Sheriffs, rief er.

Da ist niemand.

Noch lange kein Grund, nicht vorsichtig zu sein.

Das stimmt. Überhaupt kein Grund.

Sie gingen hinein und blieben stehen. Wendell hätte seinen Revolver wieder ins Holster gesteckt, doch Bell hielt ihn davon ab. Wir wollen lieber weiter vorsichtig sein, sagte er.

Ja, Sir.

Er ging ein Stück weit ins Zimmer hinein, hob ein kleines Stück Messing vom Boden auf und hielt es hoch.

Was ist das?, fragte Wendell.

Der Zylinder vom Schloss.

Bell strich mit der Hand über das Sperrholz des Raumteilers.

Da hat er getroffen, sagte er. Er wog das Stück Messing in der Hand und blickte zur Tür hin. Man könnte das Ding wiegen und aus Entfernung und Fallkurve die Geschwindigkeit berechnen.

Ja, könnte man wohl.

Ziemlich hohe Geschwindigkeit.

Ja, Sir. Ziemlich hohe Geschwindigkeit.

Sie gingen durch die Zimmer. Was meinen Sie, Sheriff?

Ich glaub, die haben sich dünn gemacht.

Glaub ich auch.

Und zwar in aller Eile.

Ja.

Er ging in die Küche, öffnete den Kühlschrank, schaute hinein und schloss ihn wieder. Er warf einen Blick in die Tiefkühltruhe.

Also, wann war er da, Sheriff?

Schwer zu sagen. Vielleicht haben wir ihn nur knapp verpasst.

Meinen Sie, der Junge hat eine Ahnung, was für Schweinehunde ihm da auf den Fersen sind?

Ich weiß nicht. Müsst er eigentlich. Er hat dasselbe gesehen wie ich, und mich hat's beeindruckt.

Die stecken ganz schön in der Tinte, was?

Allerdings.

Bell ging ins Wohnzimmer zurück. Er setzte sich aufs Sofa. Wendell blieb in der Tür stehen. Er hielt noch immer den Revolver in der Hand. Was meinen Sie?, fragte er.

Bell schüttelte den Kopf. Er blickte nicht auf.

Am Mittwoch war der halbe Staat Texas unterwegs nach Sanderson. Bell saß an seinem Tisch im Café und las die Zeitung. Er senkte das Blatt und blickte auf. Vor ihm stand ein ungefähr dreißig Jahre alter Mann, den er noch nie gesehen hatte. Er stellte sich als Reporter des San Antonio Light vor. Um was geht's hier eigentlich, Sheriff?, fragte er.

Scheint sich um einen Jagdunfall zu handeln.

Jagdunfall?

Ja, Sir.

Wie kann das denn ein Jagdunfall sein? Sie wollen mich wohl veräppeln.

Ich will Sie mal was fragen.

In Ordnung.

Letztes Jahr sind am Terrell County Court neunzehn Fälle von Kapitalverbrechen verhandelt worden. Was würden Sie sagen, wie viele davon nichts mit Drogen zu tun gehabt haben?

Ich weiß nicht.

Zwei. Außerdem hab ich ein County so groß wie Delaware und voller Menschen, die meine Hilfe brauchen. Was meinen Sie dazu?

Ich weiß nicht.

Ich auch nicht. Und jetzt muss ich erst mal frühstücken. Ich hab nämlich einen ziemlich arbeitsreichen Tag vor mir.

Er und Torbert fuhren mit Torberts allradgetriebenem Pickup hinaus. Alles war so, wie sie es zurückgelassen hatten. Sie parkten ein Stück weit von Moss' Wagen entfernt und warteten.

Es sind zehn, sagte Torbert.

Was?

Es sind zehn. Verstorbene. Wir haben den guten Wyrick vergessen. Es sind zehn.

Bell nickte. Von denen wir wissen, sagte er.

Ja, Sir. Von denen wir wissen.

Der Hubschrauber kam, flog einen Kreis und landete in einem Staubwirbel draußen auf der Bajada. Niemand stieg aus. Sie warteten darauf, dass der Staub sich setzte. Bell und Torbert sahen zu, wie der Rotor auslief.

Der Agent der DEA hieß McIntyre. Bell kannte ihn flüchtig und fand ihn immerhin so sympathisch, dass er ihm zunickte, wenn sie einander begegneten. Mit einem Klemmbrett in der Hand stieg McIntyre aus und kam auf sie zu. Er trug Stiefel, einen Hut und eine Carhartt-Leinenjacke, und er wirkte glaubhaft, bis er den Mund aufmachte.

Sheriff Bell, sagte er.

Agent McIntyre.

Was für ein Fahrzeug ist das?

Ein 72er Ford Pick-up.

Mc Intyre blickte in die Bajada hinab. Er klopfte sich mit dem Klemmbrett ans Bein. Er sah Bell an. Schön zu wissen, sagte er. Weiß lackiert.

Würd ich auch sagen. Ja.

Könnte einen Satz neue Reifen gebrauchen.

Er ging zu dem Pick-up hinüber und umrundete ihn. Er schrieb etwas auf sein Klemmbrett. Er warf einen Blick ins Wageninnere. Er klappte den Sitz nach vorn und schaute in den Fond.

Wer hat die Reifen aufgeschlitzt?

Bell hatte die Hände in die Gesäßtaschen geschoben. Er beugte sich vor und spuckte aus. Deputy Hayes hier glaubt, dass es irgendwelche Konkurrenten waren.

Konkurrenten.

Ja, Sir.

Ich dachte, die Fahrzeuge wären von Kugeln durchsiebt.

Sind sie auch.

Aber das hier nicht.

Nein, das hier nicht.

McIntyre blickte in Richtung Hubschrauber, dann schaute er in die Bajada hinunter zu den anderen Fahrzeugen. Kann ich mit Ihnen da runterfahren?

Klar doch.

Sie gingen auf Torberts Pick-up zu. Der Agent sah Bell an und klopfte sich mit dem Klemmbrett gegen das Bein. Sie haben nicht vor, mir die Sache einfach zu machen, wie?

Ach was, McIntyre. Ich will mich bloß mit Ihnen kabbeln.

Sie gingen in der Bajada umher und betrachteten die von Kugeln durchsiebten Pick-ups. McIntyre hielt sich ein Taschentuch vor die Nase. Die Leichen waren in ihren Kleidern aufgedunsen. Das ist die übelste Geschichte, die ich je gesehen habe, sagte er.

Er machte sich Notizen auf seinem Klemmbrett. Er schritt Entfernungen ab, fertigte eine grobe Skizze des Tatorts und schrieb sich die Autokennzeichen von den Nummernschildern ab.

Waren hier keine Schusswaffen?, fragte er.

Nicht so viele, wie's hätten sein müssen. Wir haben zwei Stück sichergestellt.

Was meinen Sie, wie lange sind sie schon tot?

Vier, fünf Tage.

Irgendjemand muss davongekommen sein.

Bell nickte. Ungefähr anderhalb Kilometer von hier liegt noch eine Leiche.

Hinten in dem Bronco ist Heroin verschüttet worden.

Ja.

Mexikanischer schwarzer Teer.

Bell sah Torbert an. Torbert beugte sich vor und spuckte aus.

Wenn das Heroin weg ist und das Geld weg ist, dann vermute ich mal, dass irgendjemand damit weg ist.

Ich würd sagen, das ist eine naheliegende Vermutung.

McIntyre schrieb weiter. Keine Sorge, sagte er. Ich weiß, dass Sie's nicht haben.

Ich mach mir keine Sorgen.

McIntyre rückte seinen Hut zurecht und betrachtete die Pick-ups. Kommen die Ranger hier raus?

Ja, tun sie. Jedenfalls einer. Von der DPS-Drogeneinheit.

Ich hab hier .380er, .45er, Neun Millimeter Parabellum, .12er Schrot und .38er Spezial. Haben Sie noch was anderes gefunden?

Nein, ich denke, das war's.

McIntyre nickte. Ich schätze, die Leute, die auf ihren Stoff warten, haben inzwischen wahrscheinlich gemerkt, dass er nicht kommt. Was ist mit der Border Patrol?

Soviel ich weiß, hat sich alle Welt angesagt. Wir rechnen damit, dass es hier demnächst richtig lebhaft zugeht. Könnte vielleicht sogar noch mehr Leute anlocken als die Überschwemmung damals, 65.

Ja.

Wir müssen unbedingt die Leichen von hier wegschaffen.

McIntyre klopfte mit dem Klemmbrett gegen sein Bein. Da haben Sie allerdings recht, sagte er.

Neun Millimeter Parabellum, sagte Torbert.

Bell nickte. Das musst du in die Akten aufnehmen.

Chigurh fing das Signal des Transponders auf, als er über die hochgelegene Fahrbahn der Devil's River Bridge knapp westlich von Del Rio kam. Es war fast Mitternacht, und auf dem Highway waren so gut wie keine Autos unterwegs. Er griff hinüber auf die Beifahrerseite und drehte langsam und lauschend den Knopf hin und her.

Die Scheinwerfer erfassten einen großen Vogel, der weiter vorn auf dem Brückengeländer saß, und Chigurh drückte den Knopf, um das Fenster herunterzulassen. Kühle Luft vom See strömte in den Wagen. Er ergriff die neben dem Empfänger liegende Pistole und zielte damit zum Fenster hinaus, wobei er den Lauf auf dem Rückspiegel abstützte. Die Pistole war mit einem ans Ende des Laufes gelöteten Schalldämpfer versehen. Der Schalldämpfer bestand aus leeren Campinggas-Kartuschen, die mit einer Zwischenschicht aus Fiberglas-Dachisolierung in eine in stumpfem Schwarz gestrichene Haarspraydose eingepasst waren. Er schoss, als der Vogel sich gerade zusammenduckte und die Flügel ausbreitete.

Das Tier flatterte wild auf im Scheinwerferlicht, ganz weiß, drehte ab und entschwebte in die Dunkelheit. Der Schuss hatte das Brückengeländer getroffen und prallte davon ab in die Nacht, sodass das Geländer ein kurzes, dumpfes Summen von sich gab. Chigurh legte die Pistole auf den Sitz und schloss das Fenster wieder.

Moss bezahlte den Fahrer, trat hinaus in die Lichter vor der Motelrezeption, hängte sich die Tasche über die Schulter, machte die Taxitür zu und ging hinein. Die Frau stand bereits hinter dem Empfang. Er stellte die Tasche auf den Boden und stützte sich auf den Schalter. Die Frau wirkte leicht nervös. Hi, sagte sie. Haben Sie vor, eine Weile zu bleiben.

Ich brauche ein anderes Zimmer.

Wollen Sie das Zimmer wechseln, oder wollen Sie noch eins außer dem, das Sie schon haben?

Ich will das behalten, das ich schon habe, und außerdem noch eins.

In Ordnung.

Haben Sie einen Lageplan des Motels?

Sie sah unter dem Tresen nach. Irgendwann gab's mal so was in der Art. Moment. Ich glaube, das ist es.

Sie legte einen alten Prospekt auf den Tresen. Er zeigte ein vor dem Gebäude geparktes Auto aus den Fünfzigern. Moss entfaltete ihn, strich ihn glatt und studierte ihn.

Wie steht's mit Nummer hundertzweiundvierzig?

Sie können das Zimmer neben Ihrem haben, wenn Sie wollen. Hundertzwanzig ist nicht belegt.

Nicht nötig. Wie steht's mit Nummer hundertzweiundvierzig?

Sie nahm den Schlüssel von dem Brett hinter ihr. Das macht dann den Preis für zwei Nächte, sagte sie.

Er zahlte, hob die Tasche auf, ging hinaus und nahm den Fußweg, der an der Rückseite des Motels entlangführte. Sie beugte sich über den Schalter und sah ihm nach.

Im Zimmer setzte er sich mit ausgebreitetem Lageplan aufs Bett. Dann stand er auf, ging ins Bad und stellte sich, das Ohr an der Wand, in die Wanne. Irgendwo lief ein Fernseher. Er ging zurück ins Zimmer, setzte sich, öffnete die Tasche, nahm die Schrotflinte heraus, legte sie zur Seite und leerte die Tasche dann aufs Bett.

Er nahm den Schraubenzieher, holte den Stuhl vom Schreibtisch, stellte sich darauf, schraubte das Belüftungsgitter ab, stieg vom Stuhl und legte es mit der staubigen Seite nach oben auf die billige Chenille-Tagesdecke. Dann stieg er wieder auf den Stuhl und hielt das Ohr an den Belüftungsschacht. Er lauschte. Er stieg herunter, holte die Taschenlampe und stieg wieder hinauf.

Der Belüftungsschacht hatte nach etwa drei Metern einen Abzweig, aus dem Moss das Ende der Tasche ragen sah. Er schaltete die Lampe aus und lauschte. Um sich besser konzentrieren zu können, schloss er die Augen.

Er stieg vom Stuhl, nahm die Schrotflinte, ging zur Tür, schaltete das Licht aus und blickte im Dunkeln durch den Vorhang auf den Hof. Dann kehrte er zum Bett zurück, legte die Schrotflinte darauf und schaltete die Taschenlampe ein.

Er löste die Verschnürung des kleinen Nylonbeutels und ließ die Stangen herausgleiten. Es waren knapp einen Meter lange, leichte Aluminiumröhren, von denen er drei zusammensteckte und an den Verbindungsstellen mit Klebeband verklebte, damit sie sich nicht voneinander lösten. Er nahm drei Drahtkleiderbügel aus dem Schrank, setzte sich aufs Bett, kniff mit der Zange die Haken ab und verband sie mittels Klebeband zu einem einzigen Haken. Diesen klebte er ans Ende der Stange, stand auf und schob die Stange in den Belüftungsschacht.

Er knipste die Taschenlampe aus, legte sie aufs Bett, kehrte ans Fenster zurück und blickte hinaus. Draußen auf dem Highway das Dröhnen eines vorbeifahrenden Lastwagens. Er wartete, bis es verstummt war. Eine Katze, die den Hof überquerte, blieb stehen. Dann ging sie weiter.

Die Taschenlampe in der Hand, stand er auf dem Stuhl. Er knipste sie an, hielt den Strahler ganz dicht an das verzinkte Blech des Schachts, um das Licht zu dämpfen, schob den Haken an dem Aktenkoffer vorbei, drehte ihn und zog ihn zurück. Der Haken griff, verschob den Aktenkoffer leicht und löste sich dann wieder. Nach mehreren Versuchen bekam Moss eine Schnalle zu fassen und holte den Haken leise, Hand über Hand, durch den Staub ein, bis er die Stange loslassen und den Aktenkoffer mit der Hand erreichen konnte.

Er stieg vom Stuhl, setzte sich aufs Bett, wischte den Staub von dem Aktenkoffer, ließ die Schließe aufschnappen, löste die Schnallen, klappte den Koffer auf und betrachtete die Geldscheinbündel. Er nahm eines heraus und durchblätterte es. Er legte es wieder zurück, löste das Stück Schnur, das er an einer Schnalle befestigt hatte, knipste die Taschenlampe aus und lauschte. Dann stand er auf, schob die Stangen in den Belüftungsschacht, schraubte das Gitter wieder an und suchte sein Werkzeug zusammen. Er legte den Schlüssel auf den Schreibtisch, verstaute Schrotflinte und Werkzeug in der Tasche, ging mit ihr und dem Aktenkoffer zur Tür hinaus und ließ alles so zurück, wie er es vorgefunden hatte.

Den Empfänger auf dem Schoß, fuhr Chigurh langsam, mit heruntergekurbeltem Fenster, an der Reihe der Motelzimmer entlang. Am Ende des Grundstücks wendete er und fuhr zurück. Er kam langsam zum Stehen, legte den Rückwärtsgang ein, stieß ein kurzes Stück zurück und blieb erneut stehen. Schließlich fuhr er zum Empfang, parkte und ging hinein.

Die Uhr an der Wand des Empfangs zeigte 12 Uhr 42. Der Fernseher lief, und die Frau machte den Eindruck, als hätte sie geschlafen. Ja, Sir, sagte sie. Was kann ich für Sie tun?

Er verließ den Empfang mit dem Schlüssel in der Hemdtasche, stieg in den Ramcharger, fuhr um die Ecke des Gebäudes, parkte, stieg aus und ging zum Zimmer, in der Hand die Tasche mit dem Empfänger und den Waffen. Im Zimmer stellte er die Tasche auf dem Bett ab, zog seine Stiefel aus und verließ das Zimmer mit dem Empfänger, dem Satz Batterien und der Schrotflinte aus dem Pick-up. Die Schrotflinte war eine halbautomatische Remington Kaliber .12 mit einem Militärschaft aus Kunststoff und geparkertem Lauf. Sie war mit einem selbstgemachten Schalldämpfer versehen, der gut dreißig Zentimeter lang war und den Durchmesser einer Bierdose hatte. Während Chigurh auf Strümpfen die Ramada entlangging, lauschte er auf das Signal.

Er kehrte zu seinem Zimmer zurück und blieb unter dem toten weißen Licht der Parkplatzlampe in der offenen Tür stehen. Dann ging er ins Badezimmer und schaltete dort das Licht an. Er prägte sich die Abmessungen des Raums und die Lage sämtlicher Einrichtungsgegenstände und Lichtschalter ein. Dann tat er das Gleiche im Zimmer. Er setzte sich, zog seine Stiefel an, schnallte sich den Druckluftbehälter auf den Rücken, nahm das über einen Gummischlauch damit verbundene Bolzenschussgerät, ging hinaus und zu dem anderen Zimmer.

Einen Moment lang blieb er lauschend davor stehen. Dann

schoss er mit dem Bolzenschussgerät den Schlosszylinder heraus und trat die Tür auf.

Ein Mexikaner in einem grünen Guyabera-Hemd hatte sich auf dem Bett aufgesetzt und griff nach einer neben ihm liegenden kleinen Maschinenpistole. Chigurh schoss dreimal in so rascher Folge auf ihn, dass es wie ein einziger Schuss klang, der den größten Teil seines Oberkörpers auf dem Kopfteil des Bettes und der Wand dahinter verteilte. Die Schrotflinte machte ein merkwürdig tiefes, puffendes Geräusch, wie wenn jemand in ein leeres Fass hustete. Er knipste das Licht an, trat aus der Tür und presste den Rücken an die Außenwand. Er warf einen raschen Blick hinein. Die Badezimmertür war zu gewesen. Nun stand sie offen. Er trat ins Zimmer, feuerte zwei Schüsse durch die offenstehende Tür und einen weiteren durch die Wand und zog sich wieder zurück. Am Ende des Gebäudes war eine Lampe angegangen. Chigurh wartete. Dann warf er erneut einen Blick in das Zimmer. Die Tür war nur noch ein zerfetztes, lose an den Angeln hängendes Sperrholzviereck, und über die Badezimmerfliesen lief ein dünnes Blutrinnsal.

Er trat in die Tür, feuerte zwei weitere Schüsse durch die Badezimmerwand und betrat den Raum mit der Schrotflinte im Hüftanschlag. Der Mann lag, eine AK-47 in den Händen, zusammengesackt an der Badewanne. Er war in Brust und Hals getroffen und blutete kräftig. No me mate, röchelte er. No me mate. Chigurh trat zurück, um nicht von Keramiksplittern der Badewanne getroffen zu werden, und schoss ihm ins Gesicht.

Er ging hinaus und blieb auf dem Bürgersteig stehen. Niemand da. Ins Zimmer zurückgekehrt, durchsuchte er es. Er sah im Schrank und unter dem Bett nach, zog sämtliche Schubladen heraus und ließ sie auf dem Boden liegen. Er sah im Badezimmer nach. Moss' Maschinenpistole lag auf dem Waschbecken. Er ließ sie liegen. Er wischte mit den Füßen auf dem Teppichbo-

97

den hin und her, um das Blut von seinen Stiefelsohlen zu entfernen, dann ging sein Blick durch das Zimmer und fiel schließlich auf die Belüftung.

Er nahm die neben dem Bett stehende Lampe, ruckte das Kabel aus der Steckdose, stieg auf die Kommode, schlug mit dem metallenen Lampenfuß ein Loch in das Abdeckgitter, zerrte es von der Wand und warf einen Blick in den Schacht. Er konnte die Schleifspuren im Staub sehen. Er stieg von der Kommode und verharrte einen Augenblick lang. An seinem Hemd klebten Blut und Gewebeteilchen von der Wand, und er zog es aus, ging ins Badezimmer zurück, wusch sich und trocknete sich mit einem der Badetücher ab. Dann feuchtete er das Handtuch an, wischte sich damit die Stiefel ab, faltete das Handtuch wieder und wischte sich damit über die Beine seiner Jeans. Er hob die Schrotflinte auf und ging ins Zimmer zurück, nackt bis zur Hüfte, das Hemd zusammengeknüllt in einer Hand. Er streifte sich abermals die Stiefelsohlen am Teppichboden ab, ließ den Blick ein letztes Mal durchs Zimmer wandern und ging.

Als Bell ins Büro kam, blickte Torbert von seinem Schreibtisch auf, erhob sich, kam herüber und legte ein Blatt Papier vor ihn hin.

Ist er das?, fragte Bell.

Ja, Sir.

Zum Lesen lehnte sich Bell auf seinem Stuhl zurück und tippte sich mit dem Zeigefinger langsam gegen die Unterlippe. Nach einer Weile legte er den Bericht hin. Er sah Torbert nicht an. Ich weiß, was da passiert ist, sagte er.

Aha.

Warst du mal in einem Schlachthof?

Ja, Sir. Ich glaub schon.

Wenn ja, wüsstest du's.

Ich glaub, ich war einmal dort, als Kind.

Komisch, ein Kind in so was mitzunehmen.

Ich glaub, ich bin selber hingegangen. Hab mich reingeschlichen.

Wie haben sie die Rinder dort getötet?

Die hatten einen, der stand breitbeinig über dem Zwangsstand, da haben sie jeweils ein Rind reingeführt, und er hat ihm mit einem schweren Hammer auf den Kopf gehauen. Hat den ganzen Tag nichts anderes gemacht.

So ungefähr hab ich mir das vorgestellt. Aber so macht man das nicht mehr. Heute benutzt man dazu ein Druckluftschussgerät, das einen Stahlbolzen herausschießt. Nur ungefähr so weit. Das hält man dem Rind zwischen die Augen, betätigt den Abzug, und schon fällt es um. Geht ganz schnell.

Torbert stand an einer Ecke von Bells Schreibtisch. Er wartete einen Moment lang darauf, dass der Sheriff fortfuhr, doch dieser blieb stumm. Torbert stand da. Dann wandte er den Blick ab. Hätten Sie mir das bloß nicht erzählt, sagte er.

Ich weiß, sagte Bell. Ich hab gewusst, was du sagen würdest, noch bevor du's gesagt hast.

Moss fuhr morgens um Viertel vor zwei in Eagle Pass ein. Einen Gutteil der Strecke hatte er auf dem Rücksitz des Taxis geschlafen, und er wachte erst auf, als sie abbremsten, um vom Highway abzubiegen und die Main Street entlangzufahren. Er sah zu, wie die fahlen weißen Kugeln der Straßenlaternen am oberen Rand des Fensters vorbeizogen. Dann richtete er sich auf.

Wollen Sie über den Fluss?, fragte der Fahrer.

Nein. Fahren sie mich einfach ins Zentrum.

Da sind wir schon.

Die Ellbogen auf der Rückenlehne des Vordersitzes, beugte Moss sich vor.

Was ist denn das da?

Das Maverick County Courthouse.

Nein, das da mit dem Schild.

Das ist das Eagle Hotel.

Setzen Sie mich da ab.

Er zahlte dem Fahrer die fünfzig Dollar, auf die sie sich geeinigt hatten, nahm sein Gepäck vom Bürgersteig auf, stieg die Treppe zur Veranda hoch und ging hinein. Der Mann hinter dem Empfang stand da, als hätte er ihn erwartet.

Er zahlte, steckte den Schlüssel ein, stieg die Treppe hinauf und ging den alten Hotelflur entlang. Totenstille. In den Querblenden über den Türen kein Licht. Beim Zimmer angelangt, steckte er den Schlüssel ins Schloss, öffnete die Tür, ging hinein und schloss sie hinter sich. Licht von den Straßenlaternen drang durch die Gardinen am Fenster. Er stellte die Taschen auf dem Bett ab, ging zur Tür zurück und schaltete die Deckenbeleuchtung an. Altmodischer Druckknopfschalter. Eichenmöbel aus der Zeit der Jahrhundertwende. Braune Wände. Ebensolche Chenille-Tagesdecke.

Er setzte sich aufs Bett und dachte über alles nach. Dann stand er auf, blickte zum Fenster hinaus auf den Parkplatz, ging ins Bad, holte sich ein Glas Wasser und setzte sich wieder aufs Bett. Er trank einen Schluck, stellte das Wasser auf die Glasplatte des Nachtschränkchens. Es ist einfach unmöglich, sagte er.

Er ließ die Messingschließe des Aktenkoffers aufschnappen, löste die Schnallen, begann die Geldscheinbündel herauszunehmen und stapelte sie auf dem Bett. Als der Koffer leer war, untersuchte er ihn auf einen doppelten Boden, untersuchte auch Rückwand und Seitenwände, stellte ihn dann beiseite und wandte sich den Geldscheinstapeln zu, durchblätterte jedes einzelne Bündel, ehe er es wieder in den Koffer räumte. Er hatte ihn zu ungefähr einem Drittel gefüllt, als er auf den Sender stieß.

Die innen liegenden Dollarscheine des Bündels waren in der Mitte ausgeschnitten, und der in die Öffnung eingepasste Sender hatte ungefähr die Größe eines Zippo-Feuerzeugs. Moss streifte die Banderole zurück, nahm den Sender heraus und wog ihn in der Hand. Dann legte er ihn in die Schublade, stand auf, ging mit den ausgeschnittenen Geldscheinen und der Banderole ins Bad, spülte sie die Toilette hinunter und kehrte ins Zimmer zurück. Er faltete die losen Hunderter zusammen, steckte sie ein, räumte die restlichen Geldscheinbündel wieder in den Aktenkoffer, legte diesen auf den Stuhl und betrachtete ihn. Er dachte über vieles nach, doch der Gedanke, der haften blieb, war, dass er irgendwann aufhören musste, sich auf sein Glück zu verlassen.

Er nahm die Schrotflinte aus der Tasche, legte sie aufs Bett und schaltete die Nachttischlampe an. Er ging zur Tür, löschte das Deckenlicht, ging zum Bett zurück, streckte sich darauf aus und starrte an die Decke. Er wusste, was auf ihn zukam. Er wusste nur nicht, wann. Er stand auf, ging ins Bad, zog an der Kette der Lampe über dem Waschbecken und betrachtete sich im Spiegel. Er nahm einen Waschlappen von dem gläsernen Handtuchhalter, drehte das heiße Wasser auf, befeuchtete den Waschlappen, wrang ihn aus und wischte sich damit Gesicht und Nacken. Er pinkelte, schaltete das Licht aus, ging zurück zum Bett und setzte sich darauf. Ihm war bereits der Gedanke gekommen, dass er wahrscheinlich nie mehr im Leben sicher sein würde, und er fragte sich, ob man sich daran gewöhnte. Und wenn ja?

Er leerte die Reisetasche, legte die Schrotflinte hinein, schloss den Reißverschluss und ging mit ihr und dem Aktenkoffer zum Empfang hinunter. Der Mexikaner, bei dem er sich angemeldet hatte, war von einem anderen Angestellten, dünn und grau, ab-gelöst worden. Dünnes weißes Hemd und schwarze Krawatte.

Er rauchte eine Zigarette, las das Ring Magazine und blickte, die Augen zum Schutz vor dem Zigarettenrauch zusammengekniffen, wenig begeistert zu Moss auf. Ja, Sir, sagte er.

Haben Sie gerade angefangen?

Ja, Sir. Bin bis zehn Uhr morgens da.

Moss legte einen Hundertdollarschein auf den Schalter. Der Mann legte die Zeitschrift hin.

Ich verlange nichts Illegales von Ihnen, sagte Moss.

Da bin ich aber gespannt, wie Sie das definieren, sagte der Mann.

Jemand sucht nach mir. Alles, was ich von Ihnen verlange, ist, dass Sie mich anrufen, wenn irgendwer sich anmeldet. Mit irgendwer meine ich jeden, der was zwischen den Beinen baumeln hat. Kriegen Sie das hin?

Der Mann nahm die Zigarette aus dem Mund, hielt sie über einen kleinen Glasaschenbecher, schnippte mit dem kleinen Finger die Asche davon ab und sah Moss ab. Ja, Sir, sagte er. Das krieg ich hin.

Moss nickte und ging wieder nach oben.

Das Telefon klingelte kein einziges Mal. Irgendetwas weckte ihn. Er setzte sich auf und schaute auf die Uhr auf dem Tisch. 4 Uhr 37. Er schwang die Beine über die Bettkante, griff nach seinen Stiefeln, zog sie an und lauschte.

Die Schrotflinte in der Hand, ging er zur Tür hinüber und hielt das Ohr daran. Er ging ins Badezimmer, zog den an Ringen über der Badewanne hängenden Duschvorhang aus Plastik zurück, drehte den Hahn auf und betätigte den Hebel für die Dusche. Dann zog er den Vorhang wieder um die Wanne, ging hinaus und schloss die Badezimmertür hinter sich.

Er lauschte abermals an der Tür. Dann zog er die Nylontasche unter dem Bett hervor und stellte sie auf den Stuhl in der Ecke. Er ging zum Nachtschränkchen, schaltete die Lampe dort an und versuchte nachzudenken. Ihm fiel ein, dass das Telefon klingeln könnte, und er nahm den Hörer ab und legte ihn auf den Tisch. Er zog die Bettdecke zurück und zerknautschte die Kissen auf dem Bett. Er schaute auf die Uhr. 4 Uhr 43. Er betrachtete den auf dem Tisch liegenden Telefonhörer. Er hob ihn auf, zog das Kabel heraus und legte ihn wieder auf die Gabel. Dann ging er zur Tür hinüber und blieb, den Daumen auf dem Hahn der Schrotflinte, davor stehen. Er legte sich auf den Bauch und hielt das Ohr an den Spalt zwischen Tür und Fußboden. Ein kühler Windzug. Als wäre irgendwo eine Tür aufgegangen. Was hast du getan. Was hast du zu tun versäumt.

Er ging auf die andere Seite des Bettes, ließ sich auf den Boden nieder und schob sich unter das Bett, wo er, die Schrotflinte auf die Tür gerichtet, auf dem Bauch liegen blieb. Gerade Platz genug unter den Holzlatten. Herzschlag gegen den staubigen Teppich. Er wartete. Zwei dunkle Streifen schnitten den Lichtspalt unter der Tür und verharrten dort. Als Nächstes hörte er den Schlüssel im Schloss. Ganz leise. Dann ging die Tür auf. Er konnte in den Flur sehen. Es war niemand da. Er wartete. Er versuchte, nicht einmal zu blinzeln, tat es aber doch. Dann stand auf einmal ein Paar teurer Straußenlederstiefel in der Tür. Gebügelte Jeans. Der Mann stand da. Dann kam er herein. Dann ging er langsam zum Bad hinüber.

In diesem Augenblick wurde Moss klar, dass der Mann nicht die Badezimmertür öffnen würde. Er würde sich umdrehen. Und wenn er das tat, würde es zu spät sein. Zu spät, um noch irgendwelche Fehler oder überhaupt etwas zu machen, und dann würde er sterben. Mach schon, sagte er sich. Mach es einfach.

Dreh dich nicht um, sagte er. Wenn du dich umdrehst, knall ich dich ab.

Der Mann rührte sich nicht. Die Schrotflinte in den Händen, robbte Moss vorwärts. Er konnte den Mann nur bis zur Taille sehen und wusste nicht, was für eine Waffe er trug. Lass die Knarre fallen, sagte er. Sofort.

Eine Schrotflinte fiel klappernd auf den Fußboden. Moss hievte sich hoch. Hände hoch, sagte er. Weg von der Tür.

Der Mann machte zwei Schritte zurück und blieb stehen, die Hände in Schulterhöhe. Moss kam um das Fußende des Bettes herum. Der andere stand etwa drei Meter entfernt. Das ganze Zimmer pulsierte langsam. In der Luft lag ein merkwürdiger Geruch. Wie von einem fremdartigen Duftwasser. Mit einer medizinischen Note. Alles summte. Moss hielt die Schrotflinte mit gespanntem Hahn im Hüftanschlag. Nichts, was passieren konnte, hätte ihn überrascht. Er kam sich vor, als wäre er gewichtslos. Als schwebte er. Der Mann sah ihn nicht einmal an. Er wirkte merkwürdig unbekümmert. Als wäre das alles Teil seiner Alltagsroutine.

Zurück. Noch ein Stück.

Der Mann gehorchte. Moss hob die Schrotflinte vom Boden auf und warf sie aufs Bett. Er schaltete das Deckenlicht an und schloss die Tür. Schau hierher, sagte er.

Der Mann drehte den Kopf und sah Moss an. Blaue Augen. Gelassen. Dunkles Haar. Er hatte etwas leicht Exotisches an sich. Das außerhalb von Moss' Erfahrung lag.

Was willst du?

Er gab keine Antwort.

Moss ging durchs Zimmer, packte mit einer Hand den Bettpfosten am Fußende und schob das Bett zur Seite. Der Aktenkoffer stand dort im Staub. Er nahm ihn in die Hand. Der Mann schien es nicht einmal zu bemerken. Er schien mit den Gedanken anderswo zu sein.

Moss nahm die Nylontasche vom Stuhl, hängte sie sich über die Schulter, hob die Schrotflinte mit dem riesigen, dosenartigen Schalldämpfer vom Bett auf, klemmte sie sich unter den

Arm und griff nach dem kurzzeitig abgestellten Aktenkoffer. Gehen wir, sagte er. Der Mann ließ die Hände sinken und trat auf den Flur hinaus.

Die kleine Box, die den Empfänger enthielt, stand direkt vor der Tür auf dem Boden. Moss ließ sie stehen. Er hatte das Gefühl, bereits mehr Risiken eingegangen zu sein, als ihm guttat. Die Schrotflinte mit einer Hand wie eine Pistole auf den Gürtel des Mannes gerichtet, schob er sich rückwärts den Flur entlang. Er wollte ihm befehlen, die Hände wieder hochzunehmen, aber irgendetwas sagte ihm, dass es eigentlich keine Rolle spielte, wo der Mann die Hände hatte. Die Zimmertür stand immer noch offen, immer noch lief die Dusche.

Wenn ich oben an der Treppe dein Gesicht sehe, schieße ich.

Der Mann gab keine Antwort. Nach allem, was Moss wusste, hätte er stumm sein können.

Genau da, sagte Moss. Keinen Schritt weiter.

Der Mann blieb stehen. Moss ging rückwärts bis zur Treppe, warf einen letzten Blick auf ihn, wie er da im mattgelben Licht der Wandleuchte stand, drehte sich dann um und lief, immer zwei Stufen auf einmal nehmend, die Treppe hinunter. Er wusste nicht, wohin er sollte. So weit hatte er nicht vorausgedacht.

In der Eingangshalle schaute das Gesicht des Nachtportiers hinter dem Tresen hervor. Moss blieb nicht stehen. Er stürmte zur Eingangstür hinaus und die Treppe hinunter. Bis er die Straße überquert hatte, stand Chigurh schon auf dem Hotelbalkon über ihm. Moss spürte, wie etwas an der Tasche zupfte, die er über der Schulter trug. Der Pistolenschuss war nur ein gedämpfter Knall, flach und dünn in der dunklen Stille der Stadt. Als er sich umdrehte, sah er das Mündungsfeuer des zweiten Schusses schwach, aber wahrnehmbar unter dem rosa Gleißen der fünf Meter hohen Leuchtreklame des Hotels. Er spürte nichts. Die Kugel riss an seinem Hemd, Blut begann ihm den Oberarm hinabzurinnen, und er war bereits in Laufschritt gefallen. Beim nächsten Schuss verspürte er einen stechenden Schmerz in der Seite. Er fiel hin, rappelte sich wieder hoch und ließ Chigurhs Schrotflinte auf der Straße liegen. Verdammt, sagte er. Was für ein Schütze.

Humpelnd und mit schmerzverzerrtem Gesicht eilte er den Bürgersteig entlang am Aztec Theatre vorbei. Als er das kleine runde Kassenhäuschen passierte, zersprang sämtliches Glas darin. Er hatte den Schuss nicht einmal gehört. Er wirbelte mit der Schrotflinte herum, spannte mit dem Daumen den Hahn und feuerte. Die Schrotkugeln prasselten auf die Balustrade im ersten Stock und ließen einige Fensterscheiben bersten. Als er sich wieder umdrehte, erfassten ihn die Schweinwerfer eines Wagens, der die Main Street entlangkam, abbremste und dann wieder beschleunigte. Moss bog in die Adams Street ein, und der Wagen schleuderte in einer Wolke von Gummiqualm schräg über die Kreuzung und kam zum Stehen. Der Motor war ausgegangen, und der Fahrer versuchte, ihn erneut zu starten. Moss drehte sich mit dem Rücken zur Backsteinwand des Gebäudes. Zwei Männer waren aus dem Wagen gestiegen und überquerten im Laufschritt die Straße. Einer eröffnete mit einer kleinkalibrigen Maschinenpistole das Feuer, und Moss schoss zweimal mit der Schrotflinte auf sie und humpelte dann weiter, während ihm warmes Blut in den Schritt sickerte. Auf der Straße hörte er den Wagen erneut starten.

Bis er die Grande Street erreicht hatte, war hinter ihm ein Pandämonium von Schüssen losgebrochen. Er glaubte nicht, dass er noch weiterlaufen konnte. In einem Schaufenster auf der anderen Straßenseite sah er sich dahinhumpeln, den Ellbogen seitlich gegen den Körper gedrückt, die Tasche über die Schulter gehängt, in den Händen die Schrotflinte und den ledernen

Aktenkoffer, dunkel im Glas und völlig unerklärlich. Als er das nächste Mal hinsah, saß er auf dem Bürgersteig. Hoch mit dir, du Scheißkerl, sagte er. Bleib ja nicht hier sitzen und stirb. Hoch mit dir, verdammt.

Als er die Ryan Street überquerte, quatschte Blut in seinen Stiefeln. Er zog die Tasche nach vorn, öffnete den Reißverschluss, schob die Schrotflinte hinein und schloss die Tasche wieder. Wankend blieb er stehen. Dann ging er zur Brücke hinüber. Er fror, zitterte und meinte, sich übergeben zu müssen.

Auf der amerikanischen Seite der Brücke befanden sich ein Schalter und ein Drehkreuz, und er steckte einen Dime in den Schlitz, schob sich hindurch, taumelte hinaus auf die Brücke und beäugte den schmalen Fußgängerweg vor ihm. Gerade brach der Morgen an. Stumpfgrau über dem Schwemmland entlang dem Ostufer des Flusses. Gottes eigene Entfernung bis auf die andere Seite.

Auf halbem Weg begegnete er einer zurückkehrenden Gruppe. Vier Jungs, vielleicht achtzehn, ziemlich angeheitert. Er stellte den Koffer auf den Bürgersteig und zog ein Bündel Hunderter aus der Tasche. Das Geld war glitschig von Blut. Er wischte damit am Hosenbein entlang, zählte fünf Scheine davon ab und steckte den Rest in die Gesäßtasche.

Verzeihung, sagte er. An den Maschendrahtzaun gelehnt. Seine blutigen Fußabdrücke auf dem Weg hinter ihm wie Orientierungshilfen in einer Einkaufspassage.

Verzeihung.

Sie traten vom Bürgersteig auf die Fahrbahn, um ihm auszuweichen.

Verzeihung, könnten Sie mir vielleicht eine Jacke verkaufen.

Sie blieben erst stehen, als sie an ihm vorbei waren. Dann drehte sich einer von ihnen um. Was zahlen Sie denn?, fragte er.

Der da hinter Ihnen. Der mit dem langen Mantel.

Der mit dem langen Mantel war bei den anderen stehengeblieben.

Wie viel?

Ich geb Ihnen fünfhundert Dollar.

Quatsch.

Komm schon, Brian.

Gehen wir, Brian. Er ist besoffen.

Brian sah sie an, dann wandte er sich Moss zu. Zeigen Sie erst mal das Geld, sagte er.

Das hab ich hier.

Zeigen Sie her.

Geben Sie mir den Mantel.

Gehen wir, Brian.

Sie nehmen die hundert hier und geben mir den Mantel. Dann geb ich Ihnen den Rest.

In Ordnung.

Er schlüpfte aus dem Mantel und reichte ihn Moss, der ihm den Geldschein gab.

Was ist da dran?

Blut.

Blut?

Blut.

Den Geldschein in einer Hand, stand er da. Er betrachtete das Blut an seinen Fingern. Was ist mit Ihnen passiert?

Man hat auf mich geschossen.

Gehen wir, Brian. Verdammt.

Erst will ich das Geld.

Moss reichte ihm die Scheine, ließ die Tasche von seiner Schulter auf den Bürgersteig gleiten und schlüpfte mühsam in den Mantel. Der Junge faltete die Scheine zusammen, steckte sie ein und entfernte sich.

Er schloss sich den anderen an, und sie gingen weiter. Dann blieben sie stehen. Sie redeten miteinander und blickten zu ihm zurück. Er schaffte es, den Mantel zuzuknöpfen, steckte das Geld in die Innentasche, schulterte die Tasche und hob den Lederkoffer. Ihr müsst weitergehen, sagte er. Ich sag's euch nicht zweimal.

Sie drehten sich um und gingen weiter. Sie waren nur zu dritt. Er rieb sich mit dem Handballen die Augen. Er versuchte zu erkennen, wo der Vierte hingegangen war. Dann wurde ihm klar, dass es keinen Vierten gab. Macht nichts, sagte er. Setz nur immer schön einen Fuß vor den anderen.

Als er die Stelle erreichte, wo der Fluss unter der Brücke hindurchfloss, blieb er stehen und blickte darauf hinab. Bis zu der mexikanischen Zollbaracke war es nur ein kurzes Stück. Er blickte die Brücke entlang zurück, aber die drei waren verschwunden. Nach Osten hin ein körniges Licht. Über den niedrigen schwarzen Hügeln jenseits der Stadt. Das Wasser unter ihm in langsamer, dunkler Bewegung. Irgendwo ein Hund. Stille. Nichts.

Entlang der amerikanischen Seite des Flusses unter ihm zog sich ein hoher Carrizzo-Bestand hin. Moss stellte die Tasche ab, packte den Aktenkoffer an den Griffen, schwang ihn hinter sich und schleuderte ihn über das Geländer in den leeren Raum hinaus.

Weißglühender Schmerz. Er hielt sich die Seite und sah zu, wie sich der Koffer im schwindenden Licht der Brückenlaternen langsam drehte, geräuschlos in das Schilfdickicht fiel und verschwand. Dann sank er aufs Pflaster und saß, das Gesicht gegen den Maschendraht gedrückt, in der sich langsam bildenden Blutlache. Hoch, sagte er. Hoch mit dir, verdammt.

Als er die Zollbaracke erreichte, war niemand dort. Er schob sich durch den Durchgang in die Stadt Piedras Negras, Bundesstaat Coahuila.

Die Straße hinauf gelangte er in einen kleinen Park oder Zocalo, wo die Stärlinge in den Eukalyptusbäumen gerade erwachten und zu rufen begannen. Die Bäume waren bis auf Mannshöhe weiß gestrichen, sodass es aus einiger Entfernung so wirkte, als wäre der Park mit willkürlich angeordneten Pfosten besetzt. In der Mitte eine Art schmiedeeiserner Laube oder Musikpavillon. Die Tasche neben sich, sackte er auf einer der schmiedeeisernen Bänke zusammen und beugte sich, die Arme um sich gelegt, vornüber. An den Laternenpfählen hingen Kugeln orangefarbenen Lichts. Die Welt entschwand. Gegenüber dem Park stand eine Kirche. Sie schien weit weg. Auf den Ästen über ihm kreischten und schwankten die Stärlinge, und der Tag kam.

Er stützte sich mit einer Hand auf der Bank ab. Übelkeit. Nicht hinlegen.

Keine Sonne. Bloß das heraufdämmernde graue Licht. Die Straßen nass. Die Geschäfte geschlossen. Eiserne Rollläden. Ein alter Mann, der den Weg fegte, kam näher. Er blieb stehen. Dann ging er weiter.

Señor, sagte Moss.

Bueno, sagte der alte Mann.

Sprechen Sie Englisch?

Den Besenstiel in beiden Händen, musterte er Moss. Er zuckte die Achseln.

Ich brauche einen Arzt.

Der Alte wartete auf mehr. Moss hievte sich hoch. Die Bank war blutig. Ich bin angeschossen worden, sagte er.

Der Alte musterte ihn. Er schnalzte mit der Zunge. Er wandte den Blick ab, der Morgendämmerung entgegen. Bäume und Gebäude nahmen Form an. Er wandte sich wieder Moss zu und ruckte mit dem Kinn. Puede andar?, fragte er.

Was?

Puede caminar? Mit im Handgelenk locker abgeknickter Hand ahmte er mit den Fingern Gehbewegungen nach.

Moss nickte. Eine Welle von Schwärze überkam ihn. Er wartete, bis sie vorüber war.

Tiene dinero? Der Parkarbeiter rieb Daumen und Zeigefinger aneinander.

Sí, sagte Moss. Sí. Er stand auf und blieb schwankend stehen. Er nahm das blutdurchtränkte Geldscheinbündel aus der Manteltasche und entnahm ihm einen Hundertdollarschein, den er dem Alten reichte. Der Alte nahm ihn mit großer Ehrfurcht. Er sah Moss an, dann lehnte er den Besen gegen die Bank.

Als Chigurh die Treppe hinunter- und zur Eingangstür des Hotels hinauskam, hatte er ein Handtuch um seinen rechten Oberschenkel geschlungen und mit Stücken von Jalousiekordel festgeknotet. Das Handtuch war bereits durchgeblutet. Er hatte eine kleine Tasche in der einen und eine Pistole in der anderen Hand.

Der Cadillac stand schräg auf der Kreuzung, und auf der Straße fielen Schüsse. Er trat rückwärts in die Tür des Friseursalons. Das Rattern von automatischem Gewehrfeuer und das tiefe, kräftige Knallen einer Schrotflinte hallten von den Fassaden wider. Die Männer auf der Straße trugen Regenmäntel und Tennisschuhe. Sie sahen nicht wie Leute aus, auf die man in diesem Teil des Landes zu stoßen erwartete. Er humpelte die Verandatreppe wieder hinauf, zielte mit der Pistole über die Balustrade und eröffnete das Feuer auf die Männer.

Bis sie dahintergekommen waren, woher die Schüsse kamen, hatte er einen getötet und einen zweiten verwundet. Der Verwundete suchte hinter dem Wagen Deckung und schoss auf das Hotel. Chigurh drückte sich mit dem Rücken an die Backsteinwand und führte ein frisches Magazin in die Pistole ein. Die

Schüsse zertrümmerten das Glas der Türflügel und ließen die Rahmen splittern. Das Licht im Foyer ging aus. Auf der Straße war es noch so dunkel, dass man die Mündungsblitze sehen konnte. Als eine kurze Feuerpause eintrat, drehte sich Chigurh um und schob sich in die Eingangshalle, während unter seinen Stiefeln Glasscherben knirschten. Er hinkte den Flur entlang und die Treppe auf der Rückseite des Hotels hinunter auf den Parkplatz.

Er überquerte die Straße, ging die Jefferson hinauf und hielt sich dabei, um Eile bemüht und das verbundene Bein zur Seite ausschwingend, an der Nordwand der Gebäude. Das Ganze lag nur einen Häuserblock vom Maverick County Courthouse entfernt, und er nahm an, dass ihm allenfalls Minuten blieben, bis Verstärkungen eintreffen würden.

Als er an der Ecke anlangte, stand auf der Straße nur ein einziger Mann. Er befand sich am Heck des völlig zerschossenen Wagens, dessen Scheiben sämtlich zersplittert oder blind geworden waren. Drinnen lag mindestens ein Toter oder Verwundeter. Der Mann beobachtete das Hotel, und Chigurh hob die Pistole und schoss zweimal auf ihn, worauf der Mann zu Boden ging. Chigurh zog sich hinter die Gebäudeecke zurück und wartete, die Pistole mit nach oben gerichtetem Lauf an seiner Schulter. In der kühlen Morgenluft der scharfe Geruch von Schießpulver. Wie von einem Feuerwerk. Nirgendwo ein Geräusch.

Als er auf die Straße hinaushumpelte, kroch einer der Männer, auf die er von der Hotelveranda aus geschossen hatte, auf den Bürgersteig zu. Chigurh sah ihm einen Moment lang zu. Dann schoss er ihn in den Rücken. Der andere lag bei der vorderen Stoßstange des Wagens. Er war am Kopf getroffen worden, und das dunkle Blut bildete eine Lache um ihn herum. Seine Waffe lag neben ihm, aber Chigurh beachtete sie nicht. Er ging zum Heck des Wagens, stieß den Mann dort mit der Stiefelspitze an, bückte sich dann und hob die Maschinenpistole auf, mit der der andere geschossen hatte. Es war eine kurzläufige Uzi mit einem Magazin für fünfundzwanzig Schuss. Chigurh durchsuchte die Regenmanteltaschen des Toten und fand drei weitere Magazine, eines davon voll. Er verstaute sie in seiner Jackentasche, steckte sich die Pistole vorn in den Hosenbund und überprüfte den Ladezustand des Magazins, das in der Uzi steckte. Dann hängte er sich die Waffe über die Schulter und humpelte zum Bürgersteig zurück. Der Mann, den er in den Rücken geschossen hatte, lag da und beobachtete ihn. Chigurh blickte die Straße entlang in Richtung Hotel und Gerichtsgebäude. Die hohen Palmen. Er sah den Mann an. Der Mann lag in einer langsam größer werdenden Blutlache. Hilf mir, sagte er. Chigurh zog die Pistole aus dem Hosenbund. Er sah dem Mann in die Augen. Der Mann wandte den Blick ab.

Sieh mich an, sagte Chigurh.

Der Mann sah ihn an und wandte erneut den Blick ab.

Sprichst du Englisch?

Ja.

Sieh nicht weg. Ich will, dass du mich ansiehst.

Er sah Chigurh an. Er sah den fahl heraufdämmernden neuen Tag. Chigurh schoss ihm in die Stirn und blieb dann stehen und sah zu. Sah zu, wie die Kapillargefäße in den Augen platzten. Wie das Licht schwand. Sein eigenes Bild in dieser verkommenen Welt verfiel. Er schob die Pistole in den Hosenbund und warf einen letzten Blick zurück. Dann hob er die Tasche auf, hängte sich die Uzi über die Schulter, überquerte die Straße und humpelte weiter auf den Hotelparkplatz, wo er seinen Wagen hatte stehenlassen.

V

Wir sind aus Georgia hierhergekommen. Unsere Familie, mein ich. Mit Pferd und Wagen. Das weiß ich ziemlich sicher. Ich weiß, in Familiengeschichten gibt's eine Menge Sachen, die einfach nicht stimmen. Bei jeder Familie. Die Geschichten werden überliefert, und die Wahrheit wird übergangen, wie's so schön heißt. Mancher würd das wohl so verstehen, dass die Wahrheit nicht konkurrenzfähig ist. Aber das glaub ich nicht. Ich glaube, wenn die Lügen alle erzählt und vergessen sind, wird die Wahrheit immer noch da sein. Die bewegt sich nicht von Ort zu Ort und ändert sich auch nicht von Zeit zu Zeit. Man kann sie genauso wenig verdrehen, wie man Salz salzen kann. Man kann sie nicht verdrehen, weil sie nun mal so ist, wie sie ist. Eben das, was man mit dem Wort meint. Irgendwo wird sie mit dem Fels verglichen – vielleicht in der Bibel –, und damit bin ich durchaus einverstanden. Aber sie wird noch da sein, wenn der Fels längst verschwunden ist. Bestimmt gibt's Leute, die da anderer Meinung sind. Sogar eine ganze Menge. Aber ich bin nie dahintergekommen, was die dann eigentlich glauben.

Man hat immer versucht, für Gemeinschaftsaktionen zur Verfügung zu stehen, und ich bin auch immer zu so Sachen wie einem Friedhofsputz gegangen. Das war in Ordnung. Die Frauen haben auf dem Gelände Essen gekocht, und natürlich war das auch Wahlkampf, aber gleichzeitig hat man was für Leute gemacht, die es nicht selber machen konnten. Wahrscheinlich könnte man jetzt zynisch sein und sagen, man hätte bloß nicht gewollt, dass sie einem nachts erscheinen. Aber ich glaube, es geht tiefer. Es hat natürlich mit Gemeinschaft zu tun und mit Achtung, aber die

Toten haben mehr Ansprüche an einen, als man vielleicht zugeben möchte oder überhaupt weiß, und diese Ansprüche können wirklich sehr hoch sein. Wirklich sehr hoch. Man kriegt das Gefühl, dass sie sich gar nicht freimachen wollen. In der Beziehung hilft also jede Kleinigkeit.

Was ich da neulich von wegen den Zeitungen gesagt hab. Da haben sie letzte Woche in Kalifornien ein Pärchen entdeckt, die beiden haben Zimmer an alte Leute vermietet, sie dann umgebracht, im Garten verscharrt und ihre Sozialhilfeschecks zu Bargeld gemacht. Zuerst haben sie sie gefoltert, warum, weiß ich nicht. Vielleicht war ihr Fernseher kaputt. Und in der Zeitung stand darüber Folgendes. Ich zitiere aus der Zeitung. Da stand: Die Nachbarn wurden alarmiert, als ein Mann, der nur ein Hundehalsband trug, von dem Grundstück flüchtete. So was kann man nicht erfinden. Da kommt man im Leben nicht drauf.

Aber das hat's gebraucht, wie Sie sehen. Das ganze Geschrei und das Gebuddel im Garten haben nicht gereicht.

Ist schon in Ordnung. Ich hab ja selber gelacht, als ich's gelesen habe. Viel anderes kann man auch nicht tun.

Die Fahrt nach Odessa dauerte fast drei Stunden, und es war dunkel, als er dort ankam. Er hörte den Lkw-Fahrern im Funk zu. Ist der hier oben überhaupt zuständig? Was für 'ne Frage. Woher soll ich das wissen? Wenn er sieht, wie du ein Verbrechen begehst, wahrscheinlich schon. Dann bin ich mal lieber ganz brav. Das würd ich dir auch raten, Kumpel.

An der Raststätte besorgte er sich einen Stadtplan, den er neben sich auf dem Sitz des Streifenwagens ausbreitete, während er Kaffee aus einem Styroporbecher trank. Mit einem gelben Marker aus dem Handschuhfach zeichnete er auf der Karte seine Route nach, faltete die Karte wieder zusammen, legte sie auf den Sitz neben sich, schaltete die Innenbeleuchtung aus und ließ den Wagen an.

Als er klopfte, kam Llewelyns Frau an die Tür. Während sie öffnete, nahm er den Hut ab, was ihm sofort leidtat. Sie schlug die Hand vor den Mund und griff Halt suchend nach dem Türrahmen.

Tut mir leid, Ma'am, sagte er. Ihm ist nichts passiert. Ihrem Mann ist nichts passiert. Ich wollt bloß mit Ihnen reden.

Sie lügen mich doch nicht an?

Nein, Ma'am. Ich lüge nicht.

Sie sind von Sanderson hierhergekommen?

Ja, Ma'am.

Was wollen Sie?

Ich wollte einfach mal vorbeischauen. Mit Ihnen über Ihren Mann reden.

Also, reinbitten kann ich Sie nicht. Sie würden Mama zu Tode erschrecken. Ich hol eben meine Jacke.

Ja, Ma'am.

Sie fuhren zum Sunshine Café, setzten sich in eine Nische im hinteren Teil des Raums und bestellten Kaffee.

Sie wissen nicht, wo er ist, oder?

Nein, weiß ich nicht. Das hab ich Ihnen doch gesagt.

Ich weiß.

Er nahm den Hut ab, legte ihn neben sich auf die Bank und fuhr sich mit der Hand durchs Haar. Sie haben nichts von ihm gehört?

Nein.

Gar nichts.

Nicht ein Wort.

Die Kellnerin brachte den Kaffee in zwei schweren Porzellanbechern. Bell rührte seinen um. Er hob den Löffel und blickte in dessen dampfende silberne Höhlung. Wie viel Geld hat er Ihnen gegeben?

Sie gab keine Antwort. Bell lächelte. Was wollten Sie gerade sagen?, fragte er. Sagen Sie's ruhig.

Als ob Sie das was anginge, wollt ich sagen.

Warum tun Sie nicht einfach so, als wär ich nicht der Sheriff.

Und stattdessen was?

Sie wissen, dass er in Schwierigkeiten ist.

Llewelyn hat nichts getan.

Mit mir hat er auch keine Schwierigkeiten.

Mit wem dann?

Mit ein paar ziemlich üblen Leuten.

Llewelyn kann auf sich selbst aufpassen.

Haben Sie was dagegen, wenn ich Sie Carla nenne?

Ich heiße Carla Jean.

Carla Jean. Ist das in Ordnung?

Ja. Sie haben nichts dagegen, dass ich Sie weiter Sheriff nenne, oder?

Bell lächelte. Nein, sagte er. Nur zu.

In Ordnung.

Diese Leute werden ihn umbringen, Carla Jean. Die lassen nicht locker.

Er auch nicht. Das hat er noch nie.

Bell nickte. Er trank einen Schluck Kaffee. Das Gesicht, das in der dunklen Flüssigkeit im Becher waberte und schlingerte, erschien ihm wie ein Omen künftiger Dinge. Dinge, die ihre Form verloren. Einen mit sich rissen. Er stellte den Becher ab und sah die junge Frau an. Ich wünschte, ich könnte sagen, dass das für ihn spricht. Aber ich muss leider sagen, dass ich das nicht glaube.

Tja, sagte sie, er ist nun mal so, wie er ist, und wird es immer bleiben. Deswegen hab ich ihn auch geheiratet.

Aber Sie haben schon eine ganze Weile nichts mehr von ihm gehört.

Das hab ich auch nicht erwartet.

Haben Sie Probleme miteinander?

Wir haben keine Probleme. Und falls doch, lösen wir sie.

Tja, dann sind Sie ein glückliches Paar.

Ja, das sind wir.

Sie musterte ihn. Wieso fragen Sie mich das, sagte sie.

Das mit den Problemen?

Das mit den Problemen.

Ich hab mich halt gefragt, ob Sie welche haben.

Ist irgendwas passiert, wovon Sie wissen und ich nicht?

Nein. Das Gleiche könnt ich Sie fragen.

Nur dass ich's Ihnen nicht sagen würde.

Ja.

Sie glauben doch nicht, dass er mich verlassen hat, oder?

Ich weiß nicht. Hat er?

Nein. Hat er nicht. Ich kenn ihn.

Sie haben ihn mal gekannt.

Ich kenn ihn immer noch. Er hat sich nicht verändert.

Vielleicht doch.

Aber Sie glauben das nicht.

Also, wenn ich ganz ehrlich bin, müsst ich wohl sagen, dass ich noch nie jemand gekannt oder von jemand gehört hab, den Geld nicht verändert hätte. Da wär er der Erste.

Na, dann ist er eben der Erste.

Ich hoffe, das stimmt.

Hoffen Sie das wirklich, Sheriff?

Ja. Das hoffe ich.

Und man wirft ihm nichts vor?

Nein. Man wirft ihm nichts vor.

Das heißt aber nicht, dass das auch so bleibt.

Nein. Das heißt es nicht. Wenn er so lang lebt.

Tja, noch ist er nicht tot.

Ich hoffe, das ist Ihnen ein größerer Trost als mir.

Er trank einen Schluck Kaffee und setzte den Becher ab. Er beobachtete sie. Er muss das Geld der Polizei übergeben, sagte er. Das steht dann in der Zeitung. Vielleicht lassen diese Leute ihn dann in Ruhe. Garantieren kann ich das nicht. Aber es kann sein. Es ist die einzige Chance, die er hat.

Sie könnten es doch auch so in die Zeitung setzen lassen.

Bell musterte sie. Nein, sagte er. Kann ich nicht.

Oder wollen Sie nicht.

Nein, will ich nicht. Wie viel Geld ist es denn?

Ich weiß nicht, wovon Sie reden.

Na schön.

Haben Sie was dagegen, wenn ich rauche?, sagte sie.

Ich glaube, wir sind immer noch in Amerika.

Sie holte ihre Zigaretten heraus, zündete sich eine an, wandte dann das Gesicht ab und blies den Rauch in den Raum. Bell beobachtete sie. Was meinen Sie, wie die Sache ausgehen wird?, fragte er.

Ich weiß nicht. Ich weiß nie, wie irgendwas ausgehen wird. Wissen Sie's denn?

Ich weiß jedenfalls, wie sie nicht ausgehen wird.

Von wegen, sie lebten glücklich bis an ihr seliges Ende?

So was Ähnliches.

Llewelyn ist unheimlich gewieft.

Bell nickte. Sie sollten sich mehr Sorgen um ihn machen. Ich denke, das ist es, was ich meine.

Sie sog lange an der Zigarette. Sie musterte Bell. Sheriff, sagte sie, ich glaub, ich mach mir genauso viele Sorgen wie nötig.

Am Ende bringt er noch jemanden um. Haben Sie daran mal gedacht?

Er hat noch nie jemanden umgebracht.

Er war in Vietnam.

Als Zivilist, mein ich.

Er wird aber.

Sie gab keine Antwort.

Wollen Sie noch Kaffee?

Ich hab schon zu viel getrunken. Eigentlich wollte ich von vornherein keinen.

Sie ließ den Blick durch das Café wandern. Über die leeren Tische. Der Nachtkassierer war ein etwa achtzehnjähriger Junge, der, über die Glastheke gebeugt, eine Zeitschrift las. Meine Mama hat Krebs, sagte sie. Sie hat nicht mehr allzu lange zu leben.

Das tut mir leid.

Ich nenn sie Mama. In Wirklichkeit ist sie meine Großmutter. Sie hat mich großgezogen, und damit hab ich richtig Glück gehabt. Was sag ich. Das Wort Glück reicht gar nicht aus.

Ja, Ma'am.

Sie hat Llewelyn nie besonders gemocht. Warum, weiß ich auch nicht. Gibt keinen besonderen Grund. Er war immer gut zu ihr. Nach der Diagnose hab ich gedacht, es wär leichter mit ihr auszukommen, aber von wegen. Schwieriger ist es geworden.

Wieso leben Sie bei ihr?

Ich lebe nicht bei ihr. So dumm bin ich nicht. Das ist nur vorübergehend.

Bell nickte.

Ich muss jetzt zurück, sagte sie.

In Ordnung. Haben Sie eine Schusswaffe?

Ja. Hab ich. Sie denken wohl, ich geb nur den Köder ab.

Ich weiß nicht.

Aber denken tun Sie's.

Ich finde, das Ganze ist einfach keine besonders gute Situation.

Ja.

Ich hoffe einfach, Sie reden mit ihm.

Ich muss darüber nachdenken.

Gut.

Bevor ich Llewelyn verpfeife, sterb ich lieber und leb für alle Zeit in der Hölle. Ich hoffe, Sie verstehen das.

Ja, das versteh ich.

Was solche Sachen angeht, hab ich nie was anderes gelernt. Und lern ich hoffentlich auch nie.

Ja, Ma'am.

Ich sag Ihnen was, wenn Sie's hören wollen.

Ich will es hören.

Vielleicht halten Sie mich dann für seltsam.

Vielleicht.

Vielleicht halten Sie mich sowieso schon für seltsam.

Nein, tu ich nicht.

Als ich mit der Highschool fertig war, war ich noch sechzehn und hab mir einen Job im Wal-Mart besorgt. Ich hab nicht gewusst, was ich sonst tun sollte. Wir haben das Geld gebraucht. War weiß Gott wenig genug. Jedenfalls, in der Nacht, bevor ich dort angefangen hab, habe ich einen Traum gehabt. Oder so was

Ähnliches wie einen Traum. Ich glaub, ich war noch halb wach. Aber in dem Traum, oder was es auch war, ist es mir gekommen, dass er mich finden würde, wenn ich dort anfange. Im Wal-Mart. Ich hab nicht gewusst, wer er ist oder wie er heißt oder wie er aussieht. Ich hab nur gewusst, ich würd ihn erkennen, wenn ich ihn sehe. Ich hab einen Kalender geführt und die Tage markiert. Wie man's im Gefängnis macht. Ich meine, ich war nie im Gefängnis, aber so macht man das dort ja wahrscheinlich. Und am neunundneunzigsten Tag ist er reingekommen und hat mich gefragt, wo die Sportabteilung ist, und er war's. Und ich hab ihm gesagt, wo sie ist, und er hat mich angeschaut und ist weitergegangen. Aber er ist gleich wiedergekommen, hat mein Namensschildchen gelesen, meinen Namen gesagt, mich angeschaut und gefragt: Wann machen Sie Schluss? Und das war's auch schon. Ich hab nicht den geringsten Zweifel gehabt. Damals nicht, heute nicht, überhaupt nie.

Das ist eine schöne Geschichte, sagte Bell. Ich hoffe, sie hat auch ein schönes Ende.

Genau so ist es passiert.

Ich weiß. Ich bin Ihnen dankbar, dass Sie mit mir geredet haben. Jetzt lass ich Sie wohl besser in Ruhe, so spät, wie es ist.

Sie drückte ihre Zigarette aus. Tja, sagte sie. Tut mir leid, dass Sie die ganze Strecke gefahren sind und dann so wenig dabei herausgekommen ist.

Bell griff nach seinem Hut, setzte ihn auf und rückte ihn zurecht. Tja, sagte er. Man gibt sein Bestes. Und manchmal geht es ja gut aus.

Machen Sie sich wirklich Sorgen?

Wegen Ihrem Mann?

Wegen meinem Mann. Ja.

Ja, Ma'am. Das tu ich. Die Leute von Terrell County haben mich angestellt, damit ich mich um sie kümmere. Das ist mein

Job. Ich werde dafür bezahlt, dass ich als Erster was abkriege. Oder umgebracht werde. Und ob ich mir Sorgen mache.

Sie verlangen von mir, dass ich Ihnen glaube, was Sie sagen. Aber Sie sind derjenige, der es sagt.

Bell lächelte. Ja, Ma'am, sagte er. Ich bin derjenige, der es sagt. Ich hoffe bloß, Sie denken über das nach, was ich gesagt hab. Was die Schwierigkeiten angeht, in denen er steckt, hab ich kein Wort erfunden. Wenn er umgebracht wird, muss ich damit leben. Aber das kann ich. Ich will bloß, dass Sie darüber nachdenken, ob Sie das auch können.

Na gut.

Darf ich Sie was fragen?

Nur zu.

Ich weiß, man soll eine Frau nicht nach ihrem Alter fragen, aber irgendwie bin ich doch ein bisschen neugierig.

Schon gut. Ich bin neunzehn. Ich sehe jünger aus.

Wie lang sind Sie schon verheiratet?

Drei Jahre. Fast drei Jahre.

Bell nickte. Meine Frau war achtzehn, als wir geheiratet haben. Gerade geworden. Die Ehe mit ihr wiegt jede Dummheit auf, die ich je gemacht hab. Ich glaub sogar, ich hab noch ein paar gut. Was das angeht, bin ich, glaub ich, hoch in den schwarzen Zahlen. Sind Sie so weit?

Sie griff nach ihrer Handtasche und stand auf. Bell nahm die Rechnung und schob sich aus der Nische. Sie steckte ihre Zigaretten in die Handtasche und sah ihn an. Ich sag Ihnen was, Sheriff. Mit neunzehn ist man alt genug, um zu wissen, dass es, wenn man was hat, was einem alles bedeutet, nur umso wahrscheinlicher ist, dass es einem weggenommen wird. Mit sechzehn eigentlich auch schon. Ich denke drüber nach.

Bell nickte. Solche Gedanken sind mir nicht fremd, Carla Jean. Solche Gedanken sind mir sehr vertraut.

123

Er schlief in seinem Bett, und draußen war es noch weitgehend dunkel, als das Telefon klingelte. Er warf einen Blick auf den alten Wecker mit Leuchtziffern, der auf dem Nachtschränkchen stand, und nahm den Hörer ab. Sheriff Bell, sagte er.

Er hörte etwa zwei Minuten lang zu. Dann sagte er: Danke, dass du mich angerufen hast. Ja. Das Ganze ist ein regelrechter Krieg. Ich weiß kein anderes Wort dafür.

Um Viertel nach neun hielt er vor dem Sheriffbüro von Eagle Pass, und er und der Sheriff saßen im Büro, tranken Kaffee und sahen sich die Fotos an, die drei Stunden zuvor zwei Häuserblocks weiter gemacht worden waren.

Es gibt Tage, da möcht ich denen das ganze verdammte Kaff zurückgeben, sagte der Sheriff.

Kann ich gut verstehen, meinte Bell.

Leichen auf der Straße. Geschäfte kaputt geschossen. Autos von Leuten. Wo gibt's denn so was?

Können wir rübergehen und uns die Sache mal ansehen?

Ja, können wir.

Die Straße war immer noch abgesperrt, aber es gab nicht viel zu sehen. Die Fassade des Eagle Hotel war von Einschusslöchern durchsiebt, und auf beiden Seiten der Straße lag zerbrochenes Glas auf dem Bürgersteig. Autos mit platten Reifen und herausgeschossenen Scheiben, in der Karosserie Löcher, die von kleinen Ringen blanken Stahlblechs eingefasst waren. Der Cadillac war abgeschleppt, das Glas auf der Straße zusammengefegt und das Blut mit einem Schlauch weggeschwemmt worden.

Was meinst du, wer war das im Hotel?

Irgendein mexikanischer Drogenhändler.

Der Sheriff stand da und rauchte. Bell ging ein Stück weit die Straße entlang. Er blieb stehen, dann kam er mit im Glas knirschenden Stiefeln auf dem Bürgersteig zurück. Der Sheriff schnippte seine Zigarette auf die Straße. Geh die Adams ungefähr einen halben Häuserblock weit rauf, und du stößt auf eine Blutspur.

Ist wohl in die Richtung gegangen.

Wenn er halbwegs bei Verstand war. Ich glaub, die Jungs im Auto sind in ein Kreuzfeuer geraten. Für mich sieht's so aus, als hätten sie sowohl in Richtung Hotel als auch die Straße da raufgeschossen.

Was meinst du, was ihr Wagen da mitten auf der Kreuzung zu suchen hatte?

Ich hab keine Ahnung, Ed Tom.

Sie gingen zum Hotel.

Was habt ihr an Patronenhülsen gefunden?

Hauptsächlich neun Millimeter, dazu ein paar Schrotpatronenhülsen und einige .38oer. Wir haben's mit einer Schrotflinte und zwei Schnellfeuergewehren zu tun.

Vollautomatischen?

Klar. Warum nicht.

Warum nicht.

Sie gingen die Treppe hinauf. Die Hotelveranda war mit Glasscherben bedeckt, das Holzwerk zerschossen.

Den Nachtportier hat's erwischt. Hat einfach riesiges Pech gehabt. Ist von einer verirrten Kugel getroffen worden.

Wo ist er getroffen worden?

Genau zwischen den Augen.

Sie gingen in die Eingangshalle und blieben stehen. Jemand hatte ein paar Handtücher auf den Blutfleck im Teppichboden hinter der Rezeption geworfen, aber die Handtücher waren durchgeblutet. Er ist nicht erschossen worden, sagte Bell.

Wer ist nicht erschossen worden?

Der Nachtportier.

Er ist nicht erschossen worden?

Nein, Sir.

Wie kommst du darauf?

Wart's ab, bis du den Autopsiebericht kriegst, dann wirst du's sehen.

Was willst du damit sagen, Ed Tom? Dass sie ihm das Hirn mit einer Black und Decker angebohrt haben?

Das kommt der Sache ziemlich nahe. Denk mal drüber nach.

Auf der Rückfahrt nach Sanderson begann es zu schneien. Er fuhr zum Gerichtsgebäude, erledigte einigen Papierkram und ging kurz vor Einbruch der Dunkelheit. Als er in die Einfahrt hinter dem Haus einbog, sah seine Frau aus dem Küchenfenster. Sie lächelte ihm zu. Im warmen gelben Licht trieben und verwirbelten die Schneeflocken.

Sie saßen in dem kleinen Esszimmer und aßen. Sie hatte Musik aufgelegt, ein Violinkonzert. Das Telefon klingelte nicht.

Hast du den Hörer neben das Telefon gelegt?

Nein, sagte sie.

Dann ist wohl die Leitung gestört.

Sie lächelte. Ich glaube, es liegt einfach am Schnee. Ich glaube, der bringt die Leute dazu, dass sie mal einen Augenblick nachdenken.

Bell nickte. Dann hoff ich, wir kriegen einen Schneesturm.

Weißt du noch, wann es hier das letzte Mal geschneit hat?

Nein, kann ich nicht sagen. Weißt du's denn?

Ja.

Wann?

Gleich fällt's dir wieder ein.

Ach so.

Sie lächelte. Sie aßen.

Das ist schön, sagte Bell.

Was denn?

Die Musik. Das Abendessen. Zu Hause zu sein.

Meinst du, sie hat die Wahrheit gesagt?

Ja. Doch.

Meinst du, der Junge ist noch am Leben?

Ich weiß nicht. Ich hoffe es.

Vielleicht hörst du nie mehr ein Wort von der ganzen Geschichte.

Möglich. Zu Ende wär sie damit aber noch nicht, oder?

Nein, das wär sie wohl nicht.

Du kannst dich drauf verlassen, dass die sich weiter in schöner Regelmäßigkeit gegenseitig umbringen. Aber ich rechne damit, dass früher oder später irgendein Kartell die Sache an sich reißen wird, und die werden dann bloß noch mit der mexikanischen Regierung verhandeln. Es geht einfach um zu viel Geld. Die werden diese Landeier an die Wand drücken. Und lange wird das nicht mehr dauern.

Was meinst du, wie viel Geld er hat?

Der junge Moss?

Ja.

Schwer zu sagen. Könnte in die Millionen gehen. Na ja, so viele Millionen auch wieder nicht. Immerhin hat er's zu Fuß von dort weggeschafft.

Möchtest du Kaffee?

Ja, gern.

Sie stand auf, ging zur Anrichte, zog den Stecker der Kaffeemaschine, brachte sie zum Tisch, goss ihm eine Tasse ein und setzte sich wieder. Komm mir bloß nicht eines Abends tot nach Hause, sagte sie. Das mache ich nicht mit.

Dann lass ich es wohl besser.

Meinst du, er setzt sich mit ihr in Verbindung?

Bell rührte seinen Kaffee um. Er hielt den dampfenden Löffel über die Tasse, dann legte er ihn auf die Untertasse. Ich weiß nicht, sagte er. Aber eins weiß ich: Er wär ein verdammter Idiot, wenn er's nicht täte.

Das Büro lag im fünfzehnten Stock und bot einen Blick auf die Skyline von Houston und das offene Flachland bis zum Kanal und dem Bayou dahinter. Kolonien silberner Tanks. Gasflammen, fahl am Himmel. Als Wells erschien, bat ihn der Mann herein und forderte ihn auf, die Tür zu schließen. Er drehte sich nicht einmal um. Er konnte Wells im Fensterglas sehen. Wells schloss die Tür und blieb stehen, die Handgelenke locker vor sich gekreuzt, in der Haltung eines Beerdigungsunternehmers.

Der Mann drehte sich schließlich um und sah ihn an. Sie kennen Anton Chigurh vom Sehen, ist das richtig?

Ja, Sir, das ist richtig.

Wann haben Sie ihn zuletzt gesehen?

Am achtundzwanzigsten November letztes Jahr.

Wieso erinnern Sie sich zufällig an das Datum?

Ich erinnere mich nicht zufällig daran. Ich kann mir Daten merken. Zahlen.

Der Mann nickte. Er stand hinter seinem Schreibtisch. Der Schreibtisch bestand aus poliertem, rostfreiem Stahl und Walnussholz, und es war nichts darauf. Kein Bild, kein Stück Papier. Nichts.

Wir haben es hier mit einem gemeingefährlichen Irren zu tun. Außerdem fehlt uns Ware, und wir vermissen einen Haufen Geld.

Ja, Sir. Das verstehe ich.

Sie verstehen das.

Ja, Sir.

Das ist schön. Freut mich, dass ich Ihre Aufmerksamkeit habe.

Ja, Sir. Sie haben meine Aufmerksamkeit.

Der Mann schloss eine Schreibtischschublade auf, entnahm ihr eine Stahlkassette, schloss diese ebenfalls auf, nahm eine

128

Karte heraus, klappte die Kassette zu, verschloss sie und räumte sie wieder weg. Mit zwei Fingern hielt er die Karte hoch und sah Wells an, der vortrat und sie nahm.

Sie zahlen Ihre Spesen selbst, wenn ich mich recht erinnere.

Ja, Sir.

Von diesem Konto können Sie in einem Zeitraum von vierundzwanzig Stunden zwölfhundert Dollar abheben. Früher waren es nur tausend.

Ja, Sir.

Wie gut kennen Sie Chigurh?

Gut genug.

Das ist keine Antwort.

Was wollen Sie wissen?

Der Mann klopfte mit den Knöcheln auf den Tisch. Er blickte auf. Ich wüsste einfach gern, welche Meinung Sie von ihm haben. Ganz allgemein. Von dem unbesiegbaren Mr. Chigurh.

Niemand ist unbesiegbar.

Irgendwer schon.

Warum sagen Sie das?

Irgendwo auf der Welt gibt es den unbesiegbarsten Menschen. Genauso, wie es irgendwo den verletzlichsten gibt.

Das glauben Sie?

Nein. Das nennt man Statistik. Wie gefährlich ist er wirklich?

Wells zuckte die Achseln. Verglichen womit? Mit der Pest? Er ist immerhin so übel, dass Sie mich geholt haben. Er ist ein psychopathischer Killer, aber was soll's? Davon laufen jede Menge rum.

Gestern war er in eine Schießerei in Eagle Pass verwickelt.

Eine Schießerei?

Eine Schießerei. Mit Toten auf der Straße. Sie lesen wohl keine Zeitung.

Nein, Sir.

Er musterte Wells. Sie haben wohl so etwas wie ein behütetes Leben geführt, nicht wahr, Mr. Wells?

Mit behütet hat es ehrlich gesagt nicht sehr viel zu tun gehabt.

Ja, sagte der Mann. Was sonst.

Ist schon so. Waren das Pablos Leute?

Ja.

Sind Sie sicher?

Nicht in dem Sinne, wie Sie das meinen. Aber ziemlich sicher. Von uns waren sie jedenfalls nicht. Zwei Tage davor hat er zwei andere Männer umgebracht, und die beiden waren zufällig von uns. Genauso wie die drei bei dieser Riesenscheiße ein paar Tage vorher. In Ordnung?

In Ordnung. Ich denke, das reicht.

Weidmannsheil, wie wir immer gesagt haben. Früher mal. Vor langer Zeit.

Weidmannsdank, Sir. Darf ich Sie was fragen?

Klar.

Mit diesem Fahrstuhl käme ich nicht nochmal rauf, oder?

Nicht in dieses Stockwerk. Wieso?

Hat mich nur interessiert. Sicherheit. Immer interessant.

Er kodiert sich nach jeder Fahrt neu. Eine zufallsgenerierte, fünfstellige Zahl, die nirgendwo erscheint. Ich wähle eine Nummer und bekomme den Code per Telefon. Den nenne ich Ihnen, und Sie geben ihn ein. Beantwortet das Ihre Frage?

Schön.

Ja.

Ich hab die Stockwerke von der Straße aus gezählt.

Und?

Es fehlt eins.

Da muss ich mich wohl mal drum kümmern.

Wells lächelte.

Finden Sie selber hinaus?, fragte der Mann.

Ja.

In Ordnung.

Noch was.

Was denn?

Ich hab mich gefragt, ob Sie mir meinen Parkschein abstempeln könnten.

Der Mann legte den Kopf leicht schräg. Das ist wohl ein Versuch, witzig zu sein.

Entschuldigung.

Guten Tag, Mr. Wells.

Ja.

Als Wells zum Hotel kam, waren die Absperrbänder verschwunden, man hatte Glas und Holz aus der Eingangshalle gefegt. Die Türen und zwei Fenster waren mit Sperrholzplatten vernagelt, und hinter der Rezeption stand ein neuer Angestellter. Ja, Sir?, sagte er.

Ich brauche ein Zimmer, sagte Wells.

Ja, Sir. Nur für Sie selbst?

Ja.

Und für wie viele Nächte wäre das?

Wahrscheinlich nur die eine.

Der Mann schob Wells den Anmeldeblock zu, drehte sich um und musterte die am Brett hängenden Schlüssel. Wells füllte das Formular aus. Ich weiß, Sie können es schon nicht mehr hören, sagte er, aber was ist mit Ihrem Hotel passiert?

Ich soll nicht darüber sprechen.

Ist schon in Ordnung.

Der Mann legte den Schlüssel auf den Empfangsschalter. Zahlen Sie in bar oder mit Kreditkarte?

131

In bar. Wie viel macht das?

Vierzehn plus Steuer.

Wie viel das macht. Insgesamt.

Sir?

Ich habe gefragt, wie viel das insgesamt macht. Sie müssen mir sagen, wie viel das macht. Nennen Sie mir eine Zahl. Alles inklusive.

Ja, Sir. Das wären vierzehn siebzig.

Waren Sie da, als das alles hier passiert ist?

Nein, Sir. Ich hab gestern erst hier angefangen. Das ist erst meine zweite Schicht.

Worüber sollen Sie dann nicht reden?

Sir?

Um welche Zeit machen Sie Schluss?

Sir?

Ich will es mal anders formulieren. Um welche Zeit ist Ihre Schicht zu Ende?

Der Mann war groß und dünn, vielleicht Mexikaner, vielleicht aber auch nicht. Sein Blick huschte kurz durch die Eingangshalle. Als wäre dort vielleicht jemand, der ihm helfen könnte. Ich hab um sechs angefangen, sagte er. Die Schicht ist um zwei zu Ende.

Und wer fängt um zwei an?

Wie er heißt, weiß ich nicht. Er war Tagportier.

Er war also vorgestern Nacht nicht hier.

Nein, Sir. Er war Tagportier.

Der Mann, der vorgestern Nacht Dienst gehabt hat. Wo ist der?

Der ist nicht mehr bei uns.

Haben Sie die Zeitung von gestern da?

Der Mann wich zurück und sah unter dem Empfangsschalter nach. Nein, Sir, sagte er. Die ist wohl schon weggeworfen worden.

Na schön. Schicken Sie mir ein paar Nutten und eine Flasche Whiskey mit Eis aufs Zimmer.

Sir?

Ich nehm Sie bloß auf den Arm. Sie müssen sich entspannen. Diese Leute kommen nicht wieder. Das kann ich Ihnen so gut wie garantieren.

Ja, Sir. Das hoffe ich wirklich. Eigentlich wollte ich diesen Job gar nicht annehmen.

Wells lächelte, klopfte mit dem Schlüsselanhänger aus Pressspan zweimal auf die Marmorplatte des Empfangsschalters und ging die Treppe hinauf.

Zu seiner Überraschung waren die Türen beider Zimmer noch mit Absperrband versehen. Er ging weiter in sein Zimmer, stellte seine Tasche auf den Stuhl, entnahm ihr seinen Kulturbeutel, ging ins Bad und schaltete das Licht ein. Er putzte sich die Zähne, wusch sich das Gesicht, ging zurück ins Zimmer und streckte sich auf dem Bett aus. Nach einer Weile stand er auf, ging zum Stuhl, drehte die Tasche zur Seite, öffnete den Reißverschluss eines Bodenfachs und entnahm ihm ein Futteral aus Wildleder. Er öffnete das Futteral, nahm einen .357er Revolver aus rostfreiem Stahl heraus, kehrte zum Bett zurück, zog seine Stiefel aus und streckte sich wieder aus, den Revolver neben sich.

Als er aufwachte, war es fast dunkel. Er stand auf, trat ans Fenster und schob die alte Spitzengardine zurück. Lichter auf der Straße. Über den dunkler werdenden westlichen Horizont zogen lange, stumpfrote Wolkenriffe. Dächer in einer niedrigen, schäbigen Skyline. Er steckte sich den Revolver in den Hosenbund, zog das Hemd aus der Hose, um ihn zu verdecken, und ging auf Strümpfen hinaus und den Flur entlang.

Er brauchte etwa fünfzehn Sekunden, um in Moss' Zimmer zu gelangen, und er schloss die Tür hinter sich, ohne das Absperrband zu beschädigen. Er lehnte sich an die Tür und sog den Geruch des Zimmers ein. Dann ließ er den Blick durch das Zimmer wandern.

Das Erste, was er tat, war, behutsam über den Teppichboden zu gehen. Als er zu dem Abdruck kam, wo das Bett bewegt worden war, zerrte er dessen Ende von der Wand. Er kniete sich hin, pustete Staub weg, musterte den Flor des Teppichs. Er stand auf, nahm die Kissen in die Hand, roch daran und legte sie wieder hin. Er ließ das schräg ins Zimmer ragende Bett stehen, wie es war, ging zum Schrank hinüber, öffnete die Türen, warf einen Blick hinein und schloss sie wieder.

Er ging ins Badezimmer. Er fuhr mit dem Zeigefinger um den Waschbeckenrand. Ein Waschlappen und ein Handtuch waren benutzt worden, nicht aber die Seife. Mit dem Finger fuhr er an der Innenwand der Badewanne entlang und wischte ihn dann an seinem Hosenbein ab. Er setzte sich auf den Wannenrand und klopfte mit den Füßen auf die Fliesen.

Das andere Zimmer hatte die Nummer 227. Er ging hinein, schloss die Tür, drehte sich um und blieb stehen. Das Bett war unberührt. Die Badezimmertür stand offen. Auf dem Boden lag ein blutiges Handtuch.

Er ging hinüber und stieß die Tür weit auf. Im Waschbecken lag ein blutbefleckter Waschlappen. Das andere Handtuch fehlte. Blutige Handabdrücke. Einer am Rand des Duschvorhangs. Ich hoffe, du hast dich nicht irgendwo in einem Loch verkrochen, sagte er. Ich möchte nämlich gern bezahlt werden.

Am anderen Tag war er schon im Morgengrauen auf den Beinen, durchstreifte die Straßen, prägte sich Einzelheiten ein. Das Pflaster war abgespritzt worden, doch wo Moss angeschossen worden war, konnte man noch Blutflecken auf dem Beton des Bürgersteigs sehen. Er ging zurück zur Main Street und fing von vorne an. Glasscherben in den Rinnsteinen und auf den

Bürgersteigen. Teils Fensterglas, teils von geparkten Autos. Die kaputten Fenster waren mit Sperrholzplatten vernagelt, aber man konnte die Einschusslöcher im Mauerwerk und die tränentropfenförmig verschmierten Bleiflecken der vom Hotel aus abgegebenen Schüsse sehen. Er ging zum Hotel zurück, setzte sich auf die Treppe und betrachtete die Straße. Über dem Aztec Theatre ging gerade die Sonne auf. Im ersten Stock fiel ihm irgendetwas ins Auge. Er stand auf, ging los, überquerte die Straße und stieg die Treppe hinauf. Im Fensterglas zwei Einschusslöcher. Er klopfte an die Tür und wartete. Dann öffnete er die Tür und ging hinein.

Das Zimmer abgedunkelt. Leichter Verwesungsgeruch. Er blieb stehen, bis seine Augen sich an die Düsternis gewöhnt hatten. Ein Wohnzimmer. An der gegenüberliegenden Wand ein Pianola oder Harmonium. Eine Frisierkommode. Am Fenster ein Schaukelstuhl, in dem zusammengesackt eine alte Frau saß.

Wells blieb vor ihr stehen und musterte sie. Sie war durch die Stirn geschossen worden und nach vorn gekippt, und an den Stäben der Rückenlehne klebten ein Stück ihres Hinterschädels sowie ein Gutteil getrockneter Gehirnmasse. Auf ihrem Schoß lag eine Zeitung, und das Baumwollkleid, das sie anhatte, war schwarz von getrocknetem Blut. Im Zimmer war es kalt. Wells sah sich um. Auf einem Kalender an der Wand hinter ihr hatte ein zweiter Schuss ein Datum markiert, das drei Tage zurücklag. Es fiel einem zwangsläufig auf. Er sah sich weiter im Zimmer um. Er zog einen kleinen Fotoapparat aus der Jackentasche, machte ein paar Aufnahmen von der toten Frau und steckte die Kamera wieder ein. Hast dir auch was anderes vorgestellt, was, Schätzchen?, sagte er zu ihr.

Moss erwachte in einem Krankenzimmer, einen Vorhang zwischen sich und dem Bett zu seiner Linken. Ein Schattenspiel von Gestalten darauf. Stimmen auf Spanisch. Von der Straße her gedämpfte Geräusche. Ein Motorrad. Ein Hund. Er drehte den Kopf auf dem Kissen und schaute in die Augen eines Mannes, der, einen Blumenstrauß in der Hand, auf einem Metallstuhl an der Wand saß. Wie fühlen Sie sich?, fragte der Mann.

Ich hab mich schon besser gefühlt. Wer sind Sie?

Ich heiße Carson Wells.

Wer sind Sie?

Ich glaube, Sie wissen, wer ich bin. Ich habe Ihnen Blumen mitgebracht.

Moss drehte den Kopf und starrte an die Decke. Wie viele gibt es denn von euch?

Tja, ich würde sagen, im Augenblick müssen Sie sich nur um einen Gedanken machen.

Um Sie.

Ja.

Was ist mit dem Kerl, der ins Hotel gekommen ist?

Wir können über ihn reden.

Dann reden Sie.

Ich kann dafür sorgen, dass er verschwindet.

Das kann ich selber.

Das glaube ich nicht.

Sie haben ein Recht auf Ihre Meinung.

Wenn Acostas Leute nicht aufgetaucht wären, glaube ich nicht, dass Sie so gut klargekommen wären.

So gut bin ich gar nicht klargekommen.

O doch. Sie sind extrem gut klargekommen.

Moss sah den Mann erneut an. Wie lang sind Sie schon da?

Ungefähr eine Stunde.

Und Sie haben einfach da gesessen.

Ja.

Viel zu tun haben Sie anscheinend nicht, oder?

Ich mache immer gern eins nach dem anderen, falls Sie das meinen.

Sie sehen kreuzdämlich aus, wie Sie da sitzen.

Wells lächelte.

Warum legen Sie nicht die verdammten Blumen hin.

Na gut.

Er stand auf, legte den Blumenstrauß auf das Nachtschränkchen und setzte sich wieder auf den Stuhl.

Wissen Sie, was zwei Zentimeter sind?

Ja. Das ist ein Längenmaß.

Es entspricht ungefähr einem Dreiviertel Inch.

Aha.

Um so viel hat die Kugel Ihre Leber verfehlt.

Hat Ihnen der Arzt das gesagt?

Ja. Wissen Sie, was die Leber für eine Aufgabe hat?

Nein.

Sie hält Sie am Leben. Wissen Sie, wer der Mann ist, der Sie angeschossen hat?

Vielleicht war er's ja gar nicht. Vielleicht war's einer von den Mexikanern.

Wissen Sie, wer der Mann ist?

Nein. Sollte ich?

Er ist nämlich keiner, den Sie unbedingt kennenlernen wollen. Die Leute, die er kennenlernt, haben in aller Regel eine sehr kurze Zukunft. Praktisch überhaupt keine.

Tja, schön für ihn.

Sie hören nicht zu. Sie müssen aufpassen, was ich sage. Dieser Mann wird nicht aufhören, nach Ihnen zu suchen. Auch wenn er das Geld zurückkriegt. Für ihn macht das keinen Unterschied. Auch wenn Sie zu ihm hingehen und ihm das Geld zurückgeben würden, er würde Sie trotzdem umbringen. Bloß weil Sie ihm Umstände gemacht haben.

Ich glaub, ich hab ein bisschen mehr getan, als ihm Umstände zu machen.

Wie meinen Sie das?

Ich glaub, ich hab ihn getroffen.

Wieso glauben Sie das?

Ich hab ihn mit Doppelnull-Schrot beharkt. Ich kann mir nicht vorstellen, dass ihm das besonders gutgetan hat.

Wells lehnte sich zurück. Er musterte Moss. Glauben Sie, Sie haben ihn umgebracht?

Ich weiß nicht.

Das haben Sie nämlich nicht. Er ist auf die Straße gekommen, hat jeden einzelnen von den Mexikanern umgebracht und ist dann ins Hotel zurückgegangen. So, wie man sich eine Zeitung holen geht oder so was.

Er hat nicht jeden Einzelnen von ihnen umgebracht.

Auf jeden Fall die, die noch übrig waren.

Sie meinen, er ist nicht getroffen worden?

Ich weiß nicht.

Heißt wohl, wieso sollen Sie mir das sagen.

Wenn Sie so wollen.

Ist er ein Kumpel von Ihnen?

Nein.

Ich hab gedacht, er wär vielleicht ein Kumpel von Ihnen.

Nein, haben Sie nicht. Woher wollen Sie wissen, dass er nicht auf dem Weg nach Odessa ist?

Was soll er denn in Odessa?

Ihre Frau umbringen.

Moss gab keine Antwort. Er lag auf dem groben Leinen und blickte zur Decke auf. Er hatte Schmerzen, die schlimmer wurden. Sie wissen doch gar nicht, was Sie da reden, sagte er.

Ich hab Ihnen ein paar Fotos mitgebracht.

Er stand auf, legte zwei Fotos aufs Bett und setzte sich wieder. Moss warf einen Blick darauf. Was soll ich dazu sagen?, fragte er.

Die Bilder habe ich heute Morgen gemacht. Die Frau hat in einer Wohnung im ersten Stock gewohnt, und zwar in einem der Gebäude, auf die Sie geschossen haben. Die Leiche ist immer noch dort.

Sie reden Scheiße.

Wells musterte ihn. Er drehte sich um und sah zum Fenster hinaus. Sie haben mit der ganzen Geschichte überhaupt nichts zu tun, wie?

Genau.

Sie sind da draußen bloß ganz zufällig auf die Autos gestoßen.

Ich weiß nicht, wovon Sie reden.

Die Ware haben Sie nicht genommen, oder?

Was für eine Ware?

Das Heroin. Das haben Sie nicht.

Nein. Das hab ich nicht.

Wells nickte. Er wirkte nachdenklich. Vielleicht sollte ich Sie fragen, was Sie vorhaben.

Vielleicht sollte ich Sie das fragen.

Ich habe überhaupt nichts vor. Ich muss nichts tun. Sie werden zu mir kommen. Früher oder später. Ihnen bleibt gar nichts anderes übrig. Ich gebe Ihnen meine Funktelefonnummer.

Wieso sind Sie eigentlich so sicher, dass ich nicht einfach verschwinde?

Wissen Sie, wie lange ich gebraucht habe, um Sie zu finden?

Nein.

Ungefähr drei Stunden.

So viel Glück haben Sie vielleicht nicht nochmal.

Nein, vielleicht nicht. Aber das wäre dann nicht gut für Sie.

Ich nehme an, Sie haben mal mit ihm zusammengearbeitet.

Mit wem?

Mit diesem Kerl.

Ja. Habe ich. Früher mal.

Wie heißt er?

Chigurh.

Sugar?

Chigurh. Anton Chigurh.

Woher wollen Sie wissen, dass ich keinen Deal mit ihm mache?

Wells saß vorgebeugt auf dem Stuhl, die Unterarme auf die Knie gestützt, die Finger ineinanderverschränkt. Er schüttelte den Kopf. Sie hören mir nicht zu, sagte er.

Vielleicht glaub ich nur einfach nicht, was Sie sagen.

Doch, das tun Sie.

Vielleicht könnt ich ihn auch erledigen.

Haben Sie große Schmerzen?

Ja. Ziemlich.

Sie haben große Schmerzen. Da fällt einem das Denken schwer. Ich rufe mal eben die Schwester.

Ich bin nicht drauf angewiesen, dass Sie mir irgendwelche Gefallen tun.

Na gut.

Was ist er denn, der übelste Typ auf Gottes weiter Erde?

Ich glaube nicht, dass ich ihn so beschreiben würde.

Wie würden Sie ihn denn beschreiben?

Wells dachte darüber nach. Ich schätze, ich würde sagen, dass er keinen Sinn für Humor hat.

Das ist kein Verbrechen.

Darum geht es nicht. Ich versuche, Ihnen etwas klarzumachen.

Nur zu.

Sie können keinen Deal mit ihm machen. Ich sage es Ihnen nochmal. Selbst wenn Sie ihm das Geld gäben, er würde sie trotzdem umbringen. Auf diesem Planeten lebt kein Mensch, der jemals auch nur ein unfreundliches Wort zu ihm gesagt hat. Sie sind alle tot. Das sind keine sehr sonnigen Aussichten. Er ist ein eigenartiger Mann. Man könnte sogar sagen, er hat Prinzipien. Prinzipien, die über Geld oder Drogen oder dergleichen hinausgehen.

Warum erzählen Sie mir überhaupt von ihm?

Sie haben nach ihm gefragt.

Und warum geben Sie mir Antwort?

Wahrscheinlich, weil ich glaube, dass es mir meinen Job erleichtern würde, wenn ich Sie dazu bringen könnte zu begreifen, in welcher Lage Sie sind. Ich weiß nichts über Sie. Aber ich weiß, dass Sie ihm nicht gewachsen sind. Sie glauben, Sie sind es. Aber Sie sind es nicht.

Das werden wir sehen, oder?

Zumindest einige von uns. Was haben Sie mit dem Geld gemacht.

Ungefähr zwei Millionen Dollar hab ich für Nutten und Whiskey ausgegeben und den Rest einfach so verprasst.

Wells lächelte. Er lehnte sich im Stuhl zurück und schlug die Beine übereinander. Er trug teure Krokodillederstiefel von Lucchese. Was glauben Sie, wie er Sie gefunden hat?

Moss gab keine Antwort

Haben Sie mal darüber nachgedacht?

Ich weiß, wie er mich gefunden hat. Nochmal schafft er das nicht.

Wells lächelte. Tja, schön für Sie.

Ja. Schön für mich.

Auf einem Plastiktablett auf dem Nachtschränkchen stand

ein Krug Wasser. Moss warf nur einen flüchtigen Blick darauf.

Wollen Sie Wasser?, fragte Wells.

Wenn ich was von Ihnen will, sind Sie der erste Scheißkerl, der es erfährt.

Man nennt das einen Transponder.

Ich weiß, wie man das nennt.

Es ist nicht die einzige Methode, wie er Sie finden kann.

Ja.

Ich könnte Ihnen Dinge erzählen, die zu wissen nützlich für Sie wäre.

Ich komme auf das zurück, was ich gerade gesagt hab. Ich brauche keinen Gefallen von Ihnen.

Sie sind nicht neugierig, warum ich Ihnen das erzählen würde?

Ich weiß, warum Sie mir das erzählen würden.

Nämlich?

Sie haben es lieber mit mir zu tun als mit diesem Typen.

Ja. Ich gebe Ihnen was zu trinken.

Fahren Sie zur Hölle.

Wells saß in aller Ruhe da, die Beine übereinandergeschlagen. Moss sah ihn an. Sie glauben, Sie können mir mit diesem Kerl Angst machen. Sie wissen doch gar nicht, wovon Sie reden. Ich erledige Sie zusammen mit ihm, wenn's das ist, was Sie wollen.

Wells lächelte. Er zuckte leicht die Achseln. Er senkte den Blick auf seine Stiefelspitze, nahm das Bein vom Knie, fuhr mit der Stiefelspitze an seiner Wade auf und ab, um den Staub zu entfernen, und schlug die Beine wieder übereinander. Was machen Sie?

Was?

Was Sie machen?

Ich bin im Ruhestand.

Und was haben Sie vor dem Ruhestand gemacht?

Ich bin Schweißer.

Azetylen? MIG? WIG?

Alles. Wenn es sich schweißen lässt, kann ich's schweißen.

Gusseisen?

Ja.

Ich rede nicht von Schweißlöten.

Ich hab auch nicht Schweißlöten gesagt.

Topfmetall?

Was hab ich gesagt?

Waren Sie in Nam?

Ja. Ich war in Nam.

Ich auch.

Na und? Sind wir deswegen vielleicht Kumpel?

Ich war bei den Spezialeinheiten.

Ich glaub, Sie verwechseln mich mit jemand, den es nicht einen Scheißdreck interessiert, wo Sie waren.

Ich war Oberstleutnant.

Quatsch.

Das glaube ich nicht.

Und was machen Sie jetzt?

Ich finde Leute. Begleiche Rechnungen. So was in der Art.

Sie sind ein Killer.

Wells lächelte. Ein Killer.

Nennen Sie's, wie Sie wollen.

Die Leute, mit denen ich ins Geschäft komme, halten sich gern im Hintergrund. Sie lassen sich nicht gern in Dinge verwickeln, die Aufmerksamkeit erregen. Sie mögen es nicht, wenn etwas in der Zeitung steht.

Das glaub ich gern.

Die Sache werden Sie nie mehr los. Selbst wenn Sie Glück hätten und ein oder zwei Leute erledigten – was unwahrscheinlich ist –, würden die einfach jemand anderen schicken. Nichts würde sich ändern. Die würden Sie trotzdem finden. Sie können nirgendwohin. Zu Ihren Schwierigkeiten kommt noch hinzu, dass die Leute, die die Ware geliefert haben, weder Geld noch Ware haben. Also raten Sie mal, wen die auf dem Kieker haben? Ganz zu schweigen von der DEA und diversen anderen Polizeibehörden. Auf jeder Liste steht derselbe Name. Und es ist der einzige Name, der draufsteht. Irgendwas müssen Sie mir schon anbieten. Ich habe wirklich überhaupt keinen Grund, Sie zu schützen.

Haben Sie Schiss vor diesem Kerl?

Wells zuckte die Achseln. Ich würde sagen, ich bin auf der Hut vor ihm.

Von Bell haben Sie gar nichts gesagt.

Bell. Sonst noch wer?

Sie halten wohl nicht viel von ihm.

Ich denke überhaupt nicht an ihn. Er ist ein Hinterwäldler-Sheriff in einem Provinzkaff in einem Provinz-County. In einem Provinz-Staat. Ich rufe mal eben die Schwester. Ihnen geht es nicht sehr gut. Hier haben Sie meine Nummer. Ich möchte, dass Sie darüber nachdenken. Worüber wir geredet haben.

Er stand auf und legte eine Karte neben die Blumen auf dem Nachtschränkchen. Dann sah er Moss an. Sie glauben, Sie werden mich nicht anrufen, aber Sie werden doch. Nur warten Sie nicht zu lange. Dieses Geld gehört meinem Kunden. Chigurh ist ein Bandit. Die Zeit ist nicht auf unserer Seite. Vielleicht können Sie sogar ein bisschen was davon behalten. Aber wenn ich mir das Geld von Chigurh zurückholen muss, wird es für Sie zu spät sein. Von Ihrer Frau ganz zu schweigen.

Moss gab keine Antwort.

Na schön. Vielleicht wollen Sie sie ja anrufen. Als ich mit ihr gesprochen habe, hat sie sich ziemlich besorgt angehört.

Als er gegangen war, drehte Moss die Fotos um, die auf dem

Bett lagen. Wie ein Spieler, der seine untenliegenden Karten checkt. Er schaute auf den Krug Wasser, doch da kam die Schwester herein.

VI

Die jungen Leute heutzutage haben es anscheinend schwer mit dem Erwachsenwerden. Ich weiß nicht, wieso. Vielleicht liegt's einfach daran, dass man nur so schnell erwachsen wird, wie man muss. Ich hab einen Cousin gehabt, der war schon mit achtzehn Polizist. Und damals schon verheiratet mit Kind. Ein Freund von mir, mit dem ich aufgewachsen bin, der war in dem Alter ordinierter Baptistenprediger. Pastor an einer kleinen Kirche auf dem Land. Nach ungefähr drei Jahren ist er von dort nach Lubbock gegangen, und als er den Leuten gesagt hat, dass er geht, haben sie einfach da in der Kirche gesessen und geheult. Männer wie Frauen. Er hatte sie getraut, getauft und begraben. Er war damals einundzwanzig, vielleicht zweiundzwanzig. Wenn er gepredigt hat, haben sie bis raus auf den Kirchhof gestanden und ihm zugehört. Mich hat das überrascht. In der Schule war er immer ein Stiller. Ich war einundzwanzig, als ich zur Army gegangen bin, und bei der Grundausbildung war ich in meinem Kurs einer der Ältesten. Sechs Monate später war ich in Frankreich und hab mit einem Gewehr auf Menschen geschossen. Damals hab ich das gar nicht für was Besonderes gehalten. Vier Jahre später war ich Sheriff von diesem County. Und ich hab nie einen Zweifel daran gehabt, dass das so auch seine Richtigkeit hat. Die Leute heutzutage, wenn man da über Recht und Unrecht redet, grinsen sie einen wahrscheinlich nur an. Aber ich hab nie große Zweifel gehabt, was solche Sachen angeht. In dem, was ich über solche Sachen denke. Ich hoffe, das bleibt auch so.

Loretta hat mir erzählt, sie hätt in der Zeitung gelesen, dass ein bestimmter Prozentsatz von Kindern in diesem Land von ihren

Großeltern aufgezogen wird. Wie hoch er genau war, hab ich vergessen. Ziemlich hoch, kam's mir vor. Die Eltern wollten sie nicht aufziehen. Wir haben darüber geredet. Wenn dann die nächste Generation so weit ist, haben wir gedacht, und ihre Kinder auch nicht aufziehen will, wer macht es dann? Ihre Eltern sind dann nämlich die einzigen Großeltern, die es gibt, und die wollten ja sie schon nicht aufziehen. Wir haben da keine Antwort gefunden. An meinen besseren Tagen denk ich, dass da irgendwas ist, was ich einfach nicht weiß oder übersehe. Aber die Zeiten sind selten. Manchmal wach ich mitten in der Nacht auf und weiß todsicher, dass kaum was anderes als die Wiederkunft Christi diesen Zug noch stoppen kann. Ich weiß nicht, was es nützt, dass ich deswegen schlaflose Nächte verbringe. Aber so ist es nun mal.

Ich glaub nicht, dass man diesen Job ohne eine Frau machen könnte. Und dazu noch eine ziemlich ungewöhnliche. Köchin, Gefängniswärterin und was weiß ich noch alles. Die Jungs wissen gar nicht, wie gut sie's haben. Na ja, vielleicht doch. Ob ihr was passieren kann, darüber hab ich mir nie Sorgen gemacht. Einen Gutteil des Jahres kriegen sie frische Sachen aus dem Garten. Leckeres Maisbrot. Feldbohnen. Sogar Hamburger und Pommes hat sie ihnen schon gemacht. Wir haben's erlebt, dass sie Jahre später wiedergekommen sind und waren verheiratet, und es ist ihnen gutgegangen. Haben ihre Frau mitgebracht. Manchmal sogar ihre Kinder. Sie sind aber nicht meinetwegen gekommen. Ich hab's erlebt, wie sie ihre Frau oder Freundin vorgestellt und dann einfach losgeheult haben. Gestandene Männer. Die ein paar ziemlich üble Sachen verbrochen hatten. Sie hat gewusst, was sie da tut. Das hat sie schon immer gewusst. Also haben wir jeden Monat das Budget fürs Gefängnis überschritten, aber was kann man da machen? Nichts kann man da machen. Das ist alles, was man machen kann.

Chigurh fuhr bei der Ausfahrt zur 131 vom Highway ab, schlug das Telefonbuch auf seinem Schoß auf und blätterte die blutbefleckten Seiten um, bis er zu den Tierärzten kam. Außerhalb von Bracketville, etwa dreißig Minuten entfernt, gab es eine Klinik. Er warf einen Blick auf das um sein Bein geschlungene Handtuch. Es war durchgeblutet, und der Sitz hatte sich voll Blut gesaugt. Er warf das Telefonbuch auf den Boden und legte die Hände oben auf das Lenkrad. So saß er etwa drei Minuten da. Dann legte er den Gang ein und fuhr wieder hinaus auf den Highway.

Er fuhr bis zur Kreuzung bei La Pryor, wo er die Straße nach Norden, in Richtung Uvalde, nahm. Sein Bein pochte wie eine Pumpe. Auf dem Highway außerhalb von Uvalde hielt er beim Gesundheitszentrum, löste die um sein Bein geknotete Jalousieschnur und zog das Handtuch weg. Dann stieg er aus und humpelte in das Gebäude.

Er kaufte eine ganze Tüte voller Veterinärartikel. Baumwolle, Heftpflaster und Gaze. Eine Klistierspritze und eine Flasche Wasserstoffperoxid. Eine Pinzette. Schere. Ein paar Päckchen Zehn-mal-zehn-Zentimeter-Tupfer und eine Literflasche Betadin. Er bezahlte, ging hinaus, stieg in den Ramcharger, ließ den Motor an, saß da und beobachtete das Gebäude im Rückspiegel. Als dächte er vielleicht an etwas, was er noch brauchte, aber das war es nicht. Er zog die Finger in die Manschette seines Hemdes zurück und tupfte sich vorsichtig den Schweiß aus den Augen. Dann legte er den Gang ein, stieß rückwärts aus der Parklücke und fuhr auf den Highway hinaus in Richtung Stadt.

Er fuhr die Main Street entlang, bog in Richtung Norden in die Getty und dann in Richtung Osten in die Nopal ein, wo er parkte und den Motor abstellte. Sein Bein blutete immer noch. Er nahm Schere und Heftpflaster aus der Tüte und schnitt aus dem Karton, der die Watte enthielt, eine runde Scheibe von etwa acht Zentimer Durchmesser aus, die er zusammen mit dem Heftpflaster in seine Hemdtasche steckte. Vom Boden hinter dem Sitz nahm er einen Drahtkleiderbügel, drehte die Enden auseinander und bog ihn gerade. Dann beugte er sich zur Seite, öffnete seine Reisetasche, nahm ein Hemd heraus, schnitt mit der Schere einen Ärmel ab, faltete ihn zusammen, steckte ihn in die Tasche, legte die Schere in die Papiertüte zurück, öffnete die Tür und ließ sich vorsichtig herab, wobei er sein verletztes Bein mit beiden Händen unter dem Knie heraushob. Er blieb stehen und hielt sich an der Tür fest. Vornübergebeugt, den Kopf auf die Brust gedrückt, verharrte er fast eine Minute lang in dieser Haltung. Dann richtete er sich auf, schlug die Tür zu und setzte sich die Straße entlang in Marsch.

Vor dem Drugstore auf der Main Street blieb er stehen, drehte sich um und lehnte sich an einen dort geparkten Wagen. Er sah sich um. Es kam niemand. Er schraubte den Tankdeckel ab, schlang den Hemdsärmel um den Kleiderbügeldraht, führte diesen in den Tank ein und zog ihn wieder heraus. Dann klebte er die Pappscheibe auf die Tanköffnung, knüllte den benzingetränkten Hemdsärmel zusammen, klebte ihn auf die Pappe, zündete ihn an, drehte sich um und humpelte in den Drugstore. Er hatte etwas mehr als die Hälfte des zum Apothekenbereich führenden Mittelgangs hinter sich gebracht, als der Wagen mit einer Explosion, die den größten Teil der Schaufensterscheibe bersten ließ, in Flammen aufging.

Er schob sich durch die kleine Schranke und hinkte die Gänge des Apothekenbereichs entlang. Er fand ein Päckchen Einwegspritzen und ein Fläschchen Hydrocodone-Tabletten und kam auf der Suche nach Penicillin durch den Mittelgang zurück. Er fand keines, trieb stattdessen aber Tetracyclin und Sulfonamid auf. Er stopfte alles in seine Taschen, kam im orangefarbenen Licht des Feuers hinter der Ladentheke hervor, ging den Gang entlang, griff sich ein Paar Aluminiumkrücken, stieß die Hintertür auf und humpelte hinaus, über den Kies des Parkplatzes hinter dem Geschäft. Der Alarm an der Hintertür ging los, blieb aber unbeachtet, und Chigurh selbst hatte nicht einmal flüchtig zum vorderen Teil des Ladens hingesehen, der mittlerweile in Flammen stand.

Er hielt bei einem Motel außerhalb von Hondo, ließ sich ein Zimmer am Ende des Gebäudes geben, ging hinein und stellte seine Reisetasche aufs Bett. Er schob die Pistole unter das Kopfkissen, ging mit der Tüte des Gesundheitszentrums ins Bad und kippte den Inhalt ins Waschbecken. Er leerte seine Taschen und breitete alles auf der Ablage aus – Schlüssel, Brieftasche, die Antibiotika-Fläschchen und die Spritzen. Dann setzte er sich auf den Wannenrand, zog sich die Stiefel aus, langte nach unten, steckte den Stöpsel in die Wanne und drehte den Hahn auf. Er zog sich aus und ließ sich vorsichtig in die Wanne gleiten, während sie volllief.

Sein Bein war schwarz und blau und dick geschwollen. Es sah aus wie nach einem Schlangenbiss. Mit einem Waschlappen schwemmte er Wasser über die Wunden. Er drehte das Bein und musterte die Austrittswunde. Am Gewebe klebten kleine Stoffteilchen. Das Loch war so groß, dass er den Daumen hätte hineinstecken können.

Als er aus der Wanne stieg, war das Wasser blassrosa, und aus den Wunden in seinem Bein sickerte noch immer wässrig verdünntes Blut mit Serum. Er ließ die Stiefel in das Wasser fallen, tupfte sich mit dem Handtuch trocken, setzte sich auf die Toilette und nahm die Flasche Betadin und das Päckchen Tupfer aus dem Waschbecken. Mit den Zähnen riss er das Päckchen auf, schraubte den Deckel der Flasche ab und kippte langsam etwas von dem Inhalt über die Wunden. Dann stellte er sie ab und machte sich an die Arbeit, zupfte mit Hilfe der Tupfer und der

Pinzette die kleinen Stoffteilchen ab. Er drehte den Hahn des Waschbeckens auf und ruhte sich kurz aus. Dann hielt er die Spitze der Pinzette unter den Hahn, schüttelte die Tröpfchen ab und machte sich wieder an die Arbeit.

Als er fertig war, desinfizierte er die Wunde ein letztes Mal, riss mehrere Päckchen mit zehn mal zehn Zentimeter großen Tupfern auf, deckte die Einschusslöcher in seinem Bein damit ab und verband das Ganze mit Mull von einer Rolle, die für Schafe und Ziegen bemessen war. Dann stand er auf, füllte den Plastikbecher, der auf der Waschbeckenablage stand, mit Wasser und trank ihn leer. Er füllte und trank ihn noch zweimal leer. Dann ging er zurück ins Schlafzimmer und streckte sich, das Bein von den Kissen gestützt, auf dem Bett aus. Von seiner leicht mit Schweiß beperlten Stirn abgesehen, gab es wenig Anzeichen dafür, dass seine Mühen ihn irgendetwas gekostet hatten.

Als er ins Badezimmer zurückkehrte, schälte er eine der Spritzen aus der Plastikverpackung, stach die Nadel durch die Versiegelung in die Phiole mit Tetracyclin, zog den Inhalt auf, bis der Glaszylinder voll war, hielt ihn ans Licht und drückte mit dem Daumen den Kolben, bis an der Spitze der Nadel ein kleines Tröpfchen austrat. Dann schnickte er mit dem Finger zweimal gegen die Spritze, beugte sich vor, stieß die Nadel in den Quadriceps seines rechten Beins und drückte langsam den Kolben hinunter.

Er blieb fünf Tage in dem Motel. Humpelte zum Essen auf den Krücken zum Café und wieder zurück. Er ließ unentwegt den Fernseher laufen und sah sich im Bett sitzend das Programm an, ohne je den Sender zu wechseln. Er sah sich alles an, was kam. Seifenopern, Nachrichten, Talkshows. Zweimal am Tag wechselte er den Verband, reinigte die Wunden mit Epsomer Bittersalzlösung und nahm die Antibiotika. Als am ersten Vormittag das Zimmermädchen kam, ging er an die Tür und sagte ihr, sie müsse sein Zimmer nicht machen, er brauche nur Seife und Handtücher. Er gab ihr zehn Dollar, sie nahm das Geld und blieb unschlüssig stehen. Er sagte ihr das Gleiche auf Spanisch, und sie nickte, steckte das Geld in ihre Schürzentasche und schob ihren Wagen über den Gehweg zurück, während er noch einen Moment stehenblieb, die Autos auf dem Parkplatz musterte und dann die Tür schloss.

Am fünften Abend kamen, als er gerade im Café saß, zwei Deputys des Sheriffbüros von Valdez County herein, setzten sich, nahmen den Hut ab, legten ihn auf den Stuhl neben sich, nahmen die Speisekarte aus dem Chromhalter und schlugen sie auf. Einer von ihnen sah ihn an. Chigurh ließ es über sich ergehen, ohne sich wegzudrehen oder den Blick zu erwidern. Sie unterhielten sich. Dann sah ihn der andere an. Dann kam die Kellnerin. Er trank seinen Kaffee aus, stand auf, ließ das Geld auf dem Tisch liegen und ging hinaus. Er hatte die Krücken im Zimmer zurückgelassen und ging, bemüht, nicht zu hinken, langsam und gleichmäßig den Fußweg am Schaufenster des Cafés vorbei. Er ging an seinem Zimmer vorbei bis ans Ende der Ramada und drehte sich um. Er blickte zu dem Ramcharger hinüber, der am Ende des Grundstücks geparkt war. Der Wagen war weder vom Empfang noch vom Restaurant aus zu sehen. Er ging zurück zu seinem Zimmer, steckte seinen Kulturbeutel und die Pistole in seine Reisetasche, ging hinaus und über den Parkplatz zu dem Ramcharger, stieg ein, ließ den Motor an, fuhr über den Betonteiler auf den Parkplatz des benachbarten Elektronikgeschäfts und hinaus auf den Highway.

Wells stand auf der Brücke, und vom Fluss her zauste ihm der Wind das schüttere, sandfarbene Haar. Er drehte sich um, lehnte sich an den Zaun, hob den kleinen, billigen Fotoapparat, den er bei sich hatte, drückte aufs Geratewohl den Auslöser und ließ den Apparat wieder sinken. Er stand an der Stelle, an der vier Tage zuvor Moss gestanden hatte. Er musterte das Blut auf dem Gehweg. Wo sich die Spur endgültig verlor, blieb er stehen, die Arme verschränkt, das Kinn in die Hand gestützt. Er machte sich nicht die Mühe, ein Bild zu knipsen. Niemand beobachtete ihn. Er blickte flussabwärts auf das langsam fließende grüne Wasser. Er ging ein Dutzend Schritte und kam zurück. Er trat auf die Fahrbahn und ging auf die andere Seite hinüber. Ein Lastwagen kam vorbei. Ein leichtes Zittern im Oberbau der Brücke. Er ging weiter den Fußweg entlang und blieb dann stehen. Der schwache Umriss eines Stiefelabdrucks in Blut. Der noch schwächere eines zweiten. Er musterte den Maschendrahtzaun, um festzustellen, ob Blut daran war. Er zückte sein Taschentuch, befeuchtete es mit der Zunge und strich damit über die Rauten. Dann schaute er auf den Fluss hinab. Unten auf der amerikanischen Seite eine Straße. Zwischen Straße und Fluss ein dichter Carrizo-Bestand. Das Röhricht schlug sanft im Flusswind. Wenn er das Geld nach Mexiko geschafft hatte, war es weg. Aber das hatte er nicht.

Wells trat zurück und sah sich erneut die Stiefelabdrücke an. Über die Brücke kamen ein paar Mexikaner mit ihren Körben und Bündeln für den Tag. Er nahm seinen Fotoapparat heraus und knipste ein Bild vom Himmel, vom Fluss, von allem.

Bell saß am Schreibtisch, schrieb Schecks aus und rechnete mit einer Rechenmaschine Zahlen zusammen. Als er fertig war, lehnte er sich auf seinem Stuhl zurück und schaute aus dem Fenster auf den öden Rasen vor dem Gerichtsgebäude. Molly, sagte er.

Sie kam und blieb in der Tür stehen.

Haben Sie schon irgendwas über diese Fahrzeuge rausgekriegt?

Sheriff, ich hab alles rausgekriegt, was rauszukriegen war. Diese Fahrzeuge sind allesamt auf Verstorbene zugelassen. Der Besitzer von diesem Blazer ist schon vor zwanzig Jahren gestorben. Soll ich auch noch zusehen, was ich über die mexikanischen rauskriegen kann?

Nein. Um Himmels willen, nein. Hier sind Ihre Schecks.

Sie kam herein, nahm das dicke Scheckheft mit dem Kunstledereinband von seinem Schreibtisch und klemmte es sich unter den Arm. Dieser DEA-Agent hat wieder angerufen. Wollen Sie nicht mit ihm reden?

Das versuch ich, so gut es geht, zu vermeiden.

Er hat gesagt, er fährt nochmal da raus, und wollte wissen, ob Sie mitkommen wollen.

Das ist ja sehr aufmerksam von ihm. Ich schätze, er kann hinfahren, wo er will. Er ist offiziell bestallter Agent der Regierung der Vereinigten Staaten.

Er wollte wissen, was Sie mit den Fahrzeugen vorhaben.

Ja. Ich muss versuchen, die Dinger zu versteigern. Noch mehr zum Fenster rausgeworfenes County-Geld. Eins hat immerhin einen klasse Motor. Dafür kriegen wir vielleicht ein paar Dollar. Keine Nachricht von Mrs. Moss?

Nein, Sir.

Na schön.

Er sah auf die Uhr an der äußeren Bürowand. Wären Sie so nett, bei Loretta anzurufen und ihr zu sagen, dass ich nach Eagle Pass gefahren bin und sie von dort aus anrufe. Ich würd sie ja selbst anrufen, aber sie will bestimmt, dass ich nach Hause komme, und vielleicht könnt ich dann nicht nein sagen.

Soll ich damit warten, bis Sie das Gebäude verlassen haben?

Ja.

Er schob den Stuhl zurück, stand auf, nahm seinen Revolvergurt von der Garderobe hinter seinem Schreibtisch, hängte ihn sich über die Schulter, griff nach seinem Hut und setzte ihn auf. Wie war das nochmal, was Torbert immer sagt? Über Wahrheit und Gerechtigkeit?

Wir weihen uns ihnen täglich aufs Neue. Oder so ähnlich.

Ich glaub, ich werd mich von jetzt an zweimal täglich weihen. Bis die Sache vorbei ist, komm ich vielleicht sogar auf dreimal. Bis morgen dann.

Er hielt beim Café, holte sich einen Kaffee zum Mitnehmen und war auf dem Rückweg zum Streifenwagen, als der Kleinlaster die Straße entlangkam. Mit grauem Wüstenstaub bedeckt. Bell blieb stehen, sah ihm nach, stieg dann in den Streifenwagen, wendete, fuhr an dem Laster vorbei und stoppte ihn. Als er ausstieg und zurückging, saß der Fahrer Kaugummi kauend am Steuer und sah ihm mit so etwas wie gutmütiger Arroganz entgegen.

Bell legte eine Hand auf die Fahrerkabine und blickte zu dem Fahrer hinein. Dieser nickte. Sheriff, sagte er.

Haben Sie in letzter Zeit mal nach Ihrer Ladung gesehen?

Der Fahrer sah in den Rückspiegel. Was ist denn das Problem, Sheriff?

Bell trat ein Stück zurück. Steigen Sie aus, sagte er.

Der Mann öffnete die Tür und stieg aus. Bell ruckte mit dem Kopf in Richtung Ladefläche. Eine verdammte Sauerei ist das, sagte er.

Der Mann ging nach hinten und sah sich die Sache an. Eine von den Befestigungsleinen hat sich gelockert, sagte er.

Er packte die lose Ecke der Plane und zog sie wieder über die auf der Ladefläche liegenden Leichen, die einzeln in extrastarke blaue Folie gehüllt und mit Klebeband umwickelt waren. Es waren acht, und sie sahen aus wie das, was sie waren. In Folie gehüllte und mit Klebeband umwickelte Leichen.

Mit wie vielen sind Sie losgefahren?, fragte Bell.

Ich hab keinen verloren, Sheriff.

Hättet ihr nicht mit einem Kastenwagen da rausfahren können?

Wir hatten keinen Kastenwagen mit Allradantrieb.

Er verzurrte die Ecke der Plane und blieb am Wagenheck stehen.

In Ordnung, sagte Bell.

Sie schreiben mich doch nicht wegen unzureichend gesicherter Ladung auf?

Machen Sie, dass Sie hier wegkommen.

Bei Sonnenuntergang erreichte er die Devil's River Bridge, fuhr, als er sie halb überquert hatte, rechts heran, schaltete die Signallampen auf dem Wagendach ein, stieg aus und lehnte sich an das Aluminiumrohr, das als oberste Geländerstange diente. Sah zu, wie die Sonne in dem blauen Becken jenseits der Eisenbahnbrücke im Westen versank. Der Fahrer eines Sattelschleppers, der in westlicher Richtung durch die langgezogene Kurve der Brückenfahrbahn kam, schaltete herunter, als er die Signallampen zu Gesicht bekam. Im Vorbeifahren beugte er sich aus dem Fenster. Springen Sie nicht, Sheriff. Sie ist es nicht wert. Dann war er, gefolgt von einem langen Windsog, fort, der Dieselmotor drehte hoch, und der Fahrer schaltete mit Zwischengas in den nächsten Gang. Bell lächelte. O doch, sagte er, das ist sie.

Ungefähr anderthalb Kilometer hinter der Kreuzung der 481 mit der 57 gab die auf dem Beifahrersitz liegende Box einen einzigen Piepton von sich und verstummte dann wieder. Chigurh fuhr auf den Standstreifen und hielt an. Er nahm die Box in die Hand und drehte sie einmal um. Er stellte die Regler neu ein. Nichts. Er fuhr wieder auf den Highway. In dem flachen blauen Hügelland vor ihm sammelte sich das Sonnenlicht. Versickerte langsam. Ein kühler, schattiger Dämmer senkte sich über die Wüste. Er nahm seine Sonnenbrille ab, legte sie ins Handschuhfach, schloss die Klappe des Handschuhfachs und schaltete die Schweinwerfer ein. Während er das tat, begann die Box in langsamem, gemessenem Rhythmus zu piepen.

Er parkte hinter dem Hotel, stieg aus, kam, die Box, die Schrotflinte und die Pistole in einer Tasche mit Reißverschluss verstaut, um den Pick-up herumgehinkt, überquerte den Parkplatz und stieg die Hoteltreppe hinauf.

Er trug sich ein, bekam den Schlüssel, humpelte die Treppe hinauf und den Flur entlang zu seinem Zimmer, ging hinein, schloss die Tür ab, legte sich, die Schrotflinte quer über der Brust, auf das Bett und starrte an die Decke. Er konnte sich keinen Grund dafür denken, dass sich der Transponder im Hotel befand. Moss schloss er aus, weil er glaubte, dass Moss so gut wie sicher tot war. Damit blieb nur die Polizei. Oder irgendein Agent der Matacumbe Petroleum Group. Der bestimmt glaubte, dass er glaubte, sie glaubten, er glaube, sie wären ziemlich dumm. Er dachte darüber nach.

Als er aufwachte, war es halb elf Uhr nachts, und er lag im Halbdunkel und der Stille, wusste mittlerweile aber, wie die Sache zu erklären war. Er stand auf, schob die Schrotflinte hinter die Kissen und steckte sich die Pistole in den Hosenbund. Dann ging er hinaus und hinkte die Treppe hinunter.

Der Mann am Empfang saß auf einem Stuhl und las eine Zeitschrift, und als er Chigurh sah, schob er sie unter den Schalter und stand auf. Ja, Sir, sagte er.

Ich möchte das Gästebuch sehen.

Sind Sie Polizist?

Nein, bin ich nicht.

Ich fürchte, das kann ich nicht machen, Sir.

Doch, das können Sie.

Als er wieder heraufkam, blieb er vor der Tür seines Zimmers stehen und lauschte. Er ging hinein, holte die Schrotflinte und den Empfänger, ging dann weiter zu dem Zimmer mit dem Absperrband vor der Tür, hielt die Box daran und schaltete sie ein. Er ging weiter zur zweiten Tür und prüfte den Empfang dort. Dann kehrte er zum ersten Zimmer zurück, öffnete mit dem Schlüssel von der Rezeption die Tür, trat zurück und drückte sich mit dem Rücken an die Wand des Korridors.

Er hörte Verkehrsgeräusche von der Straße jenseits des Parkplatzes, glaubte aber dennoch, dass das Fenster geschlossen war. Kein Luftzug war zu spüren. Er warf einen raschen Blick ins Zimmer. Bett von der Wand weggezogen. Badezimmertür offen. Er vergewisserte sich, dass die Schrotflinte entsichert war. Dann trat er mit einem langen Schritt neben den anderen Türpfosten.

Es war niemand im Zimmer. Mit der Box suchte er es ab und fand den Sender in der Schublade des Nachtschränkchens. Er setzte sich aufs Bett und drehte ihn in der Hand. Ein polierter Metallrhombus, so groß wie ein Dominostein. Er schaute hinaus auf den Parkplatz. Sein Bein schmerzte. Er steckte das Stück Metall in die Tasche, schaltete den Empfänger aus, stand auf, ging hinaus und zog die Tür hinter sich zu. Im Zimmer klingelte das Telefon. Er überlegte einen Moment lang. Dann stellte er den Transponder auf die Fensterbank im Flur, drehte sich um und ging wieder in die Eingangshalle hinunter.

Und dort wartete er auf Wells. Damit würde keiner rechnen. Er saß in einem in die Ecke geschobenen Ledersessel, von dem aus er sowohl den Vordereingang als auch den nach hinten führenden Flur übersehen konnte. Wells kam dreizehn Minuten nach elf, und Chigurh stand auf und folgte ihm die Treppe hinauf, die Schrotflinte locker in die Zeitung eingeschlagen, die er gelesen hatte. Ein Stück weit die Treppe hinauf drehte Wells sich um und blickte zurück, und Chigurh ließ die Zeitung fallen und hob die Schrotflinte auf Hüfthöhe. Hallo, Carson, sagte er.

Sie saßen in Wells' Zimmer, Wells auf dem Bett, Chigurh auf dem Stuhl am Fenster. Du musst das nicht tun, sagte Wells. Ich bin ein Daytrader. Ich könnte einfach nach Hause gehen.

Könntest du.

Es soll dein Schaden nicht sein. Ich geh mit dir zu einem Geldautomaten. Danach geht einfach jeder seiner Wege. Da wären ungefähr vierzehn Riesen für dich drin.

Guter Zahltag.

Finde ich auch.

Chigurh sah zum Fenster hinaus, die Schrotflinte quer über den Knien. Dass ich verwundet worden bin, hat mich verändert, sagte er. Meine Perspektive verändert. In gewisser Weise habe ich mich weiterbewegt. Mir ist einiges klargeworden, was mir vorher nicht klar war. Ich hab gedacht, es wäre mir klar, aber das war's nicht. Am ehesten kann ich es so formulieren, dass ich mir selbst nahegekommen bin. Das ist nicht das Schlechteste. Es war überfällig.

Es ist trotzdem noch ein guter Zahltag.

Stimmt. Nur leider in der falschen Währung.

Wells schätzte die Entfernung zwischen ihnen ab. Sinnlos. Vielleicht vor zwanzig Jahren. Wahrscheinlich aber schon damals nicht. Tu, was du tun musst, sagte er.

Chigurh fläzte sich lässig auf dem Stuhl, das Kinn an seine Fingerknöchel gedrückt. Sein Augenmerk auf Wells gerichtet. Auf dessen letzte Gedanken. Er hatte das alles schon erlebt. Genau wie Wells.

Angefangen hat es schon vorher, sagte er. Bloß hab ich es da nicht bemerkt. Als ich zur Grenze runtergefahren bin, hab ich in einer kleinen Stadt in einem Café Rast gemacht, da waren ein paar Männer, die haben Bier getrunken, und einer hat ständig zu mir hergesehen. Ich hab ihn nicht weiter beachtet. Ich hab mein Essen bestellt und gegessen. Aber als ich zum Tresen gegangen bin, um zu zahlen, musste ich an ihnen vorbei, und sie haben alle gegrinst, und er hat was gesagt, das war schwer zu ignorieren. Weißt du, was ich gemacht hab?

Ja. Ich weiß, was du gemacht hast.

Ich hab ihn ignoriert. Ich hab gezahlt und war gerade dabei, die Tür aufzudrücken, da hat er dasselbe nochmal gesagt. Ich hab mich umgedreht und ihn angesehen. Ich hab einfach nur dagestanden, mir mit einem Zahnstocher zwischen den Zähnen gestochert und eine kleine Bewegung mit dem Kopf gemacht. Dass er rauskommen soll. Wenn er Lust dazu hat. Und dann bin ich rausgegangen. Und hab auf dem Parkplatz gewartet. Und er und seine Freunde sind rausgekommen, und ich hab ihn auf dem Parkplatz umgebracht und bin dann in meinen Wagen gestiegen. Die haben alle um ihn rumgestanden. Haben gar nicht gewusst, was passiert war. Haben nicht gewusst, dass er tot war. Einer hat gesagt, ich hätte einen Würgegriff bei ihm angesetzt, und dann haben sie's alle gesagt. Sie haben versucht, ihn dazu zu bringen, dass er sich aufsetzt. Sie haben ihn geohrfeigt und versucht, ihn dazu zu bringen, dass er sich aufsetzt. Eine Stunde später bin ich hinter Sonora, Texas, von einem Deputy rausgewunken worden und hab mich von ihm in Handschellen in die Stadt bringen lassen. Ich weiß nicht, warum ich das gemacht hab, aber ich glaub, ich wollte sehen, ob ich mich selbst durch einen Willensakt befreien konnte. Ich glaube nämlich, dass man das kann. Dass so etwas möglich ist. Aber es war trotzdem idiotisch. Überheblich. Verstehst du?

Ob ich verstehe?

Ja.

Hast du eigentlich eine Vorstellung davon, wie absolut verrückt du bist?

Meinst du das Wesen dieses Gesprächs?

Dein Wesen.

Chigurh lehnte sich zurück. Er musterte Wells. Verrat mir eins, sagte er.

Was?

Wenn dich die Regel, an die du dich gehalten hast, hierher geführt hat, welchen Sinn hat sie dann gehabt?

Ich weiß nicht, wovon du redest.

Ich rede von deinem Leben. In dem jetzt alles auf einmal erkennbar wird.

Dein Quatsch interessiert mich nicht, Anton.

Ich dachte, du willst dich vielleicht erklären.

Ich muss mich dir nicht erklären.

Nicht mir. Dir selbst. Ich dachte, du hast vielleicht etwas zu sagen.

Fahr zur Hölle.

Du überraschst mich, das ist alles. Ich hab was anderes erwartet. Das stellt frühere Ereignisse in Frage, findest du nicht?

Du glaubst, ich wär gern an deiner Stelle?

Ja. Das glaub ich. Ich bin hier, und du bist da. In ein paar Minuten werd ich immer noch hier sein.

Wells blickte zu der dunkel gewordenen Fensteröffnung hinaus. Ich weiß, wo der Aktenkoffer ist, sagte er.

Wenn du wüsstest, wo der Aktenkoffer ist, dann hättest du ihn.

Ich hab gedacht, ich muss warten, bis niemand mehr da ist. Bis es Nacht wird. Zwei Uhr morgens, so um den Dreh.

Du weißt also, wo der Aktenkoffer ist.

Ja.

Ich weiß was Besseres.

Und das wäre?

Ich weiß, wo er sein wird.

Und wo wär das?

Er wird mir gebracht und zu Füßen gelegt werden.

Wells wischte sich mit dem Handrücken über den Mund. Es würde dich überhaupt nichts kosten. Es sind zwanzig Minuten von hier.

Du weißt doch, dass das nicht passieren wird. Oder?

Wells gab keine Antwort.

Oder?

Fahr zur Hölle.

Du glaubst, du kannst es mit deinen Augen aufschieben.

Wie meinst du das?

Du glaubst, solange du mich ansiehst, kannst du es aufschieben.

Das glaub ich nicht.

Doch, das tust du. Du solltest dir eingestehen, in welcher Lage du bist. Dann läge mehr Würde darin. Ich versuche, dir zu helfen.

Du Scheißkerl.

Du glaubst, du wirst die Augen nicht zumachen. Aber da irrst du dich.

Wells gab keine Antwort. Chigurh beobachtete ihn. Ich weiß, was du noch glaubst, sagte er.

Du weißt nicht, was ich glaube.

Du glaubst, ich bin wie du. Dass es sich um bloße Gier handelt. Aber ich bin nicht wie du. Ich führe ein einfaches Leben.

Tu's einfach.

Du würdest das nicht verstehen. Ein Mann wie du.

Tu's einfach.

Ja, sagte Chigurh. Das sagen sie immer. Aber sie meinen es nicht so, oder?

Du Dreckskerl.

So geht das nicht, Carson. Du musst dich zusammennehmen.

Wenn du schon mich nicht respektierst, was musst du dann erst von dir selbst halten? Sieh dir doch an, wo du stehst.

Du glaubst, du stehst außerhalb von allem, sagte Wells. Aber das tust du nicht.

Nicht von allem. Nein.

Du stehst nicht außerhalb des Todes.

Aber für mich bedeutet er nicht, was er für dich bedeutet.

Glaubst du, ich hab Angst vor dem Sterben?

Ja.

Tu's einfach. Tu's und zum Teufel mit dir.

Es ist nicht das Gleiche, sagte Chigurh. Du hast seit Jahren alles Mögliche aufgegeben, um hier zu landen. Ich glaub, noch nicht mal das versteh ich. Wie entscheidet ein Mensch, in welcher Reihenfolge er sein Leben hinter sich lässt? Wir sind in derselben Branche. Jedenfalls bis zu einem gewissen Grad. Hast du mich dermaßen verachtet? Warum eigentlich? Wie hast du dich nur in diese Lage gebracht?

Wells blickte hinaus auf die Straße. Wie spät ist es?, fragte er.

Chigurh hob den Arm und sah auf seine Uhr. Elf Uhr siebenundfünfzig, sagte er.

Wells nickte. Nach dem Kalender der alten Frau bleiben mir noch drei Minuten. Ach, was soll's. Ich hab das alles schon vor langer Zeit kommen sehen. Fast wie in einem Traum. Déjà vu. Er sah Chigurh an. Deine Ansichten interessieren mich nicht, sagte er. Tu's einfach. Du verdammter Psychopath. Tu's, und zur Hölle mit dir.

Er schloss dann doch die Augen. Er schloss die Augen, drehte den Kopf weg und hob eine Hand, um abzuwehren, was nicht abzuwehren war. Chigurh schoss ihm ins Gesicht. Alles, was Wells je gewusst, gedacht oder geliebt hatte, troff langsam an der Wand hinter ihm hinab. Das Gesicht seiner Mutter, seine

Erstkommunion, Frauen, die er gekannt hatte. Die Gesichter von Männern, während sie, vor ihm auf den Knien liegend, starben. Der Körper eines toten Kindes in einer Schlucht neben der Straße, in einem anderen Land. Er lag halb kopflos auf dem Bett, die Arme zur Seite geworfen, mit größtenteils fehlender rechter Hand. Chigurh stand auf, pflückte die leere Patronenhülse vom Teppich, pustete hinein, steckte sie in die Tasche und sah auf seine Uhr. Bis zum neuen Tag war es noch eine Minute.

Er ging die Hintertreppe hinunter und über den Parkplatz zu Wells' Wagen, suchte aus den Schlüsseln, die Wells bei sich gehabt hatte, den Wagenschlüssel heraus, öffnete die Tür und durchsuchte das Wageninnere vorn, hinten und unter den Sitzen. Es war ein Mietwagen, der außer dem Mietvertrag in der Türtasche nichts enthielt. Er schloss die Tür, humpelte nach hinten und öffnete den Kofferraum. Nichts. Er ging zur Fahrerseite, öffnete die Tür, löste die Motorhaubenverriegelung, ging nach vorn, hob die Motorhaube, blickte in den Motorraum, klappte die Haube zu und schaute hinüber zum Hotel. Während er da stand, klingelte Wells' Funktelefon. Er fischte es aus seiner Tasche, drückte den Knopf und hielt es sich ans Ohr. Ja, sagte er.

An den Arm der Schwester geklammert, schleppte sich Moss den Stationsflur entlang. Sie sagte auf Spanisch Ermutigendes zu ihm. Beim Schwesternzimmer angelangt, machten sie kehrt und traten den Rückweg an. Schweiß stand ihm auf der Stirn. Ándale, sagte sie. Qué bueno. Er nickte. Und wie bueno, sagte er.

Spät in der Nacht erwachte er aus einem verstörenden Traum, kämpfte sich den Flur entlang und bat darum, das Telefon benutzen zu dürfen. Schwer auf den Schalter gestützt, wählte er die Nummer in Odessa und hörte zu, wie es klingelte. Es klingelte lange Zeit. Schließlich nahm ihre Mutter ab.

Ich bin's, Llewelyn.

Sie will nicht mit dir reden.

Doch, will sie.

Weißt du, wie spät es ist?

Es ist mir egal, wie spät es ist. Leg gefälligst nicht auf.

Ich hab ihr gesagt, was passieren würde, oder? Und zwar bis in alle Einzelheiten. Ich hab gesagt: Das und das wird eintreten. Und jetzt ist es eingetreten.

Leg nicht auf. Hol sie ans Telefon.

Sie meldete sich mit den Worten: Ich hätt nicht gedacht, dass du so mit mir umgehen würdest.

Hallo, Liebling, wie geht's dir? Geht's dir gut, Llewelyn? Hast du deine Zunge verschluckt?

Wo bist du?

Piedras Negras.

Was soll ich machen, Llewelyn?

Geht's dir gut?

Nein, mir geht's nicht gut. Wie kann's mir gutgehen? Leute rufen deinetwegen hier an. Ich hab den Sheriff von Terrell County hier gehabt. Hat hier vor der Tür gestanden, verdammt nochmal. Ich hab gedacht, du wärst tot.

Ich bin nicht tot. Was hast du ihm gesagt?

Was hätt ich ihm denn sagen können?

Hätt ja sein können, dass er dich mit irgendwelchen Tricks dazu gebracht hat, was zu sagen.

Du bist verletzt, stimmt's?

Wie kommst du darauf?

Das hör ich deiner Stimme an. Bist du okay?

Ich bin okay.

Wo bist du?

Hab ich dir doch gesagt.

Du hörst dich an, als wärst du in einem Busbahnhof.

Carla Jean, ich glaub, du musst von dort verschwinden.

Von wo?

Aus diesem Haus.

Du machst mir Angst, Llewelyn. Wo soll ich denn hin?

Das spielt keine Rolle. Ich glaub bloß, dass du nicht dort bleiben solltest. Du könntest in ein Motel gehen.

Und was soll ich mit Mama machen?

Der passiert schon nichts.

Der passiert schon nichts?

Ja.

Das kannst du doch gar nicht wissen.

Llewelyn gab keine Antwort.

Oder?

Ich glaub einfach nicht, dass irgendwer sie belästigt.

Du glaubst das nicht?

Du musst verschwinden. Nimm sie einfach mit.

Ich kann mit meiner Mama nicht in ein Motel gehen. Sie ist krank, falls du das vergessen hast.

Was hat der Sheriff denn gesagt?

Dass er dich sucht, was glaubst du denn, was er gesagt hat?

Was hat er noch gesagt?

Sie gab keine Antwort.

Carla Jean?

Es hörte sich an, als ob sie weinte.

Was hat er noch gesagt, Carla Jean?

Dass du auf dem besten Weg bist, dich umbringen zu lassen.

Na, was soll er auch sonst sagen.

Sie blieb längere Zeit stumm.

Carla Jean?

Llewelyn, ich will das Geld gar nicht. Ich will bloß, dass mit uns alles wieder so wird, wie es war.

Das wird es auch.

166

Nein, wird es nicht. Ich hab darüber nachgedacht. Es ist ein falscher Gott.

Ja. Aber es ist echtes Geld.

Wieder sagte sie seinen Namen, dann begann sie zu weinen. Er versuchte, mit ihr zu reden, aber sie gab keine Antwort. Er stand da und hörte zu, wie sie in Odessa still vor sich hinschluchzte. Was soll ich machen?, sagte er.

Sie gab keine Antwort.

Carla Jean?

Ich will, dass alles wieder so wird, wie es war.

Wenn ich dir sage, dass ich versuche, alles in Ordnung zu bringen, tust du dann, worum ich dich gebeten hab?

Ja.

Ich hab hier eine Nummer, die ich anrufen kann. Jemand, der uns helfen kann.

Kannst du ihm vertrauen?

Ich weiß nicht. Ich weiß nur, dass ich niemand anderem vertrauen kann. Ich ruf dich morgen an. Ich hab nicht gedacht, dass sie dich da oben finden würden, sonst hätt ich dich da nie hingeschickt. Ich ruf dich morgen an.

Er legte auf und wählte die Nummer, die Wells ihm gegeben hatte. Schon beim zweiten Klingeln meldete sich jemand, aber nicht Wells. Ich glaub, ich hab mich verwählt, sagte er.

Sie haben sich nicht verwählt. Sie müssen zu mir kommen.

Wer spricht da?

Sie wissen, wer da spricht.

Moss stützte sich auf den Schalter, die Stirn gegen die Faust gedrückt.

Wo ist Wells?

Der kann Ihnen nicht mehr helfen. Was für einen Deal haben Sie mit ihm gemacht?

Ich hab überhaupt keinen Deal mit ihm gemacht.

Doch, das haben Sie. Wie viel wollte er Ihnen geben?

Ich weiß nicht, wovon Sie reden.

Wo ist das Geld?

Was haben Sie mit Wells gemacht?

Wir hatten eine Meinungsverschiedenheit. Mit Wells brauchen Sie sich nicht weiter zu beschäftigen. Er spielt keine Rolle mehr. Sie müssen mit mir reden.

Ich muss nicht mit Ihnen reden.

Ich glaube schon. Wissen Sie, wo ich hinfahre?

Wieso sollte mich interessieren, wo Sie hinfahren?

Wissen Sie, wo ich hinfahre?

Moss gab keine Antwort.

Sind Sie noch da?

Ja.

Ich weiß, wo Sie sind.

Ach ja? Wo bin ich denn?

Sie sind in Piedras Negras im Krankenhaus. Aber da fahre ich nicht hin. Wissen Sie, wo ich hinfahre?

Ja. Ich weiß, wo Sie hinfahren.

Sie können das alles abwenden.

Wieso sollt ich Ihnen glauben?

Wells haben Sie doch auch geglaubt.

Ich hab Wells nicht geglaubt.

Immerhin haben Sie ihn angerufen.

Dann hab ich ihn eben angerufen.

Sagen Sie mir, was ich machen soll.

Moss verlagerte sein Gewicht. Schweiß stand auf seiner Stirn. Er gab keine Antwort.

Sagen Sie mir was. Ich warte.

Ich könnte schon auf Sie warten, wenn Sie dort ankommen, sagte Moss. Ein Flugzeug chartern. Haben Sie darüber mal nachgedacht?

Das wäre okay. Aber das werden Sie nicht tun.

Woher wollen Sie das wissen?

Dann hätten Sie's mir nicht gesagt. Egal, ich muss jetzt los.

Sie wissen doch, dass sie nicht mehr da sein werden.

Es macht überhaupt keinen Unterschied, wo sie sind.

Wozu fahren Sie dann hin?

Sie wissen doch, wie die Geschichte ausgehen wird, oder?

Nein. Sie?

Ja. Weiß ich. Und ich glaube, Sie wissen es auch. Sie haben es bloß noch nicht akzeptiert. Ich mache Folgendes: Sie bringen mir das Geld, und ich lasse Ihre Frau gehen. Andernfalls ist sie verantwortlich. Genau wie Sie. Ich weiß nicht, ob Ihnen das gleich ist. Aber das ist der beste Deal, den Sie kriegen. Dass Sie sich selbst retten können, erzähl ich Ihnen erst gar nicht, denn das können Sie nicht.

Ich werd Ihnen was bringen, verlassen Sie sich drauf, sagte Moss. Ich werd Sie zu meinem Spezialprojekt machen. Sie müssen gar nicht nach mir suchen.

Freut mich zu hören. Sie hatten schon angefangen, mich zu enttäuschen.

Sie werden nicht enttäuscht sein.

Gut.

Von wegen Enttäuschung müssen Sie sich bei Gott keine Sorgen machen.

Er ging vor Tagesanbruch, bekleidet mit dem Klinik-Nachthemd aus Musselin, über dem er den Mantel trug. Der Mantelschoß war steif von getrocknetem Blut. Er hatte keine Schuhe an. In der Innentasche des Mantels befand sich das Geld, das er dort versteckt hatte, steif und blutbefleckt.

Er stand auf der Straße und blickte zu den Lichtern hin. Er hatte keine Ahnung, wo er sich befand. Der Beton war kalt unter seinen Füßen. Er schleppte sich zur Ecke. Ein paar Autos kamen vorbei. Er ging weiter zu den Lichtern an der nächsten Ecke, blieb stehen und stützte sich mit einer Hand am Gebäude ab. In der Manteltasche hatte er zwei weiße Tabletten, die er sich aufgehoben hatte, und er nahm eine und schluckte sie trocken herunter. Er meinte, sich übergeben zu müssen. Er blieb längere Zeit dort stehen. Wo er stand, war eine Fensterbank, auf die er sich gesetzt hätte, aber sie war mit Eisenspitzen gespickt, um Herumtreiber abzuhalten. Ein Taxi kam vorbei, und er hob eine Hand, aber es fuhr weiter. Er würde auf die Straße hinausgehen müssen, und nach einer Weile tat er das auch. Er stand einige Zeit schwankend da, ehe ein weiteres Taxi kam, das anhielt, als er die Hand hob.

Der Fahrer musterte ihn. Moss lehnte sich zum Fenster hinein. Können Sie mich über die Brücke fahren?, fragte er.

Auf die andere Seite?

Ja. Auf die andere Seite.

Geld haben Sie?

Ja. Ich hab Geld.

Der Fahrer machte ein skeptisches Gesicht. Zwanzig Dollar, sagte er.

Okay.

An der Schranke beugte sich der Grenzer herunter und betrachtete ihn, wie er da im düsteren Fond des Wagens saß. In welchem Land sind Sie geboren?, fragte er.

In den Vereinigten Staaten.

Was führen Sie ein?

Nichts.

Der Grenzer musterte ihn. Steigen Sie bitte aus, sagte er.

Moss drückte den Türgriff nach unten und stützte sich auf der Lehne des Vordersitzes ab, um sich aus dem Taxi zu schieben. Er blieb daneben stehen.

Was ist mit Ihren Schuhen passiert?

Ich weiß nicht.

Sie haben nichts an, wie?

Ich hab was an.

Der zweite Grenzer winkte die Autos durch. Er deutete auf den Taxifahrer. Würden Sie Ihren Wagen bitte auf den zweiten Parkplatz dort stellen.

Der Fahrer legte den Gang ein.

Würden Sie bitte vom Wagen wegtreten?

Moss trat vom Wagen weg. Das Taxi fuhr in den Parkbereich, der Fahrer stellte den Motor ab. Moss sah den Grenzer an. Dieser schien darauf zu warten, dass er etwas sagte, doch er blieb stumm.

Sie nahmen ihn mit hinein und setzten ihn in einem kleinen, weißgestrichenen Büro auf einen Metallstuhl. Ein weiterer Mann kam herein und lehnte sich an einen Metallschreibtisch. Er musterte ihn von Kopf bis Fuß.

Wie viel haben Sie getrunken?

Ich hab überhaupt nichts getrunken.

Was ist mit Ihnen passiert?

Wie meinen Sie das?

Was ist mit Ihren Kleidern passiert?

Ich weiß nicht.

Haben Sie irgendetwas, womit Sie sich ausweisen können?

Nein.

Gar nichts?

Nein.

Die Arme vor der Brust verschränkt, lehnte sich der Mann zurück. Er sagte: Was meinen Sie, wer durch diese Schranke in die Vereinigten Staaten von Amerika darf?

Ich weiß nicht. Amerikanische Bürger.

Einige amerikanische Bürger. Wer, meinen Sie, entscheidet das?

Sie vermutlich.

Das ist richtig. Und wie entscheide ich das?

Ich weiß nicht.

Ich stelle Fragen. Wenn ich vernünftige Antworten bekomme, darf der Betreffende nach Amerika. Wenn ich keine vernünftigen Antworten bekomme, darf er nicht. Gibt es daran irgendetwas, was Sie nicht verstehen?

Nein, Sir.

Dann würden Sie vielleicht gern nochmal von vorn anfangen.

Na gut.

Wir müssen mehr darüber wissen, warum sie hier sind, ohne etwas anzuhaben.

Ich hab doch einen Mantel an.

Wollen Sie mich verscheißern?

Nein, Sir.

Verscheißern Sie mich nicht. Sind Sie beim Militär?

Nein, Sir. Ich bin Veteran.

Welche Teilstreitkraft?

United States Army.

Waren Sie in Nam?

Ja, Sir. Drei Stationierungen.

Welche Einheit?

Zwölftes Infanteriebataillon.

Von wann bis wann waren Sie dort?

Siebzehnter August neunzehnhundertsechsundsechzig bis zweiter Mai neunzehnhundertachtundsechzig.

Der Mann betrachtete ihn eine Zeitlang. Moss sah ihn an, wandte dann den Blick ab und richtete ihn auf die Tür, den leeren Flur. Im Mantel, vornübergebeugt, die Ellbogen auf die Knie gestützt.

Fehlt Ihnen was?

Nein, Sir. Mir fehlt nichts. Meine Frau kommt und holt mich, wenn Sie mich weiterfahren lassen.

Haben Sie Geld bei sich? Kleingeld für einen Anruf?

Ja, Sir.

Er hörte Krallen über die Fliesen klicken. Im Aufblicken sah er einen Grenzer mit einem Schäferhund an der Leine. Der Verhörbeamte ruckte das Kinn in Richtung Grenzer. Sehen Sie zu, dass dem Mann hier jemand hilft. Er muss in die Stadt. Ist das Taxi schon weg?

Ja, Sir. Es war sauber.

Ich weiß. Sehen Sie zu, dass ihm jemand hilft.

Er sah Moss an. Wo kommen Sie her?

Aus San Saba, Texas.

Weiß Ihre Frau, wo Sie sind?

Ja. Ich hab erst vor kurzem mit ihr gesprochen.

Haben Sie sich gestritten?

Hat sich wer gestritten?

Sie und Ihre Frau.

Na ja. Wohl schon, denk ich. Ja, Sir.

Sie müssen ihr sagen, dass es Ihnen leidtut.

Sir?

Ich hab gesagt, Sie müssen ihr sagen, dass es Ihnen leidtut.

Ja, Sir. Mach ich.

Auch wenn Sie glauben, dass es ihre Schuld war.

Ja, Sir.

Na dann. Machen Sie, dass Sie hier wegkommen.

Ja, Sir.

Manchmal hat man ein kleines Problem und bringt es nicht in Ordnung, und dann ist es auf einmal kein kleines Problem mehr. Verstehen Sie, was ich damit sagen will?

Ja, Sir.

Ab mit Ihnen.

Ja, Sir.

Es war schon fast Tag, und das Taxi war längst weg. Er marschierte los, die Straße entlang. Aus seiner Wunde sickerte ein blutiges Serum, das an der Innenseite seines Beins hinabrann. Die Leute beachteten ihn kaum. Er bog in die Adams Street ein, blieb vor einem Kleidergeschäft stehen und spähte hinein. Hinten brannte Licht. Er klopfte an die Tür, wartete und klopfte erneut. Schließlich öffnete ein kleiner Mann in weißem Hemd und schwarzer Krawatte und lugte zu ihm heraus. Ich weiß, Sie haben nicht geöffnet, sagte Moss, aber ich brauche ganz dringend ein paar Kleider. Der Mann nickte und riss die Tür weit auf. Kommen Sie rein, sagte er.

Nebeneinander gingen sie den Gang entlang zur Stiefelabteilung. Tony Lama, Justin, Nocona. Dort standen auch ein paar Sessel, und Moss ließ sich vorsichtig auf einem nieder, die Hände an den Armlehnen festgeklammert. Ich brauch Stiefel und ein paar Kleider, sagte er. Ich hab gesundheitliche Probleme und will nur so viel rumlaufen, wie ich unbedingt muss.

Der Mann nickte. Ja, Sir, sagte er. Natürlich.

Führen Sie Larry Mahans?

Nein. Sir. Leider nicht.

Macht nichts. Ich brauche Wrangler-Jeans, Bundweite zweiunddreißig, Schrittlänge vierunddreißig Inch. Ein Hemd Größe L. Socken. Und zeigen Sie mir ein paar Nocona-Stiefel Größe zehneinhalb. Und ich brauch einen Gürtel.

Ja, Sir. Wollen Sie sich auch Hüte ansehen?

Moss blickte quer durch den Laden. Ja, ein Hut wär nicht schlecht. Haben Sie welche von diesen Viehzüchterhüten mit schmaler Krempe? Sieben drei Achtel?

Ja, haben wir. Wir haben einen Drei-X-Beaver von Resistol und eine etwas bessere Qualität von Stetson. Einen Fünf-X, glaub ich.

Zeigen Sie mir den Stetson. Den silbergrauen.

Wird gemacht, Sir. Sind weiße Socken in Ordnung?

Ich trag gar keine anderen.

Wie steht's mit Unterwäsche?

Vielleicht eine Boxershorts. Zweiunddreißig. Oder M.

Ja, Sir. Machen Sie sich's einfach bequem. Geht's Ihnen gut?

Mir geht's gut.

Der Mann nickte und wandte sich zum Gehen.

Kann ich Sie mal was fragen?, sagte Moss.

Ja, Sir.

Erleben Sie das oft, dass Leute hier reinkommen, die nichts anhaben?

Nein, Sir. Oft würd ich nicht sagen.

Er nahm den Stapel neuer Kleider mit in die Kabine, schälte sich aus dem Mantel und hängte ihn an den Haken auf der Rückseite der Tür. Über seinen teigigen, eingefallenen Bauch zog sich eine fahle Kruste von geronnenem Blut. Er drückte die Ränder des Verbands an, aber sie klebten nicht richtig. Er ließ sich auf der Holzbank nieder, zog die Socken an, riss die Verpackung der Boxershorts auf, nahm sie heraus, zog sie sich über die Füße bis hoch zu den Knien, stand dann auf und zog sie behutsam über den Verband. Er setzte sich wieder und löste das Hemd von der Pappeinlage, an der es mit unzähligen Nadeln festgesteckt war.

Als er aus der Kabine kam, trug er den Mantel über dem Arm. Auf den knarrenden Holzbohlen des Mittelgangs ging er ein paarmal auf und ab. Der Verkäufer hielt den Blick auf die Stiefel gerichtet. Bei Eidechsenleder dauert das Einlaufen länger, sagte er.

Ja. Und im Sommer ist es heiß. Die hier sind in Ordnung. Probieren wir mal den Hut auf. So aufgetakelt war ich seit meiner Entlassung aus der Army nicht mehr.

Der Sheriff trank einen Schluck von seinem Kaffee und stellte den Becher exakt wieder in den Ring auf der Glasplatte des Schreibtisches, in dem er vorher gestanden hatte. Die wollen das Hotel dichtmachen, sagte er.

Bell nickte. Das wundert mich nicht.

Sie haben alle gekündigt. Der Bursche hatte gerade mal zwei Schichten hinter sich. Ich mach mir selber Vorwürfe. Wär nie drauf gekommen, dass der Schweinehund wiederkommt. So was konnt ich mir einfach nicht vorstellen.

Vielleicht war er ja die ganze Zeit da.

Daran hab ich auch schon gedacht.

Dass niemand weiß, wie er aussieht, liegt daran, dass keiner von denen lange genug lebt, um ihn zu beschreiben.

Das ist ein gemeingefährlicher Verrückter, Ed Tom.

Ja. Ich glaub allerdings nicht, dass er verrückt ist.

Wie würdest du ihn denn nennen?

Ich weiß nicht. Wann wollen die es denn dichtmachen?

Es ist praktisch schon dicht.

Hast du einen Schlüssel?

Ja. Ich hab einen Schlüssel. Es ist ein Tatort.

Warum gehen wir nicht rüber und schauen uns nochmal um.

Na gut. Das können wir machen.

Das Erste, was sie sahen, war der Transponder, der auf einer Fensterbank im Flur lag. Bell nahm ihn in die Hand, drehte ihn hin und her und betrachtete die Skala und die Knöpfe.

Das ist doch wohl keine gottverdammte Bombe, oder?
Nein.

Das hätt uns gerade noch gefehlt.

Das ist ein Peilsender.

Also haben sie gefunden, was auch immer sie angepeilt haben.

Wahrscheinlich. Was meinst du, wie lange das Ding schon daliegt?

Ich weiß nicht. Allerdings könnt ich mir denken, was die angepeilt haben.

Vielleicht, sagte Bell. Aber irgendwas an der ganzen Geschichte passt nicht richtig zusammen.

Das muss es ja auch nicht.

Wir haben hier einen Ex-Colonel der Army, dem der größte Teil des Kopfes fehlt und den ihr nur anhand seiner Fingerabdrücke habt identifizieren können. So weit ihm die Finger nicht weggeschossen waren. Berufssoldat. Vierundzwanzig Jahre Dienstzeit. Keinerlei Papiere.

Er ist ausgeraubt worden.

Ja.

Was weißt du über die Sache, was du mir nicht sagst?

Du hast dieselben Fakten wie ich.

Ich rede hier nicht von Fakten. Glaubst du, diese ganze Schweinerei hat sich Richtung Süden verlagert?

Bell schüttelte den Kopf. Ich weiß nicht.

Hast du irgendein persönliches Interesse an der Sache?

Nicht direkt. Zwei junge Leute aus meinem County, die vielleicht irgendwie drin verwickelt sind und es besser nicht wären.

Irgendwie drin verwickelt.

Ja.

Reden wir von Verwandtschaft?

Nein. Einfach Leute aus meinem County. Leute, auf die ich ein Auge haben soll.

Er reichte dem Sheriff den Peilsender.

Was soll ich damit machen?

Das ist Eigentum des Maverick County. Beweismaterial.

Der Sheriff schüttelte den Kopf. Drogen, sagte er.

177

Drogen.

Die verkaufen diesen Scheiß an Schulkinder.

Es ist schlimmer.

Wieso?

Schulkinder kaufen das Zeug.

VII

Vom Krieg will ich auch nicht reden. Angeblich war ich ein Kriegsheld, dabei hab ich einen ganzen Zug Leute verloren. Bin dafür dekoriert worden. Sie sind gestorben, und ich hab einen Orden dafür gekriegt. Ich will gar nicht wissen, was Sie davon halten. Es vergeht kein Tag, ohne dass ich mich daran erinnere. Manche Jungs, die ich kenne, haben nach dem Krieg dank der GI Bill in Austin studiert und sich ganz schön abfällig über ihre Leute geäußert. Jedenfalls einige davon. Sie als Hinterwäldler bezeichnet und lauter solche Sachen. Ihre politischen Ansichten abgelehnt. Zwei Generationen sind eine lange Zeit in diesem Land. Nehmen wir mal die ersten Siedler. Ich hab immer gesagt, wenn einem Frau und Kinder umgebracht, skalpiert und wie Fische ausgenommen werden, dann kann einen das ziemlich wütend machen, aber die Leute haben anscheinend gar nicht gewusst, wovon ich rede. Ich glaub, die Sechziger haben in diesem Land doch einige ernüchtert. Jedenfalls hoff ich das. Vor einer Weile hab ich in der Zeitung gelesen, ein paar Lehrer wären auf eine Umfrage gestoßen, die damals in den Dreißigern an einer Reihe von Schulen im ganzen Land durchgeführt worden ist. Da gab's einen Fragebogen darüber, was die Probleme beim Schulunterricht sind. Und die haben die Fragebogen gefunden, die überall im Land ausgefüllt und zurückgeschickt worden waren. Und die größten Probleme, die da genannt worden sind, waren so Sachen wie Reden im Unterricht und Rennen auf den Fluren. Kaugummikauen. Abschreiben. Solche Sachen. Dann haben sie einen von diesen Fragebogen genommen, der nicht ausgefüllt war, haben ihn ein paarmal kopiert und an dieselben Schulen geschickt. Vierzig Jahre später.

Tja, und dann sind die Antworten zurückgekommen. Vergewaltigung, Brandstiftung, Mord. Drogen. Selbstmord. Da macht man sich schon seine Gedanken. Weil ich nämlich oft, wenn ich davon rede, dass die Welt zum Teufel geht, einfach nur angelächelt werd und zu hören krieg, dass ich alt werde. Dass das eins von den Anzeichen dafür wär. Aber meiner Meinung nach hat jeder, der den Unterschied zwischen Vergewaltigung und Mord und Kaugummikauen nicht kennt, ein sehr viel größeres Problem als ich. Vierzig Jahre sind auch keine lange Zeit. Vielleicht wachen einige von denen in den nächsten vierzig Jahren auf. Wenn's dann nicht schon zu spät ist.

Vor ein, zwei Jahren sind Loretta und ich bei einer Veranstaltung in Corpus Christi gewesen, da hab ich neben dieser Frau gesessen, das war die Frau von irgendwem. Und die hat unentwegt vom rechten Dies und vom rechten Das geredet. Ich hab gar nicht genau gewusst, was sie damit meint. Die Leute, die ich kenne, sind größtenteils ganz normale Leute. Stinknormal, wie man so sagt. Das hab ich ihr gesagt, und darauf hat sie mich ganz komisch angeguckt. Sie hat gedacht, ich hätt was Abfälliges über die Leute gesagt, aber da, wo ich her bin, ist das natürlich ein großes Kompliment. Sie hat unentwegt weitergeredet. Und schließlich hat sie mir gesagt: Es passt mir nicht, hat sie gesagt, wo dieses Land hinsteuert. Ich will, dass meine Enkelin das Recht auf Abtreibung hat. Darauf hab ich gesagt: Tja, Ma'am, ich glaub nicht, dass Sie sich Sorgen machen müssen, wohin das Land steuert. So wie ich es seh, hab ich keine großen Zweifel, dass sie das Recht auf Abtreibung kriegen wird. Ich behaupte sogar, sie wird nicht nur das Recht auf Abtreibung kriegen, sondern auch das Recht, Sie einschläfern zu lassen. Damit war das Gespräch dann so ziemlich vorbei.

Chigurh humpelte die siebzehn Treppen des kühlen Betontreppenschachts hinauf, und als er bei der Stahltür auf dem Treppenabsatz anlangte, schoss er mit dem Bolzenschussgerät den Schlosszylinder heraus, öffnete die Tür, trat in den Flur und schloss die Tür hinter sich. Die Schrotflinte in beiden Händen, blieb er an die Tür gelehnt stehen und lauschte. Atmete dabei nicht schneller, als wenn er gerade von einem Stuhl aufgestanden wäre. Er ging den Flur entlang, hob den kaputten Zylinder vom Boden auf, steckte ihn ein und ging weiter zum Fahrstuhl, wo er abermals lauschend stehenblieb. Er zog seine Stiefel aus, stellte sie neben die Fahrstuhltür und ging, sein verletztes Bein schonend, auf Strümpfen langsam weiter den Flur entlang.

Die Bürotür zum Flur stand offen. Er blieb stehen. Vielleicht, dachte er, sah der Mann seinen eigenen Schatten nicht, der unscharf umrissen, aber deutlich sichtbar an die äußere Flurwand geworfen wurde. Chigurh hielt das für ein seltsames Versehen, wusste jedoch, dass die Angst vor einem Feind die Menschen oft für andere Gefahren blind machte, nicht zuletzt für die Gestalt, in der sie selbst sich der Welt zeigten. Er streifte den Tragegurt von der Schulter und stellte den Druckluftbehälter auf dem Boden ab. Er studierte die Haltung, die der Schatten des Mannes, vom Licht des Rauchglasfensters hinter ihm gerahmt, einnahm. Mit dem Handballen schob er, um die Patrone in der Kammer zu überprüfen, den Zubringer leicht zurück und entsicherte.

Der Mann hielt eine kleine Pistole in Hüfthöhe. Chigurh trat in die Tür und schoss ihm mit einer Ladung Zehnerschrot in den Hals. Das Kaliber, das Trophäenjäger verwendeten, um Vögel zu schießen. Der Mann stürzte nach hinten in seinen Drehstuhl, den er umstieß, und ging zu Boden, wo er zuckend und gurgelnd liegen blieb. Chigurh hob die rauchende Patronenhülse vom Teppichboden auf, steckte sie ein und ging ins

Zimmer, während von dem Metallzylinder, der auf das Ende des abgesägten Flintenlaufs aufgesetzt war, noch fahler Rauch aufstieg. Er trat um den Schreibtisch herum und sah auf den Mann hinab. Dieser lag auf dem Rücken und hielt sich mit einer Hand den Hals, doch das Blut quoll stetig zwischen seinen Fingern hindurch auf den Teppich. Sein Gesicht war voller kleiner Löcher, doch sein rechtes Auge schien unversehrt, er blickte zu Chigurh auf und versuchte, mit seinem blubbernden Mund zu reden. Auf die Schrotflinte gestützt, ließ sich Chigurh auf ein Knie nieder und sah ihn an. Was ist?, fragte er. Was wollen Sie mir sagen?

Der Mann bewegte den Kopf. Das Blut gurgelte in seiner Kehle.

Können Sie mich verstehen?, fragte Chigurh.

Der Mann gab keine Antwort.

Ich bin der Mann, den Carson Wells in Ihrem Auftrag umbringen sollte. Ist es das, was Sie wissen wollten?

Er betrachtete ihn. Der Mann trug einen Trainingsanzug aus blauem Nylon und weiße Lederschuhe. Um seinen Kopf bildete sich eine Blutlache, und er zitterte, als wäre ihm kalt.

Ich hab Vogelschrot verwendet, weil ich das Fenster nicht kaputt machen wollte. Hinter Ihnen. Damit kein Glas auf die Leute auf der Straße regnet. Er wies mit dem Kopf auf das Fenster, wo sich die obere Silhouette des Mannes in den kleinen grauen Kratern abzeichnete, die das Blei im Glas hinterlassen hatte. Er sah den Mann an. Dessen Hand am Hals war erschlafft, und der Blutfluss hatte sich verlangsamt. Er blickte auf die danebenliegende Pistole. Dann stand er auf, sicherte die Schrotflinte, ging um den Mann herum ans Fenster und inspizierte die von den Bleikugeln hervorgerufenen Vertiefungen. Als er erneut auf den Mann hinabsah, war dieser tot. Er durchquerte das Zimmer und blieb lauschend in der Tür stehen. Er ging hinaus und den Flur

182

entlang, hob den Druckluftbehälter und das Bolzenschussgerät auf, holte seine Stiefel und zog sie an. Dann ging er den Korridor entlang, zur Metalltür hinaus und die Betontreppe hinunter in die Garage, wo sein Auto stand.

Als sie am Busbahnhof ankamen, brach gerade grau und kalt der Tag an, und es fiel leichter Regen. Sie beugte sich nach vorn über den Sitz, bezahlte den Fahrer und gab ihm zwei Dollar Trinkgeld. Er stieg aus, ging zum Kofferraum, öffnete ihn, nahm ihr Gepäck heraus, stellte es unter das Vordach, ging mit dem Gehgestell auf die Seite, auf der ihre Mutter saß, und öffnete die Tür. Ihre Mutter drehte sich zur Seite und begann sich mühsam in den Regen hinauszuhieven.

Mama, wartest du bitte? Ich muss erst zu dir herumkommen.

Ich hab es kommen sehen, sagte die Mutter. Ich hab's schon vor drei Jahren gesagt.

Das ist noch keine drei Jahre her.

Wortwörtlich hab ich das gesagt.

Warte doch mal, bis ich zu dir rumgekommen bin.

Im Regen, sagte die Mutter. Sie blickte zu dem Taxifahrer auf. Ich hab Krebs, sagte sie. Nun sehen Sie sich das an. Nicht mal ein Zuhause, wo man hingehen kann.

Ja, Ma'am.

Wir fahren nach El Paso, Texas. Wissen Sie, wie viele Leute ich in El Paso, Texas, kenne?

Nein, Ma'am.

Den Arm an der Tür, hielt sie inne, hob die Hand und bildete mit Daumen und Zeigefinger einen Kreis. So viele, sagte sie.

Ja, Ma'am.

Von ihren Taschen und Päckchen umgeben, saßen sie in der Cafeteria und starrten hinaus in den Regen und auf die Busse, die mit laufendem Motor dort standen. Auf den grau anbrechenden Tag. Sie sah ihre Mutter an. Willst du noch Kaffee?, fragte sie.

Die alte Frau gab keine Antwort.

Du redest wohl nicht mehr.

Ich wüsst nicht, was es zu reden gibt.

Na ja, ich eigentlich auch nicht.

Was ihr gemacht habt, habt ihr gemacht. Ich weiß nicht, warum ich eigentlich vor der Polizei davonlaufen muss.

Wir laufen nicht vor der Polizei davon, Mama.

Aber um Hilfe habt ihr sie auch nicht bitten können, oder?

Wen?

Die Polizei.

Nein.

Das hab ich mir gedacht.

Mit dem Daumen schob sich die alte Frau das Gebiss zurecht und starrte zum Fenster hinaus. Nach einer Weile kam der Bus. Der Fahrer verstaute das Gehgestell im Gepäckraum, dann halfen sie ihr die Stufen hinauf und bugsierten sie auf den vordersten Sitz. Ich hab Krebs, sagte sie dem Fahrer.

Carla Jean verstaute ihre Taschen in dem Gepäckfach über dem Sitz und setzte sich. Die alte Frau sah sie nicht an. Vor drei Jahren, sagte sie. Dazu hat's gar keinen Traum gebraucht. Keine Offenbarung oder so was. Ich bild mir da gar nichts drauf ein. Jeder hätt dir das sagen können.

Ich hab aber nicht gefragt.

Die alte Frau schüttelte den Kopf. Blickte zum Fenster hinaus auf den Tisch, den sie gerade geräumt hatten. Ich bild mir da gar nichts drauf ein, sagte sie. Ich wär die Letzte auf der Welt, die das tut.

Chigurh hielt auf der anderen Straßenseite an und stellte den Motor ab. Er schaltete die Scheinwerfer aus, saß da und beobachtete das dunkle Haus. Laut den grünen Diodenziffern des Radios war es 1 Uhr 17. Er blieb bis 1 Uhr 22 sitzen, dann nahm er die Taschenlampe aus dem Handschuhfach, stieg aus, schloss die Wagentür und ging über die Straße zu dem Haus.

Er öffnete das Fliegengitter, schoss den Schlosszylinder heraus, ging hinein, machte die Tür hinter sich zu und blieb lauschend stehen. Von der Küche her war Licht zu sehen, und er ging, die Taschenlampe in der einen und die Schrotflinte in der anderen Hand, den Flur entlang. An der Küchentür angelangt, blieb er abermals stehen und lauschte. Das Licht kam von einer nackten Glühbirne auf der hinteren Veranda. Er ging in die Küche.

Mitten im Raum ein Tisch mit Chromgestell und blanker Resopalplatte, auf der eine Schachtel Frühstücksflocken stand. Auf dem Linoleumboden der Schatten des Küchenfensters. Er durchquerte den Raum, öffnete den Kühlschrank und schaute hinein. Er schob sich die Schrotflinte in die Armbeuge, nahm eine Dose Orangenlimonade aus dem Kühlschrank, riss mit dem Zeigefinger den Verschluss auf, trank daraus und lauschte dabei auf etwaige, auf das metallische Klicken der Dose folgende Geräusche. Er trank, stellte die halbleere Dose auf die Arbeitsplatte, machte den Kühlschrank zu, ging durch das Esszimmer ins Wohnzimmer, setzte sich in einen Sessel in der Ecke und schaute hinaus auf die Straße.

Nach einer Weile stand er auf, durchquerte das Zimmer und ging die Treppe hinauf. Am oberen Treppenabsatz blieb er lauschend stehen. Als er das Zimmer der alten Frau betrat, roch er den süßlich muffigen Geruch der Krankheit und dachte einen Moment lang, sie läge vielleicht sogar im Bett. Er knipste die Taschenlampe an und ging ins Bad. Er las die Etiketten der

Arzneifläschchen auf der Ablage. Er blickte zum Fenster hinaus auf die davor liegende Straße, das trübe Winterlicht der Straßenlaternen. Zwei Uhr morgens. Trocken. Kalt. Still. Er verließ das Bad und ging den Flur entlang in das kleine Zimmer im hinteren Teil des Hauses.

Er leerte ihre Kommodenschubladen auf das Bett und durchwühlte ihre Sachen, wobei er von Zeit zu Zeit ein Stück hochhielt und es im bläulichen Licht der Außenlampe musterte. Eine Haarbürste aus Plastik. Ein billiges Jahrmarktsarmband. Er wog diese Gegenstände in der Hand wie ein Medium, das anhand ihrer irgendetwas über ihre Besitzerin weissagen konnte. Er saß da und durchblätterte die Seiten eines Fotoalbums. Schulfreundinnen. Familie. Ein Hund. Ein Haus, aber nicht dieses. Ein Mann, bei dem es sich um ihren Vater handeln mochte. Er steckte zwei Bilder von ihr in seine Hemdtasche.

Das Zimmer hatte einen Deckenventilator. Er stand auf, zog an der Kette, legte sich, die Schrotflinte neben sich, aufs Bett und sah zu, wie sich die Holzblätter in dem zum Fenster einfallenden Licht langsam drehten. Nach einer Weile stand er auf, nahm den Stuhl, der vor dem Schreibtisch in der Ecke stand, und klemmte ihn leicht gekippt mit der oberen Sprosse der Rückenlehne unter die Türklinke. Dann setzte er sich aufs Bett, zog sich die Stiefel aus, legte sich hin und schlief.

Am Morgen ging er abermals oben wie unten durch das Haus und kehrte dann in das Bad am Ende des Flurs zurück, um zu duschen. Den Vorhang ließ er dabei offen, sodass das Wasser auf den Boden spritzte. Die Tür zum Flur offen und die Schrotflinte in Reichweite auf der Ablage.

Er trocknete den Verband an seinem Bein mit einem Föhn, rasierte sich, zog sich an, ging in die Küche hinunter, gab Frühstücksflocken und Milch in eine Schale und ging, während er aß, durch das Haus. Im Wohnzimmer blieb er stehen und blickte auf die Post, die unter dem Messingschlitz in der Eingangstür lag. Langsam kauend stand er da. Dann stellte er Schale und Löffel auf dem Sofatisch ab, ging durchs Zimmer, bückte sich, hob die Post auf und sah sie durch. Er setzte sich in einen Sessel an der Tür, riss die Telefonrechnung auf, drückte den Umschlag von beiden Enden her zusammen, sodass er sich leicht aufwölbte, und blies hinein.

Er überflog die Liste der Anrufe. Etwa in der Mitte stand das Terrell County Sheriff's Department. Er faltete die Rechnung zusammen, steckte sie in den Umschlag zurück und verstaute diesen in seiner Hemdtasche. Dann sah er noch einmal die übrige Post durch. Er stand auf, ging in die Küche, nahm die Schrotflinte vom Tisch und kehrte an dieselbe Stelle zurück, an der er zuvor gestanden hatte. Dort verharrte er einen Moment lang, ehe er an einen billigen Mahagonischreibtisch trat und die oberste Schublade öffnete. Die Schublade war mit Post vollgestopft. Er legte die Schrotflinte hin, setzte sich auf den Stuhl, zog die Post heraus, stapelte sie auf dem Schreibtisch und begann sie durchzusehen.

Moss verbrachte den Tag in einem billigen Motel am Stadtrand und schlief nackt im Bett, während seine neuen Kleider auf Bügeln im Schrank hingen. Als er aufwachte, zogen sich lange Schatten über den Hof des Motels, und er rappelte sich hoch und setzte sich auf die Bettkante. Auf dem Laken ein fahler Blutfleck, so groß wie seine Hand. Auf dem Nachtschränkchen stand eine Papiertüte mit Sachen, die er in einem Drugstore in der Stadt gekauft hatte, und er nahm sie und humpelte damit ins Bad. Zum ersten Mal seit fünf Tagen duschte er, rasierte sich und putzte sich die Zähne, dann setzte er sich auf den Wannenrand und klebte frischen Verbandmull auf seine Wunden. Danach zog er sich an und bestellte sich ein Taxi.

187

Er stand vor der Motelrezeption, als das Taxi kam. Er stieg hinten ein, griff, als er wieder zu Atem gekommen war, nach der Tür und schlug sie zu. Im Rückspiegel betrachtete er das Gesicht des Fahrers. Wollen Sie ein bisschen Geld machen?, fragte er.

Ja. Ich will ein bisschen Geld machen.

Moss nahm fünf Hunderter, riss sie entzwei und reichte eine Hälfte über die Rückenlehne hinweg dem Fahrer. Der zählte die abgerissenen Scheine, steckte sie in seine Hemdtasche, sah Moss im Spiegel an und wartete.

Wie heißen Sie?

Paul, sagte der Fahrer.

Sie haben die richtige Einstellung, Paul. Ich bring Sie nicht in Schwierigkeiten. Ich will bloß nicht, dass Sie mich irgendwo stehen lassen, wo ich nicht stehen gelassen werden will.

In Ordnung.

Haben Sie eine Taschenlampe?

Ja, hab ich.

Geben Sie sie mir.

Der Fahrer reichte die Taschenlampe nach hinten.

Sie sind mein Mann, sagte Moss.

Wo fahren wir hin?

Die Straße am Fluss entlang.

Ich fahr niemanden holen.

Wir holen niemanden.

Der Fahrer beobachtete ihn im Spiegel. No drogas, sagte er.

No drogas.

Der Fahrer wartete.

Ich hole eine Aktentasche. Sie gehört mir. Sie können reinschauen, wenn Sie wollen. Nichts Illegales.

Ich kann reinschauen.

Ja, können Sie.

Ich hoffe, Sie verscheißern mich nicht.

Nein.

Ich hab nichts gegen Geld, aber noch lieber ist es mir, nicht in den Knast zu kommen.

Das geht mir genauso, sagte Moss.

Langsam fuhren sie die Straße entlang auf die Brücke zu. Moss beugte sich über die Rückenlehne nach vorn. Ich möchte, dass Sie unter der Brücke halten.

In Ordnung.

Ich schraub die Birne der Innenbeleuchtung raus.

Die Straße hier wird rund um die Uhr beobachtet, sagte der Fahrer.

Das weiß ich.

Der Fahrer hielt am Straßenrand, schaltete den Motor und die Scheinwerfer aus und sah Moss im Rückspiegel an. Moss schraubte die Birne aus der Lampe, legte sie in die Plastikabdeckung, reichte sie über den Sitz hinweg dem Fahrer und öffnete die Tür. Ich müsste in ein paar Minuten wieder da sein, sagte er.

Das Schilfrohr war staubig, die Halme standen dicht an dicht. Während er sich vorsichtig hindurchschob, hielt er die Lampe auf Kniehöhe, wobei er das Glas teilweise mit der Hand abdeckte.

Der Aktenkoffer stand aufrecht und unversehrt im Röhricht, als hätte ihn jemand einfach dort abgestellt. Moss knipste die Lampe aus, nahm den Koffer in die Hand und kämpfte sich im Dunkeln zurück, wobei er sich an der Brückenfahrbahn über ihm orientierte. Beim Taxi angelangt, öffnete er die Tür, legte den Aktenkoffer auf den Sitz, stieg vorsichtig ein und schloss die Tür. Er reichte dem Fahrer die Taschenlampe und lehnte sich zurück. Fahren wir, sagte er.

Was ist da drin?, fragte der Fahrer.

Geld.

Geld?

Geld.

Der Fahrer ließ den Motor an und fuhr los.

Machen Sie das Licht an, sagte Moss.

Er machte das Licht an.

Wie viel Geld?

Eine Menge Geld. Für wie viel würden Sie mich nach San Antonio fahren?

Der Fahrer dachte darüber nach. Sie meinen, zusätzlich zu den fünfhundert?

Ja.

Wie wär's mit einem Riesen, alles inklusive.

Alles.

Ja.

Einverstanden.

Wie wär's dann mit der anderen Hälfte von den fünf Lappen, die ich schon hab.

Moss zog die Scheine aus der Tasche und reichte sie über die Rückenlehne nach vorn.

Was ist, wenn uns die Migra anhält.

Die halten uns nicht an, sagte Moss.

Woher wollen Sie das wissen?

Ich hab noch zu viel Scheiß vor mir, mit dem ich mich befassen muss. Die Sache wird nicht hier enden.

Hoffentlich haben Sie recht.

Vertrauen Sie mir, sagte Moss.

Den Satz hör ich gar nicht gern, sagte der Fahrer. Das war schon immer so.

Haben Sie ihn je gesagt?

Ja, hab ich. Deswegen weiß ich auch, was er wert ist.

Er verbrachte die Nacht in einem Rodeway Inn am Highway 90, knapp westlich der Stadt, und am Morgen ging er nach unten, besorgte sich eine Zeitung und stieg die Treppe mühsam wieder hinauf in sein Zimmer. Er konnte sich nicht ausweisen und daher keine Waffe bei einem Händler kaufen, aber er konnte sich eine über die Zeitung besorgen und tat das auch. Eine Tec-9 mit zwei zusätzlichen Magazinen und anderthalb Schachteln Patronen. Der Verkäufer brachte ihm die Waffe an die Tür, und Moss bezahlte ihn in bar. Er drehte die MP in der Hand. Sie hatte eine grünliche, geparkerte Oberfläche. Halbautomatisch. Wann haben Sie das letzte Mal damit geschossen?, fragte er.

Ich hab überhaupt nie damit geschossen.

Sind Sie sicher, dass sie schießt?

Wieso denn nicht?

Ich weiß nicht.

Tja, ich auch nicht.

Als er gegangen war, marschierte Moss, ein Motelkissen unter dem Arm, ein Stück weit in die Prärie hinter dem Haus hinaus, wickelte das Kissen um die Mündung der Pistole, gab drei Schüsse ab und stand dann im kalten Sonnenlicht, sah zu, wie die Federn über den grauen Chaparral trieben, und dachte über sein Leben nach, das vergangene und das künftige. Dann drehte er sich um und ging langsam zum Motel zurück. Das verbrannte Kissen ließ er liegen.

In der Eingangshalle ruhte er sich aus, dann stieg er die Treppe zu seinem Zimmer hinauf. Er nahm ein Bad und betrachtete im Badezimmerspiegel die Austrittswunde im unteren Teil seines Rückens. Sie sah ziemlich hässlich aus. In beiden Wunden befanden sich Drainagen, die er herausziehen wollte, dann aber doch an Ort und Stelle beließ. Er zupfte das Pflaster an seinem Arm ab, betrachtete die tiefe Furche, die die Kugel dort gezogen hatte, und klebte den Verband wieder fest. Er zog sich an, steckte sich einige zusätzliche Scheine in die Gesäßtasche seiner Jeans, verstaute die Pistole und die Magazine im Aktenkoffer, schloss ihn, bestellte sich ein Taxi, nahm den Aktenkoffer in die Hand und ging hinaus und die Treppe hinunter.

Bei einem Händler am North Broadway kaufte er sich einen 1978er Ford mit Allradantrieb und siebeneinhalbtausend Kubik, bezahlte in bar, ließ sich im Büro den Fahrzeugbrief beglaubigen, legte ihn ins Handschuhfach und fuhr los. Er kehrte zum Hotel zurück, checkte aus und fuhr los, die Tec-9 unter dem Sitz, den Aktenkoffer und die Tasche mit seinen Kleidern auf dem Boden vor dem Beifahrersitz.

An der Auffahrt in Boerne stand eine Tramperin, und Moss fuhr rechts heran, hupte und beobachtete sie dann im Rückspiegel. Einen blauen Nylonrucksack über einer Schulter, kam sie auf den Wagen zugerannt. Sie stieg ein und sah ihn an. Fünfzehn, sechzehn. Rotes Haar. Wie weit fahren Sie?, fragte sie.

Kannst du fahren?

Ja, ich kann fahren. Der Wagen hat doch keine Knüppelschaltung, oder?

Nein. Steig aus und komm rum.

Sie ließ ihren Rucksack auf dem Sitz liegen, stieg aus und ging vorn um den Wagen herum. Moss schob den Rucksack auf den Boden, rutschte auf den Beifahrrsitz, sie stieg ein, stellte den Schalthebel auf Drive, und sie fuhren hinaus auf die Interstate.

Wie alt bist du?

Achtzehn.

Quatsch. Was hast du hier zu suchen? Weißt du nicht, dass das Trampen gefährlich ist?

Doch. Das weiß ich.

Er nahm seinen Hut ab, legte ihn neben sich auf den Sitz, lehnte sich zurück und schloss die Augen. Halt dich an die Geschwindigkeitsbegrenzung, sagte er. Wenn wir deinetwegen von den Cops angehalten werden, stecken wir beide bis zum Hals in der Scheiße.

In Ordnung.

Ich mein's ernst. Wenn du dich nicht an die Geschwindigkeitsbegrenzung hältst, schmeiß ich dich sofort raus.

In Ordnung.

Er versuchte zu schlafen, konnte aber nicht. Er hatte starke Schmerzen. Nach einer Weile richtete er sich auf, nahm seinen Hut vom Sitz, setzte ihn auf und warf einen Blick auf den Tacho.

Darf ich Sie was fragen?, sagte sie.

Nur zu.

Sind Sie auf der Flucht vor der Polizei?

Moss schob sich bequemer zurecht, sah sie an und richtete den Blick dann auf den Highway. Wie kommst du denn darauf?

Wegen dem, was Sie vorhin gesagt haben. Übers Angehaltenwerden von der Polizei.

Und wenn ich's wäre?

Dann müsst ich, glaub ich, gleich da vorne aussteigen.

Nein, das glaubst du nicht. Du willst bloß wissen, wo du stehst.

Sie sah ihn aus dem Augenwinkel an. Moss musterte die vorüberziehende Landschaft. Wenn du drei Tage mit mir zusammen wärst, sagte er, könnt ich dich dazu bringen, Tankstellen zu überfallen. Wär überhaupt kein Problem.

Sie bedachte ihn mit einem seltsamen kleinen Halblächeln. Das machen Sie?, fragte sie. Tankstellen überfallen?

Nein. Das hab ich nicht nötig. Hast du Hunger?

Es geht schon.

Wann hast du das letzte Mal was gegessen.

Ich mag's nicht, wenn Leute mich fragen, wann ich das letzte Mal was gegessen hab.

Na gut. Wann hast du das letzte Mal was gegessen.

Ich hab gleich beim Einsteigen gemerkt, dass Sie ein Klugscheißer sind.

Ja. Fahr bei der nächsten Ausfahrt ab. Bis dahin sind's noch sechs Kilometer. Und reich mir mal die Kanone, die unterm Sitz liegt.

Bell fuhr langsam über die Viehsperre, stieg aus, schloss das Gatter, stieg wieder ein, fuhr über die Weide, hielt am Brunnen, stieg aus und ging zum Wasserbehälter. Er schöpfte eine Handvoll auf und ließ es wieder zurückrinnen. Er nahm den Hut ab, fuhr sich mit der nassen Hand durchs Haar und blickte zum Windrad auf. Er betrachtete die dunkle Ellipse der Flügel, die sich im trockenen, windgebeugten Gras langsam drehten. Unter seinen Füßen ein leises, hölzernes Rollen. Dann stand er einfach nur da und schob die Krempe seines Hutes langsam zwischen den Fingern hindurch. Die Haltung eines Mannes, der vielleicht gerade etwas begraben hat. Ich tappe völlig im Dunkeln, sagte er.

Als er nach Hause kam, hatte sie das Abendessen schon fertig. Er legte die Schlüssel für den Pick-up in die Küchenschublade und wusch sich an der Spüle die Hände. Seine Frau legte einen Zettel auf die Arbeitsplatte, und er warf einen Blick darauf.

Hat sie gesagt, wo sie ist? Das ist eine Nummer aus West Texas.

Sie hat nur gesagt, hier spricht Carla Jean, und dann die Nummer genannt. Er ging zum Sideboard und rief an. Sie und ihre Großmutter waren in einem Motel außerhalb von El Paso. Ich will was von Ihnen wissen, sagte sie.

In Ordnung.

Halten Sie ihr Wort?

Ja, das tue ich.

Auch mir gegenüber?

Ich würd sagen, besonders Ihnen gegenüber.

Er hörte, wie sie in den Hörer atmete. In der Ferne Verkehr.

Sheriff?

Ja, Ma'am.

Wenn ich Ihnen sage, von wo er angerufen hat, geben Sie mir dann Ihr Wort, dass ihm nichts passiert?

Ich kann Ihnen mein Wort geben, dass ihm von meiner Seite nichts passiert. Das kann ich.

Nach einer Weile sagte sie: Okay.

Der Mann, der an dem kleinen, von einem Bein mit Scharnier gestützten Wandklapptisch aus Sperrholz saß, schrieb auf dem Schreibblock zu Ende, nahm die Kopfhörer ab, legte sie vor sich auf den Tisch und strich sich mit beiden Händen seitlich das schwarze Haar nach hinten. Er drehte sich um und sah in den hinteren Teil des Wohnwagens, wo der zweite Mann sich auf dem Bett ausgestreckt hatte. Listo?, sagte er.

Der Mann setzte sich auf und schwang die Beine auf den Boden. Er blieb eine Weile so sitzen, dann stand er auf und kam nach vorn.

Hast du's?

Ich hab's.

Er riss das Blatt von dem Block ab und reichte es dem anderen, der es las, zusammenfaltete und in seine Hemdtasche steckte. Dann öffnete er einen der Küchenoberschränke, nahm eine Maschinenpistole mit Tarnfarben-Finish und zwei Reservemagazine heraus, stieß die Tür auf, ging die Stufen hinunter und schloss die Tür hinter sich. Er ging über den Kies zu einem schwarzen Plymouth Barracuda, öffnete die Tür, warf die Maschinenpistole auf den Beifahrersitz, stieg ein, machte die Tür zu und ließ den Motor an. Er gab ein paarmal im Leerlauf Gas, dann fuhr er auf die Straße, machte die Scheinwerfer an und schaltete in den zweiten Gang, sodass der auf die breiten Hinterreifen geduckte Wagen mit mehreren Schlenkern des Hecks quietschend und Gummirauchwolken hinter sich herziehend die Straße hinauf beschleunigte.

VIII

Ich hab in den letzten Jahren eine Menge Freunde verloren, und sie waren nicht alle älter als ich. Das ist eine der Erfahrungen, die man beim Älterwerden macht: dass nicht alle mit einem älter werden. Man versucht, den Leuten zu helfen, die einem das Gehalt zahlen, und natürlich denkt man zwangsläufig daran, was man geleistet hat, wenn man mal abtritt. In diesem County hat's in einundvierzig Jahren keinen ungeklärten Mordfall gegeben. Und jetzt haben wir in einer Woche neun davon. Ob sie geklärt werden? Ich weiß es nicht. Jeder Tag ist gegen uns. Die Zeit arbeitet nicht für uns. Ich weiß nicht, ob es so ein großes Kompliment wär, wenn sich rumspricht, dass man sich in einen Haufen Drogenhändler reinversetzen kann. Nicht, dass die große Probleme damit hätten, sich in uns reinzuversetzen. Die haben keinen Respekt vor dem Gesetz? Das ist nur die halbe Wahrheit. Die denken noch nicht mal an das Gesetz. Das juckt die anscheinend überhaupt nicht. Andererseits haben sie vor einer Weile in San Antonio einen Richter erschossen. Der hat sie wohl schon gejuckt. Dazu kommt, dass es entlang der Grenze Polizisten gibt, die von Drogen reich werden. Das zu wissen tut weh. Mir jedenfalls. Dabei glaub ich, dass es vor zehn Jahren noch nicht so war. Ein unehrlicher Polizist ist einfach eine verdammte Schande. Mehr gibt's dazu nicht zu sagen. Er ist zehnmal schlimmer als der Verbrecher. Und das geht auch nicht weg. Das ist so ungefähr das Einzige, was ich weiß. Es geht nicht weg. Wohin auch?

Das klingt jetzt vielleicht, als wär ich völlig ahnungslos, aber ich glaub, für mich ist das Schlimmste die Gewissheit, dass ich wahrscheinlich nur deshalb überhaupt noch am Leben bin, weil die keinen Respekt vor mir haben. Und das tut weh. Richtig weh. Das Ganze hat ein Ausmaß angenommen, das hätte man sich vor ein paar Jahren nicht vorstellen können. Vor einer Weile haben sie drüben im Presidio County eine DC-4 gefunden. Stand einfach in der Wüste rum. Die waren irgendwann in der Nacht angerückt, hatten ein Stück Gelände als Landepiste planiert und als Beleuchtung zwei Reihen Teerfässer aufgestellt und angezündet, aber es gab keine Möglichkeit, das Ding von dort aus zurückzufliegen. Es war bis auf die nackten Wände ausgeräumt. Nur der Pilotensitz war noch drin. Das Marihuana hat man riechen können, man hat gar keinen Hund gebraucht. Tja, und der Sheriff dort – seinen Namen sag ich nicht –, der wollte sich auf die Lauer legen und sie festnageln, wenn sie das Flugzeug holen kommen, und irgendwann hat ihm jemand gesagt, dass keiner kommen wird. Dass die das noch nie gemacht hätten. Als er schließlich kapiert hat, was man ihm damit eigentlich sagt, ist er ganz still geworden, und dann hat er sich rumgedreht, ist in seinen Wagen gestiegen und weggefahren.

Als es drüben auf der anderen Seite der Grenze die Drogenkriege gab, gab's nirgends mehr Einweckgläser zu kaufen. Für Eingemachtes und so. Um Essen haltbar zu machen. Es hat einfach keine gegeben. Das lag daran, dass die diese Gläser verwendet haben, um Handgranaten reinzustecken. Wenn man nämlich jemand vom Flugzeug aus Granaten aufs Haus oder auf den Hof wirft, dann explodieren die, bevor sie auf dem Boden aufschlagen. Also haben die Folgendes gemacht: Sie haben den Stift gezogen, das Ding in das Glas gesteckt und den Deckel wieder aufgeschraubt. Und wenn das Ding dann auf dem Boden aufgeschlagen ist, hat's das Glas zertrümmert und den Sperrbügel freigegeben. Den Hebel. Kistenweise haben sie die Dinger präpariert. Schwer zu glauben, dass einer nachts mit einer solchen Ladung in einem kleinen Flugzeug rumfliegt, aber die haben das gemacht.

Ich glaub, wenn man Satan wär und würd versuchen, sich was auszudenken, was die Menschheit in die Knie zwingt, dann käm man wahrscheinlich auf Drogen. Vielleicht war er's ja. Neulich hab ich das beim Frühstück zu jemand gesagt, und der hat mich gefragt, ob ich an Satan glaube. Ich hab gesagt, darum geht's doch gar nicht. Ich weiß, hat er gesagt, aber glauben Sie an ihn? Darüber hab ich nachdenken müssen. Als Junge wohl schon. Bis ich dann erwachsen war, hatte mein Glaube ziemlich nachgelassen. Inzwischen neig ich wieder mehr in die andere Richtung. Auf alle Fälle liefert er eine Erklärung für eine Menge Sachen, für die es sonst keine Erklärung gibt. Jedenfalls nicht für mich.

Moss stellte den Aktenkoffer auf die Sitzbank und schob sich ihm behutsam hinterher in die Nische. Er nahm die Speisekarte aus dem Drahtgestell, in dem sie neben Senf und Ketchup stand. Das Mädchen glitt auf die Bank ihm gegenüber. Er blickte nicht auf. Was nimmst du?, fragte er.

Ich weiß nicht. Ich hab mir die Speisekarte noch nicht angesehen.

Er drehte die Speisekarte herum, schob sie ihr zu, wandte sich um und hielt nach der Kellnerin Ausschau.

Und Sie?, fragte das Mädchen.

Was ich nehme?

Nein. Was Sie sind. Sind Sie eine Persönlichkeit?

Er musterte sie. Die einzigen mir bekannten Leute, die wissen, was eine Persönlichkeit ist, sagte er, sind selber welche.

Ich bin vielleicht bloß eine Mitreisende.

Eine Mitreisende.

Ja.

Tja, im Augenblick auf jeden Fall.

Sie sind verletzt, stimmt's?

Wie kommst du darauf?

Sie können kaum gehen.

Vielleicht ist das bloß eine alte Kriegsverletzung.

Das glaub ich nicht. Was ist Ihnen passiert?

Du meinst, in letzter Zeit?

Ja. In letzter Zeit.

Das brauchst du nicht zu wissen.

Wieso nicht?

Ich will nicht, dass du dich in irgendwas reinsteigerst.

Wie kommen Sie drauf, dass ich mich in irgendwas reinsteigern würde?

Weil böse Mädchen auf böse Jungs stehen. Was nimmst du?

Weiß ich noch nicht. Was machen Sie eigentlich?

Bis vor drei Wochen war ich ein gesetzestreuer Bürger. Hab von neun bis fünf gearbeitet. Oder vielmehr von acht bis vier. Was einem so passiert, passiert einfach. Es fragt einen nicht vorher. Es bittet einen nicht um Erlaubnis.

Wenn ich je was Wahres gehört hab, dann das, sagte sie.

Wenn du länger mit mir zusammen bist, hörst du noch mehr davon.

Sie glauben, ich bin ein böses Mädchen?

Ich glaube, du wärst gern eins.

Was ist in dem Aktenkoffer?

Akten.

Was ist da drin?

Ich könnt's dir sagen, aber dann müsst ich dich umbringen.

Sie dürfen an einem öffentlichen Ort keine Waffe tragen. Haben Sie das nicht gewusst? Besonders nicht so eine wie die da.

Ich will dich mal was fragen.

Nur zu.

Wenn die Schießerei losgeht, wärst du dann lieber bewaffnet oder gesetzestreu?

Ich will bei keiner Schießerei dabei sein.

O doch, das willst du. Das sieht man dir an. Du willst bloß nicht getroffen werden. Was nimmst du denn nun?

Was nehmen Sie?

Cheeseburger und eine Schokoladenmilch.

Die Kellnerin kam, und sie bestellten. Das Mädchen nahm das scharfe Rindfleischsandwich mit Kartoffelbrei und Bratensoße. Sie haben mich noch gar nicht gefragt, wo ich hinwill, sagte sie.

Ich weiß, wo du hinwillst.

Wohin denn?

Die Straße lang.

Das ist keine Antwort.

Das ist mehr als bloß eine Antwort.

Sie wissen auch nicht alles.

Ja, das stimmt.

Haben Sie schon mal jemand umgebracht?

Ja, sagte er. Und du?

Sie wirkte verlegen. Sie wissen doch, dass ich noch nie jemand umgebracht hab.

Das weiß ich nicht.

Hab ich aber nicht.

Dann eben nicht.

Sie doch auch nicht, oder?

Was?

Was ich grad gesagt hab.

Jemand umgebracht?

Sie blickte in die Runde, um festzustellen, ob jemand mithörte.

Ja, sagte sie.

Schwer zu sagen.

Nach einer Weile brachte die Kellnerin ihre Teller. Er riss mit den Zähnen ein Tütchen Mayonnaise auf, drückte den Inhalt auf seinen Cheeseburger und griff nach dem Ketchup. Wo bist du her?, fragte er.

Sie trank einen Schluck von ihrem Eistee und wischte sich mit der Papierserviette den Mund. Port Arthur, sagte sie.

Er nickte. Mit beiden Händen hob er den Cheeeseburger, biss hinein und lehnte sich kauend zurück. In Port Arthur war ich noch nie.

Ich hab Sie dort auch nie gesehen.

Wie hättest du mich denn dort sehen können, wenn ich nie dort war?

Gar nicht. Ich hab das nur so gesagt. Ich hab Ihnen zugestimmt.

Moss schüttelte den Kopf.

Sie aßen. Er beobachtete sie.

Ich schätze, du bist auf dem Weg nach Kalifornien.

Woher wissen Sie das?

Das ist die Richtung, in die du unterwegs bist.

Tja, da will ich tatsächlich hin.

Hast du Geld?

Was geht Sie das an?

Gar nichts. Und, hast du?

Ein bisschen was.

Er aß den Cheeseburger fertig, wischte sich mit der Papierserviette die Hände ab und trank die Milch aus. Dann griff er in seine Tasche, nahm das Bündel Hunderter heraus und entfaltete es. Er zählte tausend Dollar auf die Resopalplatte, schob ihr das Geld zu und steckte das Bündel wieder ein. Gehen wir, sagte er.

Wofür ist das?

Um damit nach Kalifornien zu fahren.

Was muss ich dafür tun?

Gar nichts musst du dafür tun. Sogar ein blindes Huhn findet mal ein Korn. Steck das ein, und dann gehen wir.

Sie zahlten und gingen zum Wagen hinaus. Sie haben mich doch eben nicht als blindes Huhn bezeichnet, oder?

Moss ging nicht darauf ein. Gib mir die Schlüssel, sagte er.

Sie zog die Schlüssel aus der Tasche und gab sie ihm. Ich hab gedacht, Sie hätten vielleicht vergessen, dass ich sie hab, sagte sie.

Ich vergess nicht viel.

Ich hätt mich einfach verdrücken können, als wollt ich auf die Toilette, und dann Ihren Wagen klauen und Sie da sitzenlassen.

Nein, hättest du nicht.

Wieso nicht?

Steig ein.

Sie stiegen ein, er legte den Aktenkoffer zwischen sie, zog die Tec-9 aus dem Hosenbund und schob sie unter den Sitz.

Wieso nicht?, fragte sie.

Willst du dein Leben lang dumm bleiben? Erstens hab ich bis zur Eingangstür und auf den Parkplatz raus bis zum Wagen sehen können. Und zweitens: Selbst wenn ich so blöd gewesen wär, mit dem Rücken zur Tür zu sitzen, hätt ich mir einfach ein Taxi besorgt, dich verfolgt, zum Anhalten gezwungen, dir die Scheiße aus dem Leib geprügelt und dich dann liegen lassen.

Sie wurde ganz still. Er steckte den Schlüssel in die Zündung, ließ den Wagen an und stieß zurück.

Das hätten Sie wirklich getan?

Was glaubst du denn?

Als sie Van Horn erreichten, war es sieben Uhr abends. Mit ihrem Rucksack als Kopfkissen hatte sie einen Großteil der Strecke zusammengerollt geschlafen. Er fuhr auf einen Rasthof und stellte den Motor ab, worauf sie wie ein verschrecktes Reh die Augen aufriss. Sie setzte sich auf und sah ihn an, dann erfasste ihr Blick den Parkplatz. Wo sind wir?, fragte sie.

Van Horn. Hast du Hunger?

Ich könnte einen Bissen vertragen.

Magst du ein bisschen in Diesel frittiertes Huhn?

Was?

Er wies auf das Schild über ihnen.

So was ess ich nicht, sagte sie.

Sie blieb lange auf der Toilette. Als sie wiederkam, wollte sie wissen, ob er schon bestellt hatte.

Ja. Ich hab dir was von dem Huhn bestellt.

Haben Sie nicht, sagte sie.

Sie bestellten Steaks. Leben Sie die ganze Zeit so?, fragte sie.

Klar. Wenn man ein großer Desperado ist, sind nach oben keine Grenzen gesetzt.

Was ist das da an der Kette?

Das?

Ja.

Das ist ein Hauer, der Eckzahn von einem Keiler.

Wieso tragen Sie das?

Es gehört mir nicht. Ich bewahr das bloß für jemand auf.

Für jemand Weibliches?

Nein, für jemand Totes.

Die Steaks kamen. Er sah ihr beim Essen zu. Weiß eigentlich irgendjemand, wo du bist?, fragte er.

Was?

Ob irgendjemand weiß, wo du bist.

Wer denn?

Irgendjemand halt.

Sie.

Ich weiß nicht, wo du bist, weil ich nicht weiß, wer du bist.

Damit wären wir schon zu zweit.

Du weißt nicht, wer du bist?

Quatsch. Ich weiß nicht, wer Sie sind.

Schön, dann lassen wir's einfach dabei, und keiner von uns vergibt sich was. In Ordnung?

In Ordnung. Wieso haben Sie mich das überhaupt gefragt?

Moss stippte mit einem halben Brötchen Steakfett auf. Ich hab einfach gedacht, dass es wahrscheinlich stimmt. Für dich ist es ein Luxus. Für mich eine Notwendigkeit.

Warum? Weil jemand hinter Ihnen her ist?

Vielleicht.

Mir gefällt das so, sagte sie. In dem Punkt hatten Sie recht.

Es dauert nicht lang, auf den Geschmack zu kommen, stimmt's?

Nein, sagte sie. Es dauert nicht lang.

Aber so einfach, wie sich's anhört, ist es auch nicht. Du wirst schon sehen.

Wieso?

Es gibt immer jemand, der weiß, wo du bist. Wo und warum. Jedenfalls meistens.

Reden Sie von Gott?

Nein. Ich rede von dir.

Sie aß. Na ja, sagte sie. Man wär auch ganz schön aufgeschmissen, wenn man nicht wüsste, wo man ist.

Ich weiß nicht. Wär man das wirklich?

Ich weiß nicht.

Angenommen, du wärst irgendwo, wüsstest aber nicht, wo. Eigentlich wüsstest du dann nicht, wo woanders ist. Oder wie weit weg es ist. Aber was den Ort angeht, wo du bist, würde das überhaupt nichts ändern.

Sie dachte darüber nach. Ich versuch, nicht über solche Sachen nachzudenken, sagte sie.

Du glaubst, du fängst irgendwie nochmal von vorn an, wenn du nach Kalifornien kommst.

Das hab ich vor.

Ich glaube, das ist der springende Punkt. Es gibt einen Weg, der nach Kalifornien führt, und einen, der von dort zurückführt. Aber am besten wär's, einfach dort aufzutauchen.

Dort aufzutauchen.

Ja.

Sie meinen, dort aufzutauchen und nicht zu wissen, wie man hingekommen ist.

Genau. Nicht zu wissen, wie man hingekommen ist.

Ich weiß nicht, wie man das anstellt.

Ich auch nicht. Das ist genau der springende Punkt.

Sie aß. Sie blickte sich um. Kann ich Kaffee haben?, fragte sie.

Du kannst alles haben, was du willst. Du hast Geld.

Sie sah ihn an. Ich glaub, ich weiß nicht recht, was der springende Punkt ist, sagte sie.

Der springende Punkt ist, dass es keinen springenden Punkt gibt.

Nein. Ich meine, was Sie da gesagt haben. Darüber, dass man weiß, wo man ist.

Er sah sie an. Nach einer Weile sagte er: Es geht nicht darum, dass man weiß, wo man ist. Sondern darum, dass man glaubt, man wär dorthin gekommen, ohne was mitzunehmen. Über deine Vorstellungen vom Neu-Anfangen. Oder die von sonst jemand. Man fängt nicht nochmal von vorn an. Darum geht es. Jeder Schritt, den man tut, ist für immer. Man kann ihn nicht ungeschehen machen. Auch nicht teilweise. Verstehst du, was ich sage?

Ich glaub schon.

Ich weiß, dass du's nicht verstehst, aber ich versuch's nochmal. Du glaubst, wenn du morgens aufwachst, dass das Gestern nicht zählt. Dabei zählt nichts anderes. Was gibt es denn außerdem noch? Dein Leben besteht aus den Tagen, aus denen es besteht. Aus nichts anderem. Du glaubst vielleicht, du könntest weglaufen, deinen Namen ändern und was weiß ich noch alles. Nochmal von vorn anfangen. Und dann wachst du eines Morgens auf und starrst die Decke an, und rate mal, wer da liegt?

Sie nickte.

Verstehst du, was ich damit sagen will?

Das versteh ich. Ich hab das schon erlebt.

Ja, ich weiß.

Dann tut es Ihnen also leid, dass Sie ein Bandit geworden sind.

Nein, dass ich's nicht schon früher geworden bin. Bist du so weit?

207

Als er aus der Motelrezeption kam, gab er ihr einen Schlüssel.

Was ist das?

Das ist dein Schlüssel.

Sie wog ihn in der Hand und sah ihn an. Tja, sagte sie. Das liegt ganz bei Ihnen.

Ja, das tut es.

Ich schätze, Sie haben Angst, dass ich sehe, was in der Tasche ist.

Eigentlich nicht.

Er ließ den Wagen an und fuhr auf den Parkplatz hinter der Rezeption.

Sind Sie schwul?, fragte sie.

Ich? Ja, ich bin stockschwul.

Sie sehen aber nicht so aus.

Ach ja? Kennst du viele Schwule?

Sie verhalten sich nicht so, hätt ich wohl sagen sollen.

Was weißt du denn darüber, Kleine?

Ich weiß nicht.

Sag das nochmal.

Was?

Sag das nochmal. Ich weiß nicht.

Ich weiß nicht.

Das ist gut. Das musst du üben. Bei dir klingt das gut.

Später verließ er das Zimmer und fuhr zum Supermarkt. Zum Motel zurückgekehrt, blieb er einen Moment im Wagen sitzen und musterte die anderen Fahrzeuge auf dem Parkplatz. Dann stieg er aus.

Er ging zu ihrem Zimmer und klopfte an die Tür. Er wartete und klopfte erneut. Er sah, wie sich der Vorhang bewegte, dann öffnete sie. Sie hatte noch immer dieselben Jeans und dasselbe T-Shirt an. Sie sah aus, als wäre sie gerade aufgewacht.

Ich weiß, du bist noch nicht alt genug, um Alkohol zu trinken, aber ich hab gedacht, ich schau mal, ob du vielleicht ein Bier willst.

Ja, sagte sie. Ein Bier würd ich trinken.

Er nahm eine der kalten Flaschen aus der braunen Papiertüte und gab sie ihr. Bitte schön, sagte er.

Er hatte sich bereits wieder zum Gehen gewandt. Sie kam heraus und ließ die Tür hinter sich zufallen. Sie brauchen sich mit dem Weggehen nicht so zu beeilen, sagte sie.

Er blieb auf der unteren Treppenstufe stehen.

Haben Sie noch so eins in der Tüte?

Ja. Ich hab noch zwei. Und ich hab vor, beide zu trinken.

Ich hab bloß gemeint, Sie könnten sich vielleicht hierher setzen und eins davon mit mir trinken.

Er sah sie mit zusammengekniffenen Augen an. Ist dir schon mal aufgefallen, dass Frauen Schwierigkeiten damit haben, ein Nein zu akzeptieren? Ich glaub, das fängt so ungefähr mit drei Jahren an.

Und was ist mit Männern?

Die gewöhnen sich dran. Notgedrungen.

Ich sag kein Wort. Ich sitz einfach nur da.

Du sagst also kein Wort.

Ja.

Tja, das ist schon mal gelogen.

Na gut, ich sag so gut wie gar nichts. Ich bin ganz still.

Er setzte sich auf die Stufe, nahm ein Bier aus der Tüte, schraubte den Deckel ab, setzte die Flasche an und trank. Sie saß auf der nächsten Stufe und tat das Gleiche.

Schläfst du viel?, fragte er.

Ich schlafe, wenn ich Gelegenheit dazu hab. Ja. Und Sie?

Ich hab seit ungefähr zwei Wochen keine Nacht mehr durchgeschlafen. Ich hab nicht gewusst, wie das sein würde. Ich glaub, es fängt an, mich dumm zu machen.

Für mich sehen Sie nicht dumm aus.

Was du schon mitkriegst.

Was soll das heißen?

Nichts. Ich veräppel dich bloß. Ich hör schon wieder auf.

Sie haben doch keine Drogen in dem Aktenkoffer, oder?

Nein. Wieso? Nimmst du welche?

Ich würd ein bisschen Gras rauchen, wenn Sie welches haben.

Ich hab aber keins.

Das ist in Ordnung.

Moss schüttelte den Kopf. Er trank.

Ich hab bloß gemeint, es ist in Ordnung, dass wir einfach nur hier draußen sitzen und ein Bier trinken.

Freut mich zu hören, dass das in Ordnung ist.

Wo wollen Sie eigentlich hin? Sie haben's gar nicht gesagt.

Schwer zu sagen.

Aber nach Kalifornien wollen Sie nicht, oder?

Nein.

Das hab ich mir schon gedacht.

Ich fahr nach El Paso.

Ich hab gedacht, Sie wissen nicht, wo Sie hinwollen.

Vielleicht hab ich mich gerade entschieden.

Das glaub ich nicht.

Moss gab keine Antwort.

Es ist schön, hier draußen zu sitzen, sagte sie.

Ich schätze, das hängt davon ab, wo man vorher gesessen hat.

Sie sind doch nicht gerade aus dem Knast entlassen worden oder so was?

Ich komm gerade aus dem Todestrakt. Die hatten mir für den elektrischen Stuhl schon den Kopf rasiert. Man sieht, wo's angefangen hat nachzuwachsen.

So ein Blödsinn.

Wär aber komisch, wenn sich rausstellen würde, dass es stimmt, oder?

Ist die Polizei hinter Ihnen her?

Alle sind hinter mir her.

Was haben Sie gemacht?

Ich hab junge Tramperinnen mitgenommen und sie draußen in der Wüste verbuddelt.

Das ist nicht komisch.

Du hast recht. Ist es nicht. Ich hab dich bloß veräppelt.

Sie haben gesagt, Sie hören damit auf.

Mach ich auch.

Sagen Sie eigentlich je die Wahrheit?

Ja. Ich sag die Wahrheit.

Sie sind verheiratet, stimmt's?

Ja.

Wie heißt Ihre Frau?

Carla Jean.

Ist sie in El Paso?

Ja.

Weiß sie, womit Sie sich Ihre Brötchen verdienen?

Ja, das weiß sie. Ich bin Schweißer.

Sie sah ihn an. Wartete ab, was er noch sagen würde. Er sagte nichts weiter.

Sie sind kein Schweißer, sagte sie.

Wieso nicht?

Wozu haben Sie die Maschinenpistole?

Weil ein paar üble Typen hinter mir her sind.

Was haben Sie denen getan?

Ich hab was genommen, was ihnen gehört, und das wollen sie zurück.

Nach Schweißen hört sich das aber nicht an.

Ja, das tut's wohl wirklich nicht. Daran hab ich anscheinend nicht gedacht.

Er trank einen Schluck Bier. Hielt die Flasche dabei mit Daumen und Zeigefinger am Hals.

Und das ist in der Tasche drin, stimmt's?

Schwer zu sagen.

Sind Sie ein Safeknacker?

Ein Safeknacker?

Ja.

Wie kommst du denn auf die Idee?

Ich weiß nicht. Sind Sie denn einer?

Nein.

Aber irgendwas sind Sie doch, oder?

Jeder ist irgendwas.

Waren Sie schon mal in Kalifornien?

Ja. Ich war schon mal in Kalifornien. Ich hab einen Bruder, der wohnt da.

Gefällt es ihm?

Ich weiß nicht. Er wohnt eben da.

Sie wollten da aber nicht wohnen, oder?

Nein.

Finden Sie, dass ich da hinsoll?

Er sah sie an und wandte den Blick wieder ab. Er streckte die Beine aus, schlug sie übereinander und blickte über den Parkplatz hinweg zum Highway mit seinen Lichtern. Kleine, sagte er, woher zum Teufel soll ich wissen, wo du hinsollst?

Tja. Jedenfalls bin ich Ihnen dankbar dafür, dass Sie mir das Geld gegeben haben.

Keine Ursache.

Das hätten Sie nicht tun müssen.

Du wolltest doch nicht reden.

In Ordnung. Allerdings ist es eine Menge Geld.

Es ist bei weitem nicht so viel, wie du glaubst. Du wirst schon sehen.

Ich werd's nicht verpulvern. Ich brauch Geld, um mir eine Wohnung zu besorgen.

Du kommst schon klar.

Das hoff ich.

Am besten wohnt man in Kalifornien, wenn man von woanders ist. Am allerbesten wahrscheinlich, wenn man vom Mars kommt.

Hoffentlich nicht. Da komm ich nämlich nicht her.

Du kommst schon klar.

Kann ich Sie mal was fragen?

Ja. Nur zu.

Wie alt sind Sie?

Sechsunddreißig.

Das ist ziemlich alt. Dass Sie so alt sind, hab ich nicht gewusst.

Ich weiß. Mich hat's ja selber ziemlich überrascht.

Ich hab das Gefühl, ich müsste Angst vor Ihnen haben, aber ich hab keine.

Tja, da kann ich dir auch keinen Rat geben. Die meisten Leute laufen vor ihrer eigenen Mutter weg, um sich dem Tod an den Hals zu werfen. Sie können es gar nicht abwarten.

Sie glauben wohl, dass ich das mache.

Ich will gar nicht wissen, was du machst.

Ich frag mich, wo ich jetzt wär, wenn ich Sie heute Morgen nicht getroffen hätte.

Ich weiß nicht.

Ich hab immer Glück gehabt. Mit solchen Sachen. Mit Leuten, die ich kennengelernt hab.

Also, mit solchen Sprüchen würd ich mich an deiner Stelle zurückhalten.

Wieso? Haben Sie etwa vor, mich in der Wüste zu verbuddeln?

Nein. Aber da draußen gibt's auch eine Menge Pech. Und über kurz oder lang kriegt man seinen Anteil davon ab.

Ich hab meinen schon abgekriegt. Ich finde, bei mir ist jetzt mal eine Veränderung fällig. Vielleicht sogar überfällig.

Ach ja? Da irrst du dich.

Warum sagen Sie das?

Er sah sie an. Eins kann ich dir sagen, Schwesterlein. Wenn's auf diesem Planeten eins gibt, wonach du nicht aussiehst, dann ist es ein Haufen Glück auf zwei Beinen.

So was zu sagen ist gemein.

Nein, ist es nicht. Ich will bloß, dass du vorsichtig bist. Wenn wir in El Paso sind, setz ich dich am Busbahnhof ab. Du hast Geld. Du brauchst nicht zu trampen.

In Ordnung.

In Ordnung.

Hätten Sie das wirklich gemacht, was Sie da gesagt haben? Wenn ich Ihren Wagen geklaut hätte?

Was denn?

Sie wissen doch. Mir die Scheiße aus dem Leib geprügelt.

Nein.

Hab ich mir gleich gedacht.

Willst du das letzte Bier mit mir teilen?

In Ordnung.

Dann lauf rein und hol ein Glas. Ich bin gleich wieder da.

In Ordnung. Sie haben sich's aber nicht anders überlegt, oder?

Was?

Sie wissen schon.

Ich überleg mir nichts anders. Ich entscheid mich gern beim ersten Mal richtig.

Er stand auf und ging los, den Fußweg entlang. Sie blieb an der Tür stehen. Ich sag Ihnen was, was ich mal in einem Film gehört hab, sagte sie.

Er blieb stehen und drehte sich um. Nämlich?

Es sind eine Menge gute Vertreter unterwegs, und vielleicht kaufen Sie ja doch noch was.

Tja, Kleine, da bist du leider ein bisschen spät dran. Ich hab nämlich schon gekauft. Und ich glaub, ich bleib bei dem, was ich hab.

Er ging den Fußweg entlang, stieg die Stufen hinauf und ging ins Zimmer.

Der Barracuda fuhr auf einen Rasthof bei Balmorhea und hielt in der Parkbucht der dazugehörigen Autowaschanlage. Der Fahrer stieg aus, schloss die Tür und betrachtete sie. Windschutzscheibe und Blech waren mit Blut und etwas anderem verschmiert, und er ging zu einem Wechselautomaten, wo er sich Vierteldollarmünzen holte, kam zurück, steckte sie in den Schlitz, nahm den Schlauch von der Halterung, wusch den Wagen, spülte ihn ab, stieg wieder ein und fuhr in Richtung Westen auf den Highway hinaus.

Bell verließ das Haus um halb acht und nahm die 285 in Richtung Norden, nach Fort Stockton. Bis Van Horn waren es etwas mehr als dreihundertfünfzig Kilometer, und er schätzte, dass er die Strecke in weniger als drei Stunden schaffen konnte. Etwa fünfzig Kilometer westlich von Fort Stockton passierte er auf der Interstate 10 ein am Straßenrand brennendes Auto. Es waren Streifenwagen vor Ort, und eine Fahrspur des Highway war gesperrt. Er hielt nicht an, aber der Vorfall bereitete ihm ein ungutes Gefühl. In Balmorhea hielt er an, füllte seine Thermoskanne mit Kaffee auf und kam fünf vor halb elf in Van Horn an.

Er wusste nicht, wonach er zu suchen hatte, aber er musste auch nicht suchen. Auf dem Parkplatz eines Motels standen zwei Streifenwagen von Culberson County und ein Fahrzeug der State Police, alle mit eingeschaltetem Blaulicht. Das Motel war mit gelbem Band abgesperrt. Er bog auf den Parkplatz ab, hielt an und schaltete seinerseits das Blaulicht ein.

Der Deputy kannte ihn nicht, der Sheriff dagegen schon. Sie befragten gerade einen Mann, der in Hemdsärmeln in der offenen hinteren Tür eines der Streifenwagen saß. Schlechte Nachrichten sprechen sich ja verdammt schnell rum, sagte der Sheriff. Was machen Sie denn hier, Sheriff?

Was ist passiert, Marvin?

Hat 'ne kleine Schießerei gegeben. Weißt du irgendwas von der Sache?

Ich weiß nicht. Hat es Opfer gegeben?

Die sind vor ungefähr einer halben Stunde mit dem Krankenwagen weggebracht worden. Zwei Männer und eine Frau. Die Frau war tot, und der eine Mann wird's, glaub ich, auch nicht schaffen. Der andere vielleicht.

Weißt du, wer sie sind?

Nein. Einer von den Männern ist Mexikaner, und wir lassen gerade überprüfen, auf wen sein Wagen zugelassen ist, der da drüben steht. Keiner hatte irgendwelche Ausweispapiere. Weder bei sich noch im Zimmer.

Was sagt der Mann da?

Er sagt, der Mexikaner hat angefangen. Hat die Frau aus ihrem Zimmer gezerrt, dann ist der andere mit einer Pistole rausgekommen, aber wie er gesehen hat, dass der Mexikaner eine Waffe auf den Kopf der Frau richtet, hat er seine Pistole auf den Boden gelegt. Sowie er das gemacht hat, hat der Mexikaner die Frau weggestoßen, auf sie geschossen, sich dann umgedreht und auf ihn geschossen. Er hat vor 117 gestanden, gleich da drüben.

216

Hat mit einer gottverdammten Maschinenpistole auf die beiden geschossen. Laut diesem Zeugen ist der andere die Treppe runtergefallen, hat dann wieder nach seiner Pistole gegriffen und auf den Mexikaner geschossen. Ich seh nicht recht, wie er das fertiggekriegt haben soll. Er war schwer getroffen. Auf dem Fußweg drüben sieht man das Blut. Wir hatten eine richtig gute Reaktionszeit. Ungefähr sieben Minuten, denk ich. Das Mädchen ist einfach erschossen worden.

Noch nicht identifiziert.

Noch nicht identifiziert. Der Wagen von dem anderen hat Nummernschilder von einem Autohändler.

Bell nickte. Er besah sich den Zeugen. Dieser hatte um eine Zigarette gebeten, die er nun anzündete und rauchte. Er machte den Eindruck, als fühlte er sich ganz wohl. Er machte außerdem den Eindruck, als säße er nicht zum ersten Mal auf dem Rücksitz eines Streifenwagens.

Diese Frau, sagte Bell. War sie Anglo?

Ja. Sie war Anglo. Hatte blondes Haar. So eine Art Rötlichblond.

Habt ihr irgendwelche Drogen gefunden?

Noch nicht. Wir suchen noch.

Irgendwelches Geld?

Noch haben wir gar nichts gefunden. Das Mädchen hat in 121 gewohnt. Hatte bloß einen Rucksack mit ein paar Klamotten und Kleinkram dabei.

Bell blickte die Reihe der Moteltüren entlang. In kleinen Grüppchen standen Leute herum und redeten. Er betrachtete den schwarzen Barracuda.

Hat das Ding auch irgendwas, was die Räder antreibt?

Ich würd sagen, es treibt sie sogar ziemlich gut an. Es hat siebentausend Kubik unter der Haube, und dazu einen Vorverdichter.

217

Einen Vorverdichter?

Ja.

Ich seh aber keinen.

Es ist ein Sidewinder. Komplett unter der Haube.

Bell betrachtete den Wagen. Dann drehte er sich um und sah den Sheriff an. Kannst du eine Zeitlang von hier weg?

Ja. Wieso fragst du?

Ich hab gedacht, ich krieg dich vielleicht dazu, mit mir zur Klinik rüberzufahren.

In Ordnung. Fahr einfach mit mir.

Gut. Ich parke nur eben meinen Wagen ein bisschen besser.

Ach was, der steht gut so, Ed Tom.

Ich fahr ihn nur eben aus dem Weg. Man weiß nicht immer, wie schnell man wieder da ist, wenn man irgendwohin fährt.

An der Pforte sprach der Sheriff die Nachtschwester mit Namen an. Sie warf einen Blick auf Bell.

Er ist hier, um eine Identifizierung vorzunehmen, sagte der Sheriff.

Sie nickte, stand auf und legte ihren Kugelschreiber zwischen die Seiten des Buches, das sie gerade las. Zwei von ihnen waren schon bei Ankunft tot, sagte sie. Den Mexikaner haben sie vor ungefähr zwanzig Minuten mit dem Hubschrauber weggebracht. Aber das wissen Sie ja vielleicht schon.

Mir erzählt doch keiner was, Liebes, sagte der Sheriff.

Sie folgten ihr den Flur entlang. Über den Betonboden zog sich eine dünne Blutspur. Schwer zu finden wären sie nicht gewesen, wie?, sagte Bell.

Am Ende des Flurs befand sich ein rotes Schild mit der Aufschrift Ausgang. Kurz davor wandte sie sich nach links, schloss eine Stahltür auf, öffnete sie und schaltete das Licht an. Der aus unverputzten Betonblöcken bestehende fensterlose Raum war leer bis auf drei Maschinentische auf Rädern. Auf zweien lagen mit Plastikplanen abgedeckte Leichen. Die Schwester blieb mit dem Rücken zur offenen Tür stehen, während sie sich an ihr vorbeischoben.

Er ist doch kein Freund von dir, oder, Ed Tom?

Nein.

Er ist ein paarmal im Gesicht getroffen worden, deshalb sieht er wohl nicht allzu gut aus. Nicht, dass ich nicht schon Schlimmeres gesehen hätte. Der Highway da ist ein regelrechter Kriegsschauplatz, wenn du die Wahrheit wissen willst.

Er zog die Plane zurück. Bell ging um das Ende des Tisches herum. Moss' Nacken wurde nicht von einem Keil gestützt, und sein Kopf war zur Seite gedreht. Ein Auge teils geöffnet. Er sah aus wie ein Bösewicht auf einem Sektionstisch. Sie hatten das Blut von ihm abgewaschen, aber er hatte Einschusslöcher im Gesicht, und seine Zähne waren herausgeschossen.

Ist er das?

Ja, das ist er.

Du siehst aus, als wär's dir lieber, er wär's nicht.

Ich muss es seiner Frau sagen.

Das tut mir leid.

Bell nickte.

Tja, sagte der Sheriff, es gibt nichts, was du da hättest machen können.

Nein, sagte Bell. Aber man denkt halt immer gern, man hätte.

Der Sheriff bedeckte Moss' Gesicht, griff nach der Plastikplane auf dem anderen Tisch, zog sie zurück und sah Bell an. Bell schüttelte den Kopf.

Sie hatten zwei Zimmer gemietet. Das heißt, er hatte sie gemietet. Bar bezahlt. Den Namen im Gästebuch kann man nicht lesen. Bloß ein Gekritzel.

Er heißt Moss.

In Ordnung. Wir protokollieren deine Aussage im Büro. Nicht viel dran an der Kleinen.

Ja.

Er bedeckte ihr Gesicht wieder. Dieser Teil der Geschichte wird seiner Frau auch nicht gefallen, sagte er.

Ja, das denk ich auch.

Der Sheriff sah die Schwester an. Sie lehnte immer noch an der Tür. Wie oft ist sie getroffen worden?, fragte er. Wissen Sie das?

Nein, Sheriff. Sie können Sie sich ruhig ansehen, wenn Sie wollen. Ich hab nichts dagegen, und sie bestimmt auch nicht.

Schon gut. Das steht dann ja alles im Obduktionsbericht. Bist du fertig, Ed Tom?

Ja. Das war ich schon, bevor ich hier reingekommen bin.

Er saß allein und bei geschlossener Tür im Büro des Sheriffs und starrte das Telefon auf dem Schreibtisch an. Schließlich stand er auf und ging hinaus. Der Deputy blickte auf.

Er ist wohl nach Hause gegangen.

Ja, Sir, sagte der Deputy. Kann ich Ihnen irgendwie helfen, Sheriff?

Wie weit ist es bis El Paso?

Knapp zweihundert Kilometer.

Sagen Sie ihm, dass ich mich bedanke und ihn morgen anrufe.

Ja, Sir.

Auf der anderen Seite der Stadt machte er halt, aß und betrachtete, während er am Tisch saß und seinen Kaffee trank, die Lichter auf dem Highway. Irgendetwas stimmte nicht. Er wurde einfach nicht schlau daraus. Er sah auf seine Uhr. 1 Uhr 20. Er zahlte, ging hinaus, stieg in den Wagen und saß einen Moment lang einfach nur da. Dann fuhr er zur Kreuzung, wandte sich Richtung Osten und fuhr wieder zurück zum Motel.

Chigurh nahm sich ein Zimmer in einem Motel an der ostwärts führenden Interstate, ging im Dunkeln über ein windiges Feld und schaute durch ein Fernglas über den Highway. Bedrohlich schoben sich die großen Fernlaster vor die Linse und zogen vorüber. Er saß in der Hocke, die Ellbogen auf die Knie gestützt, und beobachtete. Dann kehrte er ins Motel zurück.

Er stellte seinen Wecker auf ein Uhr, und als das Gerät klingelte, stand er auf, duschte, zog sich an, ging mit seiner kleinen Ledertasche zu seinem Wagen hinaus und verstaute sie hinter dem Sitz.

Er parkte auf dem Parkplatz des Motels und blieb einige Zeit im Wagen sitzen. Lehnte sich im Sitz zurück und beobachtete das Gebäude im Rückspiegel. Nichts. Die Polizeiwagen waren längst fort. Das gelbe Absperrband vor der Tür hob sich im Wind, und die Laster, die nach Arizona und Kalifornien unterwegs waren, dröhnten vorüber. Er stieg aus, ging zur Tür, schoss mit dem Bolzenschussgerät das Schloss heraus, ging hinein und schloss die Tür hinter sich. In dem Licht, das durch die Fenster einfiel, konnte er das Zimmer recht deutlich sehen. Kleine Lichtpunkte von den Einschusslöchern in der Sperrholztür. Er schob das Nachtschränkchen an die Wand hinüber, stieg darauf, zog einen Schraubenzieher aus der Gesäßtasche und begann die Schrauben der jalousieartigen Abdeckung des Belüftungsschachts herauszudrehen. Er legte die Abdeckung auf den Tisch, griff in den Schacht, zog die Tasche heraus, stieg vom Nachtschränkchen, trat ans Fenster und schaute hinaus auf den Parkplatz. Er zog die Pistole aus dem Hosenbund, öffnete die Tür, trat hinaus, schloss sie hinter sich, duckte sich unter dem Absperrband hindurch, ging zu seinem Wagen hinüber und stieg ein.

Er stellte die Tasche auf den Boden und hatte schon nach dem Schlüssel gegriffen, um die Zündung einzuschalten, als er etwa dreißig Meter entfernt den Streifenwagen auf den Parkplatz vor der Motelrezeption fahren sah. Der Streifenwagen schob sich in eine Parklücke, und die Lichter gingen aus. Dann der Motor. Chigurh wartete, die Pistole im Schoß.

Als Bell ausstieg, ließ er den Blick über den Parkplatz wandern, ging dann zur Tür von 117 und drehte den Knauf. Die Tür war unverschlossen. Er duckte sich unter dem Absperrband hindurch, stieß die Tür auf, tastete nach dem Wandschalter, fand ihn und knipste das Licht an.

Das Erste, was er sah, waren die Abdeckung und die Schrauben, die auf dem Tisch lagen. Er schloss die Tür hinter sich und blieb einen Moment lang stehen. Dann trat er ans Fenster und blickte am Rand des Vorhangs vorbei auf den Parkplatz. So blieb er einige Zeit stehen. Nichts rührte sich. Er sah etwas auf dem Boden liegen, ging hin und hob es auf, wusste aber bereits, was es war. Er drehte es hin und her. Er ging zum Bett, setzte sich darauf und wog das kleine Stück Messing in der Hand. Dann legte er es in den Aschenbecher auf dem Nachtschränkchen. Er nahm den Telefonhörer ab, doch die Leitung war tot. Er legte wieder auf, zog seinen Revolver aus dem Holster, öffnete die Ladeklappe, überprüfte die Patronen in der Trommel, schloss die Ladeklappe mit dem Daumen und blieb, die Waffe auf dem Knie, sitzen.

Du weißt nicht mit Sicherheit, dass er da draußen ist, sagte er sich.

Doch, du weißt es. Du hast es schon im Restaurant gewusst. Deswegen bist du auch zurückgekommen.

Tja, und was willst du jetzt machen?

Er stand auf, ging zur Tür hinüber und schaltete das Licht aus. Fünf Einschusslöcher in der Tür. Den Revolver in der Hand und den Daumen auf dem gerändelten Hammer, stand er da. Dann öffnete er die Tür und ging hinaus.

Er ging zum Streifenwagen. Musterte die Fahrzeuge auf dem Parkplatz. Größtenteils Pick-ups. Das Mündungsfeuer sieht man immer als Erstes. Nur eben nicht früh genug. Spürt man es, wenn einen jemand beobachtet? Viele Leute glaubten das. Beim Streifenwagen angelangt, öffnete er mit der linken Hand die Tür. Die Innenbeleuchtung ging an. Er stieg ein, zog die Tür zu, legte den Revolver neben sich auf den Sitz, holte seinen Schlüssel hervor, steckte ihn in die Zündung und ließ den Wagen an. Dann stieß er rückwärts aus der Parklücke, schaltete die Scheinwerfer ein und fuhr vom Parkplatz.

Als er außer Sichtweite des Motels war, fuhr er auf den Standstreifen der Interstate-Rampe, nahm das Mikro von der Halterung und rief im Büro des Sheriffs an. Sie schickten zwei Wagen. Er hängte das Mikro wieder ein, stellte den Wagen auf Leerlauf und ließ ihn am Straßenrand rückwärts hinabrollen, bis er das Motelschild wieder sah. Er schaute auf seine Uhr. 1 Uhr 45. Rechnete man die sieben Minuten Reaktionszeit dazu, würde es 1 Uhr 52 werden. Er wartete. Beim Motel rührte sich nichts. Um 1 Uhr 52 sah er sie den Highway entlangkommen und mit eingeschalteter Sirene und Blaulicht in die Ausfahrt einbiegen. Er beobachtete weiter das Motel. Er hatte bereits beschlossen, jedes Fahrzeug, das vom Parkplatz herunter- und die Rampe heraufkam, von der Straße zu drängen.

Als die Streifenwagen vor dem Motel vorfuhren, ließ er den Motor an, schaltete die Scheinwerfer ein, wendete, fuhr in der falschen Richtung die Zufahrt hinunter, bog auf den Motelparkplatz ein und stieg aus.

Mit Taschenlampen und gezogenen Revolvern gingen sie Fahrzeug für Fahrzeug den Parkplatz ab und kehrten dann zu ihren Autos zurück. Bell war als Erster wieder bei seinem Wagen und lehnte sich daran. Er nickte den Deputys zu. Meine Herren, sagte er. Ich glaube, wir sind ausgetrickst worden.

Sie steckten ihre Revolver weg. Er und der Chief Deputy gingen zu dem Zimmer hinüber, und Bell zeigte ihm das Schloss, den Belüftungsschacht und den Schlosszylinder.

Was hat er damit gemacht, Sheriff?, fragte der Deputy, den Schlosszylinder in der Hand.

Das ist eine lange Geschichte, sagte Bell. Tut mir leid, dass ich euch für nichts und wieder nichts hier rausgescheucht habe.

Kein Problem, Sheriff.

Sagen Sie dem Sheriff, ich rufe ihn von El Paso aus an.

Ja, Sir, wird gemacht.

Zwei Stunden später nahm er sich ein Zimmer im Rodeway Inn auf der Ostseite der Stadt und ging gleich zu Bett. Er erwachte wie üblich um sechs, stand auf, zog die Vorhänge zu und legte sich wieder ins Bett, konnte aber nicht mehr schlafen. Schließlich stand er auf, duschte, zog sich an, ging ins Café, frühstückte und las dabei die Zeitung. Über Moss und das Mädchen stand bestimmt noch nichts drin. Als die Kellnerin kam, um ihm Kaffee nachzugießen, fragte er sie, um welche Zeit die Abendzeitung kam.

Ich weiß nicht, sagte sie. Ich hab aufgehört, sie zu lesen.

Ich kann's Ihnen nicht verdenken. Ich würd auch aufhören, wenn ich könnte.

Ich hab aufgehört, sie zu lesen, und meinen Mann hab ich auch dazu gebracht.

Ach ja?

Ich weiß nicht, warum die überhaupt noch Zeitungen machen. Was Lesenswertes steht doch sowieso nicht drin.

Nein.

Wann haben Sie in der Zeitung das letzte Mal etwas über Jesus Christus gelesen?

Bell schüttelte den Kopf. Ich weiß nicht, sagte er. Das ist bestimmt schon eine Weile her.

Das glaub ich aber auch, sagte sie. Eine ganz schön lange Weile.

Er hatte mit ähnlichen Nachrichten auch schon an andere Türen geklopft, sodass es ihm nicht ganz neu war. Er sah, wie sich der Fenstervorhang leicht bewegte, dann ging die Tür auf, und sie stand da, in Jeans und mit über der Hose hängendem Hemd, und sah ihn an. Kein Gesichtsausdruck. Nur wartend. Er nahm seinen Hut ab, und sie lehnte sich an den Türpfosten und wandte das Gesicht ab.

Es tut mir leid, Ma'am, sagte er.

O Gott, sagte sie. Sie wankte ins Zimmer zurück, sackte zu Boden und vergrub, die Hände auf dem Kopf, das Gesicht zwischen den Unterarmen. Bell stand da und hielt seinen Hut. Er wusste nicht, was er tun sollte. Von der Großmutter war nichts zu sehen. Auf dem Parkplatz standen zwei spanische Zimmermädchen, die hersahen und miteinander tuschelten. Er trat ins Zimmer und machte die Tür zu.

Carla Jean, sagte er.

O Gott, sagte sie.

Es tut mir wirklich furchtbar leid.

O Gott.

Er stand da, den Hut in der Hand. Es tut mir leid, sagte er.

Sie hob den Kopf und sah ihn an. Ihr verzerrtes Gesicht. Zum Teufel mit Ihnen, sagte sie. Sie stehen da und erzählen mir, dass es Ihnen leidtut? Mein Mann ist tot. Begreifen Sie das? Wenn Sie noch einmal sagen, dass es Ihnen leidtut, dann, bei Gott, hol ich meine Pistole und schieß Sie über den Haufen.

IX

Ich hab sie beim Wort nehmen müssen. Viel anderes hätt man gar nicht machen können. Ich hab sie nie wiedergesehen. Ich wollt ihr sagen, dass es so, wie's in der Zeitung stand, nicht gestimmt hat. Das mit ihm und diesem Mädchen. Wie sich rausgestellt hat, war sie eine Ausreißerin. Fünfzehn Jahre alt. Ich glaub nicht, dass er was mit ihr hatte, und es passt mir gar nicht, dass sie das geglaubt hat. Das hat sie nämlich, wissen Sie. Ich hab sie ein paarmal angerufen, aber sie hat jedes Mal sofort aufgelegt, und das kann ich ihr nicht verdenken. Als die mich dann aus Odessa angerufen und mir erzählt haben, was da passiert war, hab ich's kaum glauben können. Es hat einfach keinen Sinn ergeben. Ich bin hingefahren, aber da war nichts zu machen. Ihre Großmutter war auch gerade gestorben. Ich hab versucht, über die FBI-Datenbank Fingerabdrücke von dem Kerl zu kriegen, aber Fehlanzeige. Wollten wissen, wie er heißt, was er getan hat und lauter solche Sachen. Am Ende steht man bloß blöd da. Er ist ein Geist. Aber er ist da draußen. Man würd's nicht für möglich halten, dass einer einfach so auftauchen und wieder verschwinden kann. Ich warte die ganze Zeit darauf, dass ich noch mehr von ihm höre. Vielleicht passiert das ja noch. Vielleicht aber auch nicht. Es ist leicht, sich was vorzumachen. Sich was einzureden, was man gern hört. Man wacht nachts auf und denkt über alles Mögliche nach. Ich weiß nicht mehr genau, was ich eigentlich gern hören würd. Man redet sich ein, dass die Geschichte ja vielleicht vorbei ist. Dabei weiß man, dass sie's nicht ist. Da kann man sich wünschen, was man will.

Mein Daddy hat mir immer gesagt, man soll nach Möglichkeit sein Bestes geben und die Wahrheit sagen. Es gäb nichts, was einem so viel Seelenfrieden verschafft, wie morgens aufzuwachen und nicht entscheiden zu müssen, wer man ist. Und wenn man was Unrechtes getan hat, dann steht man einfach dazu und sagt, dass man's getan hat und dass es einem leidtut, und fertig. Man schleppt nichts mit sich herum. Heute hört sich das wohl alles ziemlich einfach an. Sogar für mich. Umso mehr Grund, darüber nachzudenken. Viel hat er nicht gesagt, aber was er gesagt hat, daran erinnere ich mich gewöhnlich. Und ich kann mich nicht erinnern, dass er große Lust gehabt hat, irgendwas zweimal zu sagen, deswegen hab ich gelernt, gleich beim ersten Mal zuzuhören. Als junger Mann bin ich vielleicht mal ein bisschen davon abgeirrt, aber wie ich dann wieder auf den richtigen Weg gekommen bin, hab ich beschlossen, nicht wieder davon abzugehen, und daran hab ich mich dann auch gehalten. Ich glaub, die Wahrheit ist immer einfach. Das muss sie auch sein. Sie muss so einfach sein, dass ein Kind sie versteht. Sonst wär's zu spät. Bis man dahintergestiegen ist, wär's zu spät.

Chigurh stand in Anzug und Krawatte vor dem Schreib-tisch der Empfangsdame. Er stellte den Aktenkoffer ne-ben sich auf den Boden und blickte sich in dem Büro um.

Wie schreibt sich das?, fragte sie.

Er sagte es ihr.

Erwartet er Sie?

Nein. Tut er nicht. Aber er wird sich freuen, mich zu sehen.

Einen Moment bitte.

Sie nahm den Telefonhörer auf und sprach hinein. Kurzes Schweigen trat ein. Dann legte sie auf. Sie können hineingehen, sagte sie.

Er öffnete die Tür und ging hinein. Der Mann am Schreib-tisch stand auf und sah ihn an. Er kam um den Schreibtisch herum und streckte die Hand aus. Den Namen kenne ich doch, sagte er.

Sie setzten sich auf das Sofa in der Ecke des Büros, und Chi-gurh legte den Aktenkoffer auf den Couchtisch und wies mit dem Kopf darauf. Das ist Ihres, sagte er.

Was ist das?

Das ist Geld, das Ihnen gehört.

Der Mann betrachtete den Aktenkoffer. Dann stand er auf, ging zum Schreibtisch, beugte sich vor und drückte einen Knopf. Bitte stellen Sie keine Gespräche durch, sagte er.

Er drehte sich um, stützte beide Hände auf den Schreibtisch hinter ihm, lehnte sich zurück und musterte Chigurh. Wie ha-ben Sie mich gefunden?, fragte er.

Was spielt das für eine Rolle?

Für mich spielt es eine.

Sie brauchen sich keine Sorgen zu machen. Es kommt sonst niemand.

Woher wollen Sie das wissen?

Weil ich dafür zuständig bin, wer kommt und wer nicht. Ich

finde, wir sollten uns dem eigentlichen Problem zuwenden. Ich habe keine Lust, ewig lange zu versuchen, Sie zu beruhigen. Ich glaube, das wäre ebenso hoffnungslos wie undankbar. Also lassen Sie uns über Geld reden.

In Ordnung.

Ein Teil davon fehlt. Ungefähr hunderttausend Dollar. Zum Teil ist es gestohlen worden, zum Teil habe ich damit meine Ausgaben gedeckt. Ich habe mir einige Umstände gemacht, um Ihr Eigentum wiederzubeschaffen, deshalb wäre es mir recht, wenn ich hier nicht als so etwas wie ein Unglücksbote behandelt würde. In dem Koffer sind zwei Komma drei Millionen. Tut mir leid, dass ich nicht alles wiederbeschaffen konnte, aber so ist es nun mal.

Der Mann hatte sich nicht gerührt. Nach einer Weile fragte er: Wer zum Teufel sind Sie?

Ich heiße Anton Chigurh.

Das weiß ich.

Warum haben Sie dann gefragt?

Was wollen Sie? Ich glaube, das ist meine Frage.

Tja, ich würde sagen, der Zweck meines Besuches besteht schlicht darin, meine Vertrauenswürdigkeit unter Beweis zu stellen. Als jemand, der auf einem schwierigen Gebiet Experte ist. Als jemand, der vollkommen verlässlich und vollkommen ehrlich ist. So was in der Art.

Jemand, mit dem ich ins Geschäft kommen könnte.

Ja.

Sie meinen es ernst.

Absolut.

Chigurh beobachtete ihn. Er registrierte die Erweiterung der Pupillen und den Puls der Halsschlagader. Die Atemgeschwindigkeit. Als der andere die Hände auf den Schreibtisch gelegt hatte, hatte er ziemlich entspannt gewirkt. Nun wirkte er nicht mehr so, obwohl er noch immer die gleiche Haltung einnahm.

In dem verdammten Koffer ist doch keine Bombe, oder?

Nein. Keine Bombe.

Chigurh öffnete die Schnallen, ließ die Messingschließe aufschnappen, klappte den Koffer auf und neigte ihn leicht.

Ja, sagte der Mann. Tun Sie das weg.

Chigurh schloss den Koffer. Der Mann löste sich aus der Haltung, in der er am Schreibtisch gelehnt hatte. Er wischte sich mit dem Knöchel des Zeigefingers über den Mund.

Ich glaube, sagte Chigurh, Sie müssen sich überlegen, wie dieses Geld überhaupt verlorengehen konnte. Auf wen Sie gehört haben und was deswegen passiert ist.

Ja. Hier können wir uns nicht unterhalten.

Ich verstehe. Ich habe ohnehin nicht damit gerechnet, dass Sie das alles gleich beim ersten Mal verdauen. Ich rufe Sie in zwei Tagen an.

In Ordnung.

Chigurh stand vom Sofa auf. Der Mann wies mit dem Kopf auf den Aktenkoffer. Mit dem, was da drin ist, könnten Sie eine Menge Geschäfte auf eigene Rechnung machen, sagte er.

Chigurh lächelte. Wir haben viel zu bereden, sagte er. Von jetzt an haben wir es mit neuen Leuten zu tun. Es wird keine Probleme mehr geben.

Was ist mit den alten Leuten passiert?

Die haben sich anderen Dingen zugewandt. Nicht jeder ist für diese Branche geeignet. Die Aussicht auf riesige Gewinne bringt manche dazu, ihre eigenen Fähigkeiten zu überschätzen. Sie machen sich vor, sie hätten alles unter Kontrolle, obwohl das vielleicht gar nicht der Fall ist. Und es ist immer das Stehvermögen auf unsicherem Boden, womit man die Aufmerksamkeit seiner Feinde auf sich zieht. Oder von sich abhält.

230

Und Sie? Was ist mit Ihren Feinden?

Ich habe keine. So etwas lasse ich nicht zu.

Er blickte sich im Zimmer um. Schönes Büro, sagte er. Unaufdringlich. Er wies mit dem Kopf auf ein Gemälde an der Wand. Ist das ein Original?

Der Mann schaute auf das Bild. Nein, sagte er. Aber ich besitze das Original. Ich bewahre es in einem Tresor auf.

Ausgezeichnet, sagte Chigurh.

Die Beerdigung fand an einem kalten, windigen Märztag statt. Sie stand neben der Schwester ihrer Großmutter. Der Mann der Schwester saß, das Kinn in die Hand gestützt, in einem Rollstuhl vor ihr. Die Tote hatte mehr Freundinnen gehabt, als sie erwartet hätte. Sie war überrascht. Sie waren mit schwarz verschleierten Gesichtern gekommen. Sie legte ihrem Onkel die Hand auf die Schulter, und er griff über seine Brust nach oben und tätschelte sie. Sie hatte geglaubt, er schlafe vielleicht. Die ganze Zeit, während der Wind wehte und der Geistliche redete, hatte sie das Gefühl, jemand beobachte sie. Sie blickte sich sogar zweimal um.

Es war dunkel, als sie nach Hause kam. Sie ging in die Küche, setzte Wasser auf und nahm am Tisch Platz. Ihr war nicht nach Weinen zumute gewesen. Nun tat sie es. Sie bettete das Gesicht in die verschränkten Arme. O Mama, sagte sie.

Als sie nach oben ging und das Licht in ihrem Schlafzimmer einschaltete, saß Chigurh an dem kleinen Schreibtisch und wartete auf sie.

Sie stand in der Tür, und ihre Hand sank langsam vom Wandschalter herab. Er rührte sich nicht. Ihren Hut in der Hand, stand sie da. Schließlich sagte sie: Ich hab gewusst, dass es noch nicht vorbei ist.

Kluges Mädchen.

Ich hab's nicht.

Was haben Sie nicht?

Ich muss mich hinsetzen.

Chigurh wies mit dem Kopf auf das Bett. Sie setzte sich, legte den Hut neben sich auf das Bett, nahm ihn dann wieder in die Hand und drückte ihn an sich.

Zu spät, sagte Chigurh.

Ich weiß.

Was ist es denn, was Sie nicht haben?

Ich glaub, Sie wissen, was ich meine.

Wie viel haben Sie denn?

Gar nichts hab ich mehr. Ich hab insgesamt ungefähr sieben-tausend Dollar gehabt, und das ist längst weg, und dabei sind noch jede Menge Rechnungen zu bezahlen. Meine Mutter ist heute beerdigt worden. Das hab ich auch noch nicht bezahlt.

Darüber würde ich mir keine Gedanken machen.

Ihr Blick fiel auf das Nachtschränkchen.

Er ist nicht da, sagte er.

Ihren Hut in den Armen, saß sie zusammengesackt auf dem Bett. Sie haben keinen Grund, mir was zu tun, sagte sie.

Ich weiß. Aber ich habe mein Wort gegeben.

Ihr Wort?

Ja. Wir sind hier den Toten verpflichtet. In diesem Fall Ihrem Mann.

Das ist doch verrückt.

Ich fürchte, nein.

Ich hab das Geld nicht, das wissen Sie doch.

Ja, ich weiß.

Sie haben meinem Mann Ihr Wort gegeben, dass Sie mich umbringen?

Ja.

Er ist tot. Mein Mann ist tot.

Ja. Aber ich nicht.

Toten schuldet man nichts.

Chigurh legte den Kopf leicht schräg. Ach nein?, sagte er.

Wie kann man ihnen etwas schulden?

Wie kann man ihnen etwas schuldig bleiben?

Sie sind tot.

Ja. Aber mein Wort ist nicht tot. Nichts kann das ändern.

Sie können es ändern.

Das glaube ich nicht. Selbst ein Nichtgläubiger dürfte es nützlich finden, sich Gott zum Vorbild zu nehmen. Sogar sehr nützlich.

Sie sind bloß ein Gotteslästerer.

Harte Worte. Aber was geschehen ist, lässt sich nicht ungeschehen machen. Ich glaube, Sie verstehen das. Es bekümmert Sie vielleicht, das zu erfahren, aber Ihr Mann hatte die Gelegenheit, Sie vor Schaden zu bewahren, und hat sich dafür entschieden, das nicht zu tun. Er ist vor die Wahl gestellt worden, und seine Antwort lautete nein. Sonst wäre ich jetzt nicht hier.

Sie haben vor, mich umzubringen.

Es tut mir leid.

Sie legte den Hut aufs Bett, drehte sich zur Seite und blickte zum Fenster hinaus. Das frische Grün der Bäume im Garten, die sich im Licht der Neonlampe im Abendwind bogen und wieder aufrichteten. Ich weiß nicht, was ich je verbrochen hab, sagte sie. Ich weiß es wirklich nicht.

Chigurh nickte. Wahrscheinlich doch, sagte er. Es gibt für alles einen Grund.

Sie schüttelte den Kopf. Wie oft hab ich genau diese Worte gesagt. Das tu ich nie wieder.

Ihr Glaube ist Ihnen abhandengekommen.

Mir ist alles abhandengekommen, was ich je gehabt hab. Mein Mann wollte mich umbringen?

Ja. Gibt es irgendwas, was Sie sagen möchten?

Zu wem?

Ich bin der Einzige, der da ist.

Ihnen hab ich nichts zu sagen.

Das wird schon alles. Machen Sie sich mal keine Sorgen.

Was?

Ich sehe Ihren Gesichtsausdruck, sagte er. Es macht keinen Unterschied, was für ein Mensch ich bin, wissen Sie. Sie müssen sich nicht stärker vor dem Sterben fürchten, weil Sie mich für einen bösen Menschen halten.

Sowie ich Sie da hab sitzen sehen, hab ich gewusst, dass Sie verrückt sind, sagte sie. Ich hab genau gewusst, was mir bevorsteht. Auch wenn ich's nicht hätt sagen können.

Chigurh lächelte. Es ist schwer zu begreifen. Ich sehe, wie die Leute damit zu kämpfen haben. Was für ein Gesicht sie machen. Sie sagen immer dasselbe.

Was denn?

Sie sagen: Sie müssen das nicht tun.

Sie müssen ja auch nicht.

Es hilft allerdings nicht, oder?

Nein.

Warum sagen Sie's dann?

Ich hab das noch nie gesagt.

Ich meine, überhaupt irgendwer von euch.

Es gibt nur mich, sagte sie. Es ist niemand anders da.

Ja. Natürlich.

Sie sah die Waffe an. Wandte sich ab. Sie hatte den Kopf gesenkt, ihre Schultern bebten. O Mama, sagte sie.

Es war nicht Ihre Schuld.

Sie schüttelte schluchzend den Kopf.

Sie haben nichts getan. Es war einfach Pech.

Sie nickte.

Das Kinn in die Hand gestützt, beobachtete er sie. Na schön, sagte er. Mehr kann ich beim besten Willen nicht tun.

Er streckte ein Bein aus, griff in seine Tasche, zog ein paar Münzen hervor, nahm eine und hielt sie hoch. Er drehte sie um. Damit sie sah, dass es gerecht zuging. Er hielt sie zwischen Daumen und Zeigefinger, wog sie, schnippte sie in die Luft, fing sie wieder auf und klatschte sie sich auf den Unterarm. Kopf oder Zahl, sagte er.

Sie sah ihn an, seinen ausgestreckten Unterarm. Was?, sagte sie.

Kopf oder Zahl.

Das mach ich nicht.

Doch, das werden Sie. Kopf oder Zahl.

Gott will bestimmt nicht, dass ich das tue.

Aber natürlich. Sie sollen versuchen, sich zu retten. Kopf oder Zahl. Das ist Ihre letzte Chance.

Kopf, sagte sie.

Er nahm die Hand weg. Die Münze zeigte mit der Zahl nach oben.

Tut mir leid.

Sie gab keine Antwort.

Vielleicht ist es am besten so.

Sie wandte den Blick ab. Sie tun so, als wär es die Münze. Dabei sind Sie es.

Es hätte auch anders ausgehen können.

Das hat nicht die Münze entschieden. Sondern Sie.

Vielleicht. Aber sehen Sie's mal von meinem Standpunkt aus. Ich bin auf die gleiche Weise hergekommen wie die Münze.

Sie schluchzte leise und gab keine Antwort.

Für Dinge an einem gemeinsamen Ziel gibt es auch einen gemeinsamen Weg. Er ist nicht immer leicht zu erkennen. Aber es gibt ihn.

Alles ist anders gekommen, als ich es mir je vorgestellt hab, sagte sie. In meinem Leben gibt's nicht das Geringste, was ich hätte voraussehen können. Das hier nicht, und auch sonst nichts.

Ich weiß.

Sie hätten mich sowieso nicht laufen lassen.

Das lag nicht in meiner Hand. Jeder Augenblick im Leben bildet eine Abzweigung, und jeder verlangt eine Entscheidung. Irgendwo haben Sie eine Wahl getroffen. Aus der sich alles bis hierher ergeben hat. Da wird peinlich genau Buch geführt. Die Form ergibt sich. Keine Linie lässt sich ausradieren. Ich habe nicht geglaubt, dass Sie die Bewegung einer Münze beeinflussen können. Wie denn auch? Der Weg eines Menschen durch die Welt ändert sich selten, und noch seltener ändert er sich abrupt. Und die Form Ihres Weges war von Anfang an sichtbar.

Sie schluchzte. Sie schüttelte den Kopf.

Aber obwohl ich Ihnen von vornherein hätte sagen können, wie das Ganze ausgehen würde, fand ich es nicht zu viel verlangt, Ihnen einen letzten Hoffnungsschimmer zu verschaffen, um Ihr Herz zu erheben, ehe der Vorhang fällt, die Dunkelheit. Verstehen Sie?

O Gott, sagte sie. O Gott.

Tut mir leid.

Sie sah ihn ein letztes Mal an. Sie müssen das nicht, sagte sie. Sie müssen nicht. Sie müssen nicht.

Er schüttelte den Kopf. Sie verlangen von mir, dass ich mich verwundbar mache, und das geht auf keinen Fall. Ich habe nur eine Art zu leben. Sie lässt keine Sonderfälle zu. Vielleicht einen Münzwurf. In diesem Fall mit geringem Erfolg. Die meisten Leute glauben nicht, dass es so einen Menschen geben kann. Sie verstehen sicher, was für ein Problem das für sie sein muss. Die Oberhand über etwas zu gewinnen, dessen Existenz anzuerkennen man sich weigert. Verstehen Sie? Als ich in Ihr Leben getreten bin, war Ihr Leben vorbei. Es hatte einen Anfang, eine Mitte und ein Ende. Das ist das Ende. Sie können sagen, dass es anders hätte ausgehen können. Dass es anders hätte verlaufen können. Aber was heißt das? Es ist nicht anders verlaufen. Es ist so verlaufen. Sie verlangen, dass ich den Lauf der Welt verändere. Verstehen Sie?

Ja, sagte sie schluchzend. Das versteh ich. Wirklich.

Gut, sagte er. Das ist gut. Dann erschoss er sie.

Der Wagen, der Chigurh auf der Kreuzung drei Blocks von dem Haus entfernt rammte, war ein zehn Jahre alter Buick, der ein Stoppschild überfahren hatte. Es waren keine Schleuderspuren zu sehen, und der Fahrer hatte keinen Versuch gemacht zu bremsen. Genau solcher Gefahren wegen schnallte sich Chigurh beim Fahren in der Stadt niemals an, und obwohl er das Fahrzeug kommen sah und sich auf die andere Wagenseite warf, wurde er augenblicklich von der eingedrückten Wagenseite getroffen, brach sich an zwei Stellen den Arm und außerdem einige Rippen und trug Schnittwunden am Kopf und am Bein davon. Er kroch zur Beifahrertür hinaus, wankte zum Bürgersteig, setzte sich auf den Rasen vor jemandes Haus und betrachtete seinen Arm. Unter der Haut stach Knochen hervor. Nicht gut. Eine Frau in einem Schürzenkleid kam schreiend angerannt.

Immer wieder lief ihm Blut in die Augen, und er versuchte, klar zu denken. Er hielt sich den Arm, drehte ihn und versuchte zu erkennen, wie kräftig er blutete. Ob die Oberarmarterie verletzt war. Er glaubte es nicht. Ihm dröhnte der Kopf. Keine Schmerzen. Noch nicht.

Zwei Jungen im Teenageralter standen vor ihm und sahen ihn an.

Geht's, Mister?

Ja, sagte er. Es geht. Lasst mich nur einen Moment da sitzen.

Ein Krankenwagen ist schon unterwegs. Da drüben hat jemand angerufen.

In Ordnung.

Geht's auch wirklich?

Chigurh sah die beiden an. Was wollt ihr für das Hemd da haben?, fragte er.

Sie sahen einander an. Welches Hemd?

Irgendeins. Wie viel?

Er streckte das Bein aus, griff in die Tasche und holte seinen Geldclip hervor. Ich brauche was, was ich mir um den Kopf wickeln kann, und ich brauche eine Schlinge für den Arm.

Einer der Jungen begann sein Hemd aufzuknöpfen. Warum haben Sie das nicht gleich gesagt, Mister? Sie können mein Hemd haben.

Chigurh nahm das Hemd, hielt es mit den Zähnen fest und zerriss es entlang der Rückennaht. Die eine Hälfte schlang er sich um den Kopf, die andere verdrehte er zu einer Schlinge, in die er den Arm steckte.

Knote sie fest.

Sie sahen einander an.

Knote sie einfach fest.

Der Junge im T-Shirt trat vor, kniete sich hin und verknotete die Schlinge. Der Arm sieht aber nicht gut aus, sagte er.

Mit dem Daumen schob Chigurh einen Schein aus dem Clip, steckte den Clip wieder ein, nahm den mit den Zähnen festgehaltenen Schein, stand auf und hielt ihn dem Jungen hin.

Was soll's, Mister. Ich hab nichts dagegen, jemand zu helfen. Das ist ein Haufen Geld.

Nimm es. Nimm es, und dafür wisst ihr nicht, wie ich aussehe. Verstanden?

Der Junge nahm den Schein. Ja, Sir, sagte er.

Sie sahen zu, wie er sich, das um den Kopf geschlungene Stück Stoff mit der Hand festhaltend, leicht humpelnd den Bürgersteig entlang in Marsch setzte. Ein Teil davon gehört mir, sagte der andere Junge.

Du hast immer noch dein verdammtes Hemd.

Dafür war das nicht.

Kann schon sein, aber ich hab trotzdem kein Hemd mehr.

Sie gingen auf die Straße, wo dampfend die beiden Fahrzeuge standen. Im Rinnstein bildete sich eine grüne Frostschutzpfütze. Als sie an der offenen Tür von Chigurhs Pick-up vorbeikamen, hielt der im T-Shirt den anderen mit der Hand fest. Siehst du, was ich sehe?, fragte er.

Scheiße, sagte der andere.

Was sie sahen, war Chigurhs Pistole, die vor den Sitzen auf dem Boden lag. In der Ferne konnten sie bereits die Sirenen hören. Nimm sie, sagte der erste. Mach schon.

Wieso ich?

Ich hab kein Hemd, das ich drüberziehen kann. Mach schon. Beeil dich.

Er stieg die drei Holzstufen zur Veranda hinauf und klopfte mit dem Handrücken leicht gegen die Tür. Dann nahm er den Hut ab, drückte sich den Hemdsärmel kurz gegen die Stirn und setzte den Hut wieder auf.

Herein, rief eine Stimme.

Er öffnete die Tür und trat in die kühle Dunkelheit. Ellis?

Ich bin da hinten. Komm nur.

Er ging nach hinten durch in die Küche. Der Alte saß in seinem Rollstuhl am Tisch. Der Raum roch nach altem Bratfett und abgestandenem Holzrauch vom Ofen, und über allem lag ein leichter Uringestank. Wie der Geruch von Katzen, aber auch noch von etwas anderem. Bell stand in der Tür und nahm seinen Hut ab. Der Alte blickte zu ihm auf. Ein getrübtes Auge von einem Cholla-Stachel, als ihn vor Jahren ein Pferd abgeworfen hatte. Hey, Ed Tom, sagte er. Ich hab nicht gewusst, dass du's bist.

Wie kommst du zurecht?

Das siehst du ja. Bist du allein?

Ja, Sir.

Setz dich. Willst du Kaffee?

Bell betrachtete das Durcheinander auf dem karierten Wachstuch. Arzneifläschchen. Brotkrumen. Ausgaben von Quarter Horse. Nein danke, sagte er. Sehr nett von dir.

Ich hab einen Brief von deiner Frau gekriegt.

Du kannst sie ruhig Loretta nennen.

Ich weiß. Hast du gewusst, dass sie mir schreibt?

Ich hab gewusst, dass sie dir ein-, zweimal geschrieben hat.

Es ist öfter als ein-, zweimal. Sie schreibt ziemlich regelmäßig. Berichtet mir die Familienneuigkeiten.

Ich hab gar nicht gewusst, dass es welche gibt.

Du würdest dich wundern.

Was war denn nun Besonderes an dem Brief?

240

Sie hat mir bloß erzählt, dass du aufhören willst, das ist alles. Setz dich.

Der Alte wartete nicht ab, ob Bell seiner Aufforderung nachkam. Er ging dazu über, sich aus einem neben ihm liegenden Tabaksbeutel eine Zigarette zu drehen. Er befeuchtete das Ende mit dem Mund, drehte sie herum und zündete sie mit einem alten, bis aufs blanke Metall abgewetzten Zippo-Feuerzeug an. Beim Rauchen hielt er die Zigarette wie einen Bleistift zwischen den Fingern.

Geht's dir gut?, fragte Bell.

Mir geht's gut.

Er verschob den Rollstuhl leicht zur Seite und betrachtete Bell durch den Zigarettenrauch. Du siehst allerdings älter aus, sagte er.

Ich bin ja auch älter.

Der Alte nickte. Bell hatte einen Stuhl herangezogen, setzte sich und legte seinen Hut auf den Tisch.

Kann ich dich mal was fragen?, sagte er.

Nur zu.

Was hast du im Leben am meisten bedauert?

Der Alte sah ihn an, wog die Frage ab. Ich weiß nicht, sagte er. So viel bedauere ich eigentlich gar nicht. Ich könnt mir viele Sachen vorstellen, die einen vielleicht glücklicher machen würden. Gehen zu können wär zum Beispiel eine davon. Du kannst dir selber eine Liste machen. Vielleicht hast du ja schon eine. Ich glaub, wenn man erst mal erwachsen ist, ist man so glücklich, wie man jemals wird. Man erlebt gute Zeiten und schlechte Zeiten, aber unterm Strich ist man so glücklich wie vorher. Oder so unglücklich. Ich hab Leute gekannt, die haben den Dreh einfach nie rausgekriegt.

Ich weiß, was du meinst.

Ich weiß.

Der Alte rauchte. Wenn du wissen willst, was mich am unglücklichsten gemacht hat, dann, glaub ich, weißt du die Antwort schon.

Ja, Sir.

Und es ist nicht der Stuhl da. Und das kaputte Auge auch nicht.

Ja, Sir. Ich weiß.

Wenn man sich drauf einlässt, denkt man wahrscheinlich, man hat zumindest eine gewisse Vorstellung, worauf man sich da eingelassen hat. Aber vielleicht ist das gar nicht so. Oder man ist belogen worden. In dem Fall würd einem wahrscheinlich kein Mensch einen Vorwurf machen. Wenn man dann aufhört. Aber wenn's nur so ist, dass es ein bisschen rauer zugeht, als man sich das gedacht hat – tja, das ist dann was anderes.

Bell nickte.

Bei manchen Sachen lässt man's wohl besser nicht drauf ankommen.

Da hast du vermutlich recht.

Was müsste passieren, dass Loretta stiften geht?

Ich weiß nicht. Ich glaub, da müsst ich schon einen ziemlichen Blödsinn machen. Jedenfalls ganz bestimmt nicht bloß deshalb, weil es ein bisschen rauer zugeht. Das hat sie nämlich schon ein-, zweimal erlebt.

Ellis nickte. Er schnippte die Asche von seiner Zigarette in einen Marmeladenglasdeckel auf dem Tisch. Das glaub ich dir aufs Wort, sagte er.

Bell lächelte. Er sah sich um. Wie frisch ist denn der Kaffee?

Ich denke, man kann ihn trinken. Normalerweise mach ich einmal die Woche frischen, auch wenn noch was übrig ist.

Bell lächelte erneut, stand auf, ging mit der Kanne zur Anrichte und steckte den Stecker in die Steckdose.

Sie saßen am Tisch und tranken Kaffee aus denselben angestoßenen Porzellanbechern, die schon vor Bells Geburt im Haus gewesen waren. Bell betrachtete seinen Becher und ließ den Blick dann durch die Küche wandern. Tja, sagte er. Manche Sachen ändern sich nie, schätz ich.

Zum Beispiel?, fragte der Alte.

Ach, ich weiß nicht.

Ich auch nicht.

Wie viele Katzen hast du?

Mehrere. Kommt drauf an, was du unter haben verstehst. Manche sind halb wild, und die anderen sind einfach Banditen. Sie sind zur Tür rausgerannt, als sie deinen Wagen gehört haben.

Hast du den Wagen gehört?

Wie war das?

Ob du den … Du machst dich wohl über mich lustig.

Wie kommst du denn auf die Idee?

Und, hast du ihn nun gehört?

Nein. Ich hab die Katzen abhauen sehen.

Willst du noch was davon?

Nein, ich hab genug.

Der Mann, der dich angeschossen hat, ist im Gefängnis gestorben.

Im Staatsgefängnis von Louisiana. Ja.

Was hättest du gemacht, wenn er entlassen worden wär?

Ich weiß nicht. Nichts. Das hätte keinen Sinn gehabt. Es hat keinen Sinn. Nichts davon.

Das überrascht mich jetzt aber, dass du das sagst.

Es zermürbt einen, Ed Tom. Während der ganzen Zeit, in der man versucht, zurückzukriegen, was einem genommen worden ist, geht nur noch mehr flöten. Nach einer Weile versucht man nur noch, es zu bremsen. Dein Großvater hat mich nie aufgefordert, als Deputy bei ihm anzufangen. Da bin ich selbst drauf ge-

243

kommen. Ich hatte ja sonst nichts zu tun. Verdient hat man ungefähr so viel wie als Cowboy. Jedenfalls weiß man nie, ob das Pech, das man hat, einen vor noch schlimmerem Pech bewahrt. Ich war zu jung für den einen Krieg und zu alt für den nächsten. Aber ich hab gesehen, was dabei rausgekommen ist. Man kann Patriot sein und trotzdem glauben, dass manche Dinge mehr kosten, als sie wert sind. Frag mal die Mütter mit dem Gold Star, was sie bezahlt und was sie dafür gekriegt haben. Man bezahlt immer zu viel. Besonders für Versprechen. Versprechen gibt's nicht im Sonderangebot. Du wirst schon sehen. Vielleicht hast du's ja auch schon gesehen.

Bell gab keine Antwort.

Ich hab immer gedacht, wenn ich mal älter bin, würde Gott irgendwie in mein Leben treten. Hat er aber nicht getan. Ich kann's ihm nicht verdenken. Wenn ich er wär, hätt ich die gleiche Meinung von mir, die ich habe.

Du weißt nicht, was er denkt.

Doch, weiß ich.

Er sah Bell an. Ich kann mich erinnern, wie du mich mal besucht hast, als ihr nach Denton gezogen wart. Du bist reingekommen, hast dich umgesehen und mich gefragt, was ich vorhab.

Stimmt.

Jetzt würdest du mich das allerdings nicht mehr fragen, oder?

Vielleicht nicht.

Ganz sicher nicht.

Er trank einen Schluck von dem abgestandenen schwarzen Kaffee.

Denkst du manchmal an Harold?, fragte Bell.

Harold?

Ja.

Nicht viel. Er war um einiges älter als ich. Er ist neunund-neunzig geboren. Ja, das dürfte hinkommen. Wie kommst du jetzt auf Harold?

Ich hab ein paar Briefe gelesen, die deine Mutter ihm ge-schrieben hat, das ist alles. Ich hab mich bloß gefragt, was du noch von ihm in Erinnerung hast.

Waren auch Briefe von ihm da?

Nein.

Man denkt über seine Familie nach. Versucht, sich einen Reim auf das Ganze zu machen. Ich weiß noch, wie sich's auf meine Mutter ausgewirkt hat. Sie ist nie drüber weggekommen. Und was das für einen Sinn hat, weiß ich auch nicht. Kennst du diesen Gospelsong? In dem es heißt, dass wir am Ende alles verstehen? Das erfordert eine Menge Glauben. Man denkt dran, dass er da rübergeht und irgendwo in einem Graben krepiert. Mit siebzehn. Sag du mir, was für einen Sinn das hat. Ich weiß es nämlich wirklich nicht.

Ich verstehe. Hast du Lust, irgendwohin zu fahren?

Ich brauch keinen, der mich durch die Gegend karrt. Ich will einfach nur hier sitzen. Mir geht's gut, Ed Tom.

Es macht keine Umstände.

Ich weiß.

Na gut.

Bell musterte ihn. Der Alte drückte seine Zigarette in dem Deckel aus. Bell versuchte, über sein Leben nachzudenken. Dann versuchte er, es nicht zu tun. Du bist doch nicht etwa vom Glauben abgefallen, Onkel Ellis?

Nein. Nein. Überhaupt nicht.

Glaubst du, Gott weiß, was geschieht?

Ich denk schon.

Glaubst du, dass er es verhindern kann?

Nein. Das glaub ich nicht.

Sie saßen schweigend am Tisch. Nach einer Weile sagte der Alte: Sie hat geschrieben, es wären eine Menge alte Fotos und Familienkram da. Und was sie damit machen soll. Tja. Da kann man eigentlich nichts damit machen. Oder?

Nein. Wahrscheinlich nicht.

Ich hab ihr gesagt, sie soll den Rangern Macs alte Cinco-Peso-Dienstmarke und seine Kanone schicken. Ich glaub, die haben ein Museum. Aber ich hab nicht gewusst, was ich ihr sonst sagen soll. Da ist dieser ganze Kram. Da drüben in der Kommode. Das Rollpult ist voller Papiere. Er neigte den Becher und spähte hinein.

Er ist nie mit Coffee Jack geritten. Onkel Mac. Das ist alles Quatsch. Ich weiß nicht, wer das in die Welt gesetzt hat. Er ist in Hudspeth County auf seiner eigenen Veranda niedergeschossen worden.

So hab ich das auch immer gehört.

Zu siebt oder zu acht sind sie zu seinem Haus gekommen. Haben dies verlangt und das verlangt. Er ist reingegangen und mit einer Schrotflinte wieder rausgekommen, aber sie waren schneller und haben ihn in seiner eigenen Tür niedergeschossen. Sie kam rausgelaufen und hat versucht, die Blutung zu stillen. Hat versucht, ihn ins Haus zurückzuschaffen. Hat gesagt, er hätte unentwegt versucht, sich die Schrotflinte wieder zu greifen. Die haben einfach da auf ihren Pferden gesessen. Und sind irgendwann weggeritten. Warum, weiß ich auch nicht. Wahrscheinlich hat ihnen irgendwas Angst gemacht. Einer hat was auf Indianisch gesagt, und dann haben sie alle kehrtgemacht und sind weggeritten. Sie sind nicht ins Haus gekommen oder so was. Sie hat ihn reingeschafft, aber er war ein großer, schwerer Mann, und sie hat ihn nicht aufs Bett heben können. Sie hat ihm ein Lager auf dem Boden gerichtet. War nichts zu machen. Sie hat immer gesagt, sie hätt ihn da liegen lassen und losreiten und

Hilfe holen sollen, aber ich weiß nicht, wo sie überhaupt hätte hinreiten können. Er hat sie sowieso nicht gehen lassen. Hat sie ja kaum in die Küche gehen lassen. Er hat gewusst, was die Stunde geschlagen hatte, auch wenn ihr das nicht klar war. Er war durch den rechten Lungenflügel geschossen worden. Und damit hatte sich's dann, wie es so schön heißt.

Wann ist er gestorben?

Achtzehn neunundsiebzig.

Nein, ich meine, ist er gleich gestorben oder in der Nacht oder wann?

Ich glaub, in der Nacht. Oder früh am anderen Morgen. Sie hat ihn eigenhändig beerdigt. In dieser harten Caliche gegraben. Dann hat sie alles auf den Wagen geladen, die Pferde angeschirrt und ist weggefahren und nie wieder zurückgekommen. Das Haus ist irgendwann in den Zwanzigern abgebrannt. Das, was noch nicht von allein eingestürzt war. Ich könnt dich da noch heute hinführen. Der steinerne Kamin ist damals stehen geblieben, vielleicht steht er ja immer noch. Gehörte eine ganze Menge Land dazu. Acht oder zehn Sections, wenn ich mich recht erinnere. Sie hat die Steuern dafür nicht mehr zahlen können, so gering sie auch waren. Verkaufen ging auch nicht. Kannst du dich an sie erinnern?

Nein. Ich hab ein Foto von mir und ihr gesehen, als ich ungefähr vier war. Sie sitzt in einem Schaukelstuhl auf der Veranda von dem Haus, und ich steh neben ihr. Ich wünschte, ich könnte sagen, dass ich mich an sie erinnere, aber ich tu's nicht.

Sie hat nie wieder geheiratet. Jahre später war sie Lehrerin. In San Angelo. Dieses Land war immer hart zu den Menschen. Aber irgendwie haben sie ihm das nie krummgenommen. Schon irgendwie seltsam. Dass sie das nicht gemacht haben. Wenn man sich überlegt, was allein dieser einen Familie alles passiert ist. Ich weiß nicht, wieso ausgerechnet ich noch herumkrauche.

Die ganzen jungen Leute. Von der Hälfte wissen wir noch nicht mal, wo sie begraben sind. Da muss man doch fragen, wozu das alles gut gewesen sein soll. Also nochmal. Wieso finden die Leute nicht, dass dieses Land eine ganze Menge auf dem Gewissen hat? Sie tun's einfach nicht. Man kann natürlich sagen, dass das Land einfach das Land ist und nicht aktiv irgendwas tut, aber das hilft nicht viel weiter. Ich hab mal gesehen, wie ein Mann mit einer Schrotflinte auf seinen Pick-up geschossen hat. Der hat ja wohl geglaubt, dass der Wagen was verbrochen hat. Dieses Land bringt einen ruck, zuck um, und die Menschen lieben es trotzdem. Verstehst du, was ich damit sagen will?

Ich glaub schon. Liebst du es denn?

Das könnt man wohl schon so sagen. Aber ich wär der Erste, der zugibt, dass ich so ungebildet bin wie eine Kiste voller Steine, deshalb darfst du das, was ich sage, wirklich nicht ernst nehmen.

Bell lächelte. Er stand auf und ging zum Ausguss. Der Alte drehte den Stuhl leicht, damit er ihn sehen konnte. Was machst du denn da?, fragte er.

Ich hab gedacht, ich wasch eben das Geschirr da ab.

Ach was, lass das doch, Ed Tom. Morgen früh kommt Lupe.

Das dauert doch bloß eine Minute.

Das Wasser aus dem Hahn war sehr kalkhaltig. Er ließ den Ausguss volllaufen und gab einen Löffel Seifenpulver dazu. Dann noch einen.

Hast du hier drin nicht mal einen Fernseher gehabt?

Ich hab eine Menge Sachen gehabt.

Wieso hast du denn nichts gesagt? Ich besorg dir einen.

Ich brauch keinen.

Dann hast du ein bisschen Gesellschaft.

Er ist mir nicht kaputtgegangen. Ich hab ihn rausgeschmissen.

Schaust du dir denn keine Nachrichten an?

Nein. Du?

Nicht oft.

Er spülte das Geschirr ab, stellte es zum Trocknen auf das Abtropfgestell und blickte zum Fenster hinaus auf den kleinen, unkrautüberwucherten Garten. Ein verwittertes Räucherhaus. Ein auf Betonblöcken aufgebockter Pferdetransporter aus Aluminium. Du hast doch mal Hühner gehabt, sagte er.

Ja, sagte der Alte.

Bell trocknete sich die Hände, kam zum Tisch zurück und setzte sich. Er sah seinen Onkel an. Hast du jemals was getan, über das du dich so geschämt hast, dass du es keinem Menschen erzählen würdest?

Sein Onkel dachte darüber nach. Ich würd sagen, ja, sagte er. Ich würd sagen, das hat praktisch jeder. Was hast du über mich rausgekriegt?

Ich meine es ernst.

In Ordnung.

Ich meine was Schlimmes.

Wie schlimm?

Ich weiß nicht. So, dass du es nicht mehr losgeworden bist.

Zum Beispiel was, wofür man ins Gefängnis kommen könnte?

Ja, so was könnt's natürlich auch sein. Muss es aber nicht unbedingt.

Da müsst ich drüber nachdenken.

Ach was, müsstest du nicht.

Was ist denn in dich gefahren? Ich werd dich nicht mehr einladen.

Diesmal hast du mich doch auch nicht eingeladen.

Auch wieder wahr.

Bell hatte die Ellbogen auf den Tisch gestützt und die Hände ineinander verschränkt. Sein Onkel musterte ihn. Ich hoffe, du willst hier nicht irgendein schreckliches Geständnis ablegen, sagte er. Vielleicht will ich das nicht hören.

Willst du's nun hören oder nicht?

Ja. Nur zu.

In Ordnung.

Es ist doch nichts Sexuelles, oder?

Nein.

In Ordnung. Dann leg mal los und erzähl.

Es geht um einen Kriegshelden.

In Ordnung. Meinst du damit dich?

Ja. Damit mein ich mich.

Leg los.

Ich versuch's ja. Ich erzähl dir jetzt, was wirklich passiert ist. Was mir die Auszeichnung eingebracht hat.

Nur zu.

Wir waren in einer vorgeschobenen Position und haben Funksignale abgehört, und wir hatten uns in einem Bauernhaus verkrochen. Ein einfaches Steinhaus mit zwei Zimmern. Wir waren schon zwei Tage da, und es hat ununterbrochen geregnet. Geregnet, als wollt's gar nicht mehr aufhören. Irgendwann am zweiten Tag hat der Funker seine Kopfhörer abgenommen und gesagt: Hört mal. Und das haben wir gemacht. Wenn jemand hört mal sagt, dann macht man das. Und wir haben nichts gehört. Und ich hab gesagt: Was ist denn? Und er hat gesagt: Nichts.

Ich hab gesagt, was zum Teufel soll das heißen, nichts? Was hast du denn gehört? Und er hat gesagt: Ich mein, man kann nichts hören. Hört doch mal. Und er hat recht gehabt. Es war kein Laut zu hören. Kein Geschütz und kein gar nichts. Nur den Regen hat man gehört. Und das war so ungefähr das Letzte, woran ich mich erinnern kann. Als ich aufgewacht bin, hab ich draußen im Regen gelegen, und wie lang ich da schon gelegen hatte, weiß ich nicht. Ich war durchnässt und hab gefroren, mir haben die Ohren geklingelt, und als ich mich schließlich aufgerichtet und nach dem Haus gesehen hab, da war es weg. Nur an einem Ende stand noch ein Rest Mauer, das war alles. Eine Mörsergranate war durch die Wand gekommen und hatte alles weggeblasen. Tja, und ich hab nichts mehr gehört. Weder den Regen noch sonst was. Wenn ich was gesagt hab, hab ich's in meinem Kopf gehört, aber sonst nicht. Ich hab mich hochgerappelt und bin zu der Stelle rübergegangen, wo das Haus gestanden hatte, und überall haben Teile vom Dach rumgelegen, und ich hab einen von unseren Leuten gesehen, der war zwischen Steinen und Balken eingeklemmt, und ich hab versucht, einiges von dem Zeug wegzuräumen, um vielleicht an ihn ranzukommen. Mein Kopf hat sich komplett taub angefühlt. Und während ich das getan hab, hab ich mich irgendwann aufgerichtet und rausgeguckt, und da sind diese deutschen Soldaten übers Feld gekommen. Die hatten in einem Stück Wald ungefähr zweihundert Meter weit weg gelegen, und nun sind sie über dieses Feld gekommen. Ich hab immer noch nicht genau gewusst, was eigentlich passiert war. Ich war völlig benommen. Ich hab mich hinter die Mauer geduckt, und das Erste, was ich gesehen hab, war Wallace' .30-Kalibriges, das unter irgendwelchen Balken rausstand. Das Ding war luftgekühlt, und die Patronen sind mit einem Gurt zugeführt worden, der in einer Metallkiste gelagert war, und ich hab mir gedacht, wenn ich sie noch ein bisschen näher rankommen lasse, dann könnt ich sie mir da draußen im offenen Gelände vornehmen, und Artillerieunterstützung würden sie dann keine mehr anfordern, weil sie zu nah dran wären. Ich hab rumgebuddelt und das Ding schließlich samt Dreibein freigekriegt, und dann hab ich weitergegraben und die Munitionskiste rausgeholt, und dann bin ich dort hinter dem Mauerrest in Stellung gegangen, hab den Spannschieber zurückgezogen und entsichert, und schon ging's los.

Wo die Kugeln getroffen haben, war schwer zu sagen, weil der Boden nass war, aber ich hab gewusst, dass ich einiges ausgerichtet hab. Ich hab etwas über einen halben Meter Gurt verschossen und die Augen offen gehalten, und nachdem es zwei, drei Minuten ruhig geblieben war, ist einer von den Krauts aufgesprungen und hat versucht, in den Wald zu flüchten, aber darauf war ich vorbereitet. Die anderen hatte ich an Ort und Stelle festgenagelt, und die ganze Zeit hab ich einige von unseren Leuten stöhnen hören und beim besten Willen nicht gewusst, was ich mache, wenn es dunkel wird. Und dafür haben sie mir den Bronze Star gegeben. Der Major, der mich dafür vorgeschlagen hat, hieß McAllister und war aus Georgia. Und ich hab ihm gesagt, ich will das Ding nicht. Und er hat einfach nur dagesessen, mich angesehen und gesagt: Ich warte drauf, dass Sie mir Gründe dafür nennen, warum Sie eine militärische Auszeichnung verweigern wollen. Da hab ich's ihm gesagt. Und als ich damit fertig war, hat er gesagt: Sergeant, Sie werden die Auszeichnung annehmen. Ich schätze, die mussten den Schein waren. Es so darstellen, als hätte das irgendeine Bedeutung. Dass die Stellung verlorengegangen ist. Er hat gesagt, Sie werden die Auszeichnung annehmen, und wenn Sie rumerzählen, was Sie mir gerade erzählt haben, dann erfahre ich davon, und wenn das passiert, dann werden Sie sich wünschen, Sie wären in der Hölle, und zwar mit gebrochenem Kreuz. Ist das klar? Und ich hab gesagt, ja, Sir. Und dass es klarer nicht geht. Damit hatte sich das.

Und jetzt willst du mir erzählen, was du gemacht hast.

Ja, Sir.

Als es dunkel geworden ist.

Als es dunkel geworden ist. Ja, Sir.

Was hast du gemacht?

Ich bin abgehauen.

Der Alte dachte darüber nach. Nach einer Weile sagte er: Ich muss annehmen, dass du das damals für eine ziemlich gute Idee gehalten hast.

Ja, sagte Bell. Hab ich.

Was wär passiert, wenn du dageblieben wärst?

Die wären im Dunkeln rangekommen und hätten Granaten zu mir reingeworfen. Oder sie hätten sich wieder in den Wald zurückgezogen und Artillerieunterstützung angefordert.

Ja.

Bell hatte die Hände auf dem Wachstuch verschränkt. Er sah seinen Onkel an. Der Alte sagte: Ich weiß nicht recht, was du von mir verlangst.

Ich auch nicht.

Du hast deine Kumpel zurückgelassen.

Ja.

Dir ist nichts anderes übriggeblieben.

Doch. Ich hätte dableiben können.

Du hättest ihnen nicht helfen können.

Wahrscheinlich nicht. Ich hab mir überlegt, mich mit dem Maschinengewehr dreißig Meter oder so zur Seite abzusetzen und zu warten, bis sie ihre Granaten geworfen haben oder was auch immer. Sie rankommen zu lassen. Ich hätte noch ein paar erledigen können. Auch im Dunkeln. Ich weiß nicht. Ich hab dagesessen und zugesehen, wie es Nacht geworden ist. Schöner Sonnenuntergang. Bis dahin hatte es nämlich aufgeklart. Endlich zu regnen aufgehört. Das Feld war mit Hafer eingesät, und da waren bloß die Halme. Herbst. Ich hab zugesehen, wie's dunkel wurde, und hatte schon eine ganze Weile nichts mehr von denen gehört, die unter den Trümmern begraben waren. Sie hätten alle längst tot sein können. Aber genau gewusst hab ich's nicht. Und

sowie es dunkel geworden ist, bin ich hoch und hab mich davon-
gemacht. Ich hatte noch nicht mal eine Waffe. Das Maschinengewehr mitzuschleppen, hatt ich nun wirklich keine Lust. Mein
Kopf hat nicht mehr ganz so weh getan, und ich hab sogar wieder
ein bisschen was hören können. Es hatte zu regnen aufgehört,
aber ich war völlig durchnässt und hab so gefroren, dass mir die
Zähne geklappert haben. Ich hab den Großen Bären ausmachen
können, mich, so gut es ging, genau westlich gehalten und bin
einfach immer weitermarschiert. Ich bin an ein, zwei Häusern
vorbeigekommen, aber es war kein Mensch zu sehen. Das war
Kampfgebiet, dieses Land. Die Leute waren einfach abgehauen.
Als es Tag geworden ist, hab ich mich in einem Stück Wald versteckt. Wenn von Wald überhaupt die Rede sein kann. Das ganze
Land hat ausgesehen wie abgebrannt. Bloß die Baumstümpfe
waren noch übrig. Und irgendwann am nächsten Abend bin ich
auf eine amerikanische Stellung gestoßen, und das war's dann so
ziemlich. Ich hab gedacht, dass es nach so vielen Jahren vorbei-
gehen würde. Ich weiß nicht, warum ich das gedacht hab. Dann
hab ich gedacht, ich könnt es vielleicht wiedergutmachen, und
das hab ich seither wohl versucht.

Stumm saßen sie da. Nach einer Weile sagte der Alte: Also
ganz ehrlich, so schlimm kann ich das nicht finden. Vielleicht
solltest du da nicht so streng mit dir sein.

Vielleicht. Aber wenn man in die Schlacht zieht, gilt der Eid,
dass man sich um seine Kameraden kümmert, und ich weiß
nicht, warum ich das nicht getan hab. Ich wollte ja. Wenn man
dann vor der Entscheidung steht, muss man sich dazu entschlie-
ßen, mit den Folgen zu leben. Aber man weiß nicht, welche Folgen es haben wird. Am Ende wirft man sich dann vieles vor, von
dem man überhaupt nichts geahnt hat. Wenn es mir bestimmt
war, da drüben in Erfüllung meiner Pflicht zu sterben, dann hätte
ich das gefälligst tun sollen. Man kann die Geschichte erzählen,

wie man will, aber so ist es nun mal. Ich hätt es tun sollen, und ich hab's nicht getan. Und irgendwo hab ich nie aufgehört, mir zu wünschen, ich könnte dorthin zurückkehren. Aber das geht nicht. Ich hab nicht gewusst, dass man sich sein eigenes Leben stehlen kann. Und ich hab nicht gewusst, dass es einem genauso wenig zum Guten gereicht wie irgendwas anderes, was man stehlen könnte. Ich glaub, ich hab, so gut es ging, das Beste draus gemacht, aber es war trotzdem nicht meins. Ist es nie gewesen.

Der Alte blieb lange Zeit sitzen. Er saß leicht vorgebeugt, den Blick auf den Boden gerichtet. Nach einer Weile nickte er. Ich glaub, ich weiß, worauf das rausläuft, sagte er.

Ja, Sir.

Was meinst du, was er gemacht hätte?

Ich weiß, was er gemacht hätte.

Ja. Ich glaub, ich auch.

Er wär da sitzen geblieben, bis die Hölle zufriert, und dann wär er noch eine Weile auf dem Eis geblieben.

Glaubst du, das macht ihn zu einem besseren Menschen als dich?

Ja, Sir, das glaub ich.

Ich könnte dir da ein paar Sächelchen über ihn erzählen, die würden deine Meinung ändern. Ich hab ihn ziemlich gut gekannt.

Dass du das könntest, bezweifle ich ehrlich gesagt. Bei allem Respekt. Außerdem bezweifle ich, dass du das je tun würdest.

Recht hast du. Aber ich könnte immerhin sagen, dass er in anderen Zeiten gelebt hat. Wäre Jack fünfzig Jahre später geboren, hätte er die Dinge vielleicht anders gesehen.

Sagen könntest du das schon. Aber kein Mensch hier im Zimmer würde es glauben.

Ja, das ist wohl wahr. Er blickte zu Bell auf. Wozu hast du mir das erzählt?

Ich glaub, ich hab's mir einfach von der Seele reden müssen.

Damit hast du ja ganz schön lang gewartet.

Ja, Sir. Vielleicht hab ich es selbst hören müssen. Ich gehör nicht in eine frühere Zeit, wie immer behauptet wird. Wenn's bloß so wäre. Ich gehör in diese Zeit.

Vielleicht war das ja nur ein Probelauf.

Vielleicht.

Hast du vor, es ihr zu erzählen?

Ja, Sir, ich glaub schon.

Tja.

Was meinst du, was sie sagen wird?

Ich glaub, du wirst ein bisschen besser dastehen, als du denkst.

Ja, Sir, sagte Bell. Das hoff ich wirklich.

X

Er hat gesagt, ich wär zu streng mit mir. Das wär ein Zeichen dafür, dass man alt wird. Wenn man versucht, Sachen in Ordnung zu bringen. Da ist wohl was Wahres dran. Aber die ganze Wahrheit ist es nicht. Ich war mir mit ihm einig, dass man über das Alter nicht besonders viel Gutes sagen kann, und er hat gemeint, eins wüsst er schon, und ich hab gefragt, was denn das wär. Dass es nicht lang dauert, hat er gesagt. Ich hab darauf gewartet, dass er lächelt, aber das hat er nicht getan. Tja, hab ich gesagt, das klingt aber ziemlich hart. Und er hat gesagt, auch nicht härter, als es die Fakten verlangen. Mehr gab's dazu auch nicht zu sagen. Ich hab sowieso gewusst, was er sagen würde, der Gute. Wenn einem an Menschen etwas liegt, versucht man, ihnen ihre Last zu erleichtern. Auch wenn sie selbst auferlegt ist. Mich hat noch was anderes beschäftigt, dazu bin ich gar nicht gekommen, aber ich glaub, es hat damit zu tun, weil ich nämlich glaub, dass alles, was man in seinem Leben tut, auf einen zurückfällt. Das heißt, wenn man lang genug lebt. Und ich kann mir absolut keinen Grund vorstellen, warum dieser Schweinehund das Mädchen umgebracht hat. Was hat sie ihm je getan? Die Wahrheit ist, ich hätt von vornherein nicht dorthin gehen dürfen. Jetzt sitzt dieser Mexikaner hier in Huntsville dafür, dass er den State Trooper umgebracht hat, ihn erschossen und den Wagen mit ihm drin angezündet hat, dabei glaub ich nicht, dass er's war. Aber er wird die Todesstrafe dafür kriegen. Was ist also in dem Fall meine Pflicht? Ich glaub, ich hab irgendwie darauf gewartet, dass das alles von allein weggeht, aber das ist natürlich nicht passiert. Ich glaub, das war mir schon klar, als es angefangen hat. Ich hab gleich so ein

Gefühl gehabt. Als würd ich da in was reingezogen, wo der Weg zurück ziemlich lang dauern würde.

Als er mich gefragt hat, warum das jetzt nach so vielen Jahren plötzlich hochgekommen ist, hab ich gesagt, es wär die ganze Zeit da gewesen. Ich hätte es bloß größtenteils ignoriert. Aber er hat recht, es ist hochgekommen. Ich glaub, manchmal hätten die Leute lieber eine schlechte Antwort auf irgendwas als überhaupt keine. Als ich es erzählt hab, da hat es eine Form angenommen, die ich nicht vermutet hätte, also hat er in der Beziehung auch recht gehabt. Das ist wie das, was mir mal ein Baseballspieler gesagt hat, er hat gesagt, wenn er irgendeine leichte Verletzung hat, die ihn ein kleines bisschen stört, ihm ein bisschen lästig ist, dann spielt er im Allgemeinen besser. Sie sorgt dafür, dass er sich auf eine Sache konzentriert anstatt auf hundert. Das leuchtet mir ein. Nicht, dass es irgendwas ändert.

Ich hab gedacht, wenn ich nach so strengen Grundsätzen leben würd, wie's nur geht, dann würd mir nie wieder was passieren, was mir dermaßen zusetzt. Ich hab mir gesagt, ich war damals einundzwanzig und man kann mal einen Fehler machen, besonders wenn man daraus lernt und ein Mann wird, wie man ihn sich vorstellt. Aber da hab ich mich getäuscht. Jetzt hab ich vor aufzuhören, und das liegt zum großen Teil daran, dass ich weiß, man wird mich diesen Mann nicht jagen lassen. Ich nehm mal an, dass es ein Mann ist. Man könnte also zu mir sagen, ich hätt mich kein Jota geändert, und ich wüsst nicht, was ich dagegen einwenden könnte. Sechsunddreißig Jahre. Das macht einem schon zu schaffen.

Noch was, was er gesagt hat. Wenn einer ungefähr achtzig Jahre lang drauf gewartet hat, dass Gott in sein Leben tritt, dann würd man doch meinen, dass der dann auch kommt. Wenn nicht, müsste man trotzdem davon ausgehen, dass er weiß, was er tut. Ich weiß nicht, wie man Gott anders beschreiben könnte. Letztlich läuft's darauf raus, dass diejenigen, zu denen er gesprochen hat, es wohl am nötigsten gehabt haben. Das ist nicht so einfach zu akzeptieren. Zumal wenn es für jemand wie Loretta gelten könnte. Aber vielleicht schauen wir ja alle durchs falsche Ende vom Fernglas. Und zwar schon immer.

Tante Carolyns Briefe an Harold. Dass sie sie gehabt hat, lag daran, dass er sie aufbewahrt hatte. Sie hat ihn großgezogen und war ihm wie eine Mutter. Die Briefe hatten Eselsohren, waren zerfleddert und verdreckt und was weiß ich noch alles. Mit den Briefen hat es Folgendes auf sich. Erstens hat man gemerkt, dass das einfache Leute vom Land waren. Ich glaub nicht, dass er je aus Irion County rausgekommen war, geschweige denn aus Texas. Aber das Interessante an den Briefen ist, man kann daran ablesen, dass es die Welt, die sie sich für ihn nach seiner Rückkehr gewünscht hat, gar nie geben konnte. Heute ist das leicht zu erkennen. Ungefähr sechzig Jahre später. Aber die hatten einfach überhaupt keine Vorstellung. Man kann sagen, es gefällt einem oder es gefällt einem nicht, aber ändern tut man damit gar nichts. Ich hab meinen Deputys mehr als einmal gesagt, man bringt in Ordnung, was man in Ordnung bringen kann, und den Rest lässt man bleiben. Wenn man nichts dran machen kann, ist es ja nicht mal ein Problem, sondern bloß ein Ärgernis. Und die Wahrheit ist, ich hab genauso wenig Ahnung von der Welt, die sich da draußen zusammenbraut, wie Harold damals.

Wie sich dann allerdings rausgestellt hat, ist er nie mehr nach Hause gekommen. In den Briefen steht nichts, was darauf hindeutet, dass sie mit dieser Möglichkeit gerechnet hat.

Aber das hat sie natürlich. Bloß hat sie ihm nichts davon sagen wollen.

Den Orden hab ich natürlich immer noch. Den gab's in einer schicken dunkelroten Schatulle mit einem Band und allem Pipapo. Er hat jahrelang in meinem Schreibtisch gelegen, bis ich ihn eines Tages rausgenommen und in die Schublade vom Wohnzimmertisch gelegt hab, da muss ich ihn wenigstens nicht mehr anschauen. Nicht, dass ich ihn je angeschaut hab, aber er war eben da. Harold hat keinen Orden gekriegt. Er ist einfach in einer Holzkiste nach Hause gekommen. Und ich glaub zwar nicht, dass es im Ersten Weltkrieg Mütter mit Gold Star gegeben hat, aber wenn, dann hätte Tante Carolyn auch keinen gekriegt, weil er nämlich nicht ihr leiblicher Sohn war. Aber verdient gehabt hätt sie ihn. Seine Gefallenenrente hat sie auch nicht gekriegt.

Also. Einmal bin ich noch dort draußen gewesen. Ich bin über das Gelände gegangen, und es hat kaum was darauf hingedeutet, dass da jemals irgendwas passiert war. Ein, zwei Patronenhülsen hab ich aufgehoben. Das war's aber auch schon so ziemlich. Ich hab lang da draußen gestanden und über einiges nachgedacht. Es war einer dieser warmen Tage, wie man sie im Winter manchmal kriegt. Leichter Wind. Ich denk immer noch, dass es vielleicht irgendwie an dem Land liegt. So etwa, wie Ellis es gesagt hat. Ich hab über meine Familie nachgedacht und über ihn da draußen in seinem Rollstuhl in dem alten Haus, und ich hab es einfach so empfunden, dass dieses Land eine seltsame Geschichte hat und eine verdammt blutige dazu. Man kann hinschauen, wo man will. Ich könnt mich aus allem raushalten und solche Gedanken belächeln, aber ich hab sie trotzdem. Ich entschuldige mich nicht für die Art, wie ich denke. Nicht mehr. Ich rede mit meiner Tochter. Die wär jetzt dreißig. Schon gut. Es ist mir egal, wie sich das anhört. Ich rede gern mit ihr. Nennen Sie das ruhig Aberglauben oder wie Sie wollen. Ich weiß, ich hab ihr im Lauf der Jahre das Herz geschenkt, das ich immer für mich selbst haben wollte, und das ist in Ordnung. Deswegen hör ich ihr zu. Ich weiß, von ihr bekomm ich immer nur das Beste. Das vermischt sich nicht mit meiner Unwissenheit und Gemeinheit. Ich weiß, wie sich das anhört, aber dazu muss ich sagen, es ist mir egal. Ich hab das noch nicht mal meiner Frau erzählt, und wir haben nicht sehr viele Geheimnisse vorein- ander. Ich glaub nicht, dass sie sagen würde, ich bin verrückt, aber mancher würd das vielleicht schon. Ed Tom? Ja, den haben sie für unzurechnungsfähig erklärt. Ich hab gehört, dem müssen sie das Essen unter der Tür durchschieben. Das macht mir nichts. Ich hör mir an, was sie sagt, und was sie sagt, ist vernünftig. Wenn sie bloß mehr sagen würd. Ich kann jede Hilfe gebrauchen, die ich kriegen kann. Jetzt ist es aber genug.

Als er ins Haus kam, klingelte das Telefon. Sheriff Bell, sagte er. Er ging zur Anrichte und nahm den Hörer ab. Sheriff Bell, sagte er.

Sheriff, hier spricht Detective Cook von der Polizei Odessa.

Ja, Sir.

Wir haben hier einen Bericht mit einem Benachrichtigungsvermerk für Sie. Er hat mit einer Frau namens Carla Jean Moss zu tun, die im März hier ermordet worden ist.

Ja, Sir. Danke für Ihren Anruf.

Die Mordwaffe ist von der ballistischen Datenbank des FBI identifiziert worden, und man hat sie bis zu einem Jungen hier in Midland zurückverfolgt. Der Junge sagt, er hätte die Waffe an einem Unfallort aus einem Wagen genommen. Sie gesehen und einfach genommen. Und ich glaube, das stimmt. Ich habe mit ihm geredet. Er hat sie verkauft, und sie ist bei einem Raubüberfall auf ein Lebensmittelgeschäft in Shreveport, Louisiana, wiederaufgetaucht. Der Unfall, bei dem er die Waffe genommen hat, der hat am selben Tag stattgefunden wie der Mord. Der Mann, dem sie gehörte, hat sie im Wagen liegenlassen und ist verschwunden, und seither hat man nichts mehr von ihm gehört. Sie sehen also, worauf das Ganze rausläuft. Wir haben hier nicht viele ungelöste Mordfälle, und sie stinken uns gewaltig. Darf ich fragen, welches Interesse Sie an dem Fall haben, Sheriff?

Bell erzählte es ihm. Cook hörte zu. Dann gab er ihm die Nummer des Unfallermittlers, Roger Catron. Ich rufe ihn zuerst an. Er spricht dann mit Ihnen.

Nicht nötig, sagte Bell. Er spricht auch so mit mir. Ich kenn ihn schon seit Jahren.

Er rief die Nummer an, und Catron meldete sich.

Wie geht's, Ed Tom?

So lala.

Was kann ich für dich tun?

Bell erkundigte sich nach dem Unfall. Ja, Sir, sagte Catron. Klar erinnere ich mich daran. Bei dem Unfall sind zwei Jungs umgekommen. Den Fahrer des anderen Fahrzeugs haben wir immer noch nicht gefunden.

Was ist eigentlich passiert?

Die Jungs hatten Dope geraucht. Sie haben ein Stoppschild überfahren und einen nagelneuen Dodge-Pick-up seitlich gerammt. Totalschaden. Der im Pick-up ist rausgeklettert und einfach die Straße entlang abgehauen. Bevor wir da waren. Der Pick-up war in Mexiko gekauft worden. Illegal. Keine Einfuhrgenehmigung. Keine Zulassung.

Was ist mit dem anderen Fahrzeug?

Da saßen drei Jungs drin. Neunzehn, zwanzig Jahre alt. Alles Mexikaner. Der einzige Überlebende war der auf dem Rücksitz. Offenbar haben sie einen Joint rumgehen lassen, sind mit knapp hundert Sachen über die Kreuzung und haben den im Pick-up seitlich gerammt. Der auf der Beifahrerseite ist mit dem Kopf zuerst durch die Windschutzscheibe gesaust, über die Straße geflogen und bei einer Frau auf der Veranda gelandet. Die war grad draußen und hat Post in ihren Kasten gesteckt, und er hat sie nur knapp verfehlt. Sie ist im Schürzenkleid und mit Lockenwicklern laut schreiend losgerannt, die Straße runter. Ich glaub, die hat sich noch immer nicht wieder berappelt.

Was habt ihr mit dem Jungen gemacht, der die Waffe genommen hat?

Ihn laufenlassen.

Meinst du, ich könnte mit ihm reden, wenn ich zu euch raufkomme?

Ich denke schon. Ich hab ihn mir gerade auf den Bildschirm geholt.

Wie heißt er?

David DeMarco.

Ist er Mexikaner?

Nein. Die Jungs im Auto waren Mexikaner. Er nicht.

Wird er mit mir reden?

Gibt nur eine Möglichkeit, das rauszufinden.

Morgen früh bin ich da.

Ich freu mich drauf, dich zu sehen.

Catron hatte den Jungen angerufen und mit ihm geredet, und als der Junge das Café betrat, machte er keinen sonderlich besorgten Eindruck. Er schob sich in die Nische, stellte einen Fuß auf die Sitzfläche, sog schlürfend Luft ein und sah Bell an.

Möchtest du Kaffee?

Ja. Einen Kaffee nehm ich.

Bell hob einen Finger, die Kellnerin kam und nahm seine Bestellung entgegen. Er sah den Jungen an.

Ich wollte mit dir über den Mann reden, der sich vom Unfallort entfernt hat. Ich hab mich gefragt, ob dir noch irgendwas zu ihm einfällt. Irgendwas, woran du dich vielleicht erinnerst.

Der Junge schüttelte den Kopf. Nein, sagte er. Sein Blick schweifte durch den Raum.

Wie schwer war er verletzt?

Ich weiß nicht. Hat so ausgesehen, als hätt er sich den Arm gebrochen.

Was noch?

Hat eine Wunde am Kopf gehabt. Wie schwer er verletzt war, konnt ich nicht sagen. Gehen hat er jedenfalls können.

Bell musterte ihn. Was würdest du sagen, wie alt er war?

Was weiß ich, Sheriff. Keine Ahnung. Er war ziemlich blutig und so.

Laut Bericht hast du gesagt, er wär vielleicht Ende dreißig gewesen.

Ja. So ungefähr.

Mit wem warst du zusammen?

Was?

Mit wem du zusammen warst.

Ich war mit niemand zusammen.

Der Nachbar, der die Sache gemeldet hat, hat gesagt, ihr seid zu zweit gewesen.

Der redet doch nur Scheiß.

Ach ja? Ich hab heute Morgen mit ihm gesprochen und den Eindruck gehabt, er redet alles andere als Scheiß.

Die Kellnerin brachte den Kaffee. DeMarco kippte etwa eine Vierteltasse Zucker in seinen und rührte um.

Du weißt, dass der Mann, kurz bevor er in den Unfall verwickelt wurde, zwei Häuserblocks entfernt eine Frau umgebracht hat.

Ja. Damals hab ich das aber nicht gewusst.

Weißt du, wie viele Leute er umgebracht hat?

Ich weiß nichts von ihm.

Was würdest du sagen, wie groß er war?

Nicht richtig groß. Eher so mittel.

Hat er Stiefel getragen?

Ja. Ich glaub, er hat Stiefel getragen.

Was für Stiefel?

Ich glaub, es könnten welche aus Straußenleder gewesen sein.

Teure Stiefel.

Ja.

Wie stark hat er geblutet?

Ich weiß nicht. Er hat halt geblutet. Er hatte eine Wunde am Kopf.

Was hat er gesagt?

Nichts hat er gesagt.

Was hast du zu ihm gesagt?

265

Nichts. Ich hab ihn gefragt, ob's geht.

Glaubst du, er ist vielleicht gestorben?

Ich hab keine Ahnung.

Bell lehnte sich zurück. Er drehte den auf dem Tisch stehenden Salzstreuer um hundertachtzig Grad. Dann drehte er ihn wieder zurück.

Sag mir, mit wem du zusammen warst.

War mit niemand zusammen.

Bell musterte ihn. Der Junge sog schlürfend Luft ein. Er griff nach dem Kaffeebecher, trank einen Schluck und stellte den Becher wieder ab.

Du willst mir nicht helfen, was?

Ich hab Ihnen gesagt, was ich weiß. Sie haben doch den Bericht gesehen. Mehr kann ich Ihnen auch nicht erzählen.

Bell fixierte ihn. Dann erhob er sich, setzte seinen Hut auf und ging.

Am Morgen ging er zur High School und bekam von De-Marcos Lehrer einige Namen. Der Erste, mit dem er redete, wollte wissen, wie er ihn gefunden habe. Er war ein großer, dicker Junge, der mit ineinander verschränkten Händen dasaß und den Blick auf seine Tennisschuhe gesenkt hielt. Sie hatten ungefähr Größe 46, und auf den Vorderkappen stand mit dunkelroter Tinte Links und Rechts.

Irgendwas verschweigt ihr mir.

Der Junge schüttelte den Kopf.

Hat er euch bedroht?

Nein.

Wie hat er ausgesehen? War er Mexikaner?

Ich glaub nicht. Er war ziemlich dunkelhäutig, das ist alles.

Habt ihr Angst vor ihm gehabt?

Ich hab erst welche, seit Sie aufgetaucht sind. Sheriff, ich weiß doch, dass wir das blöde Ding nicht hätten nehmen sollen. Das war dämlich von uns. Ich sag jetzt aber nicht, dass es Davids Idee war, auch wenn's stimmt. Ich bin groß genug, um nein zu sagen.

Ja, das bist du.

Das Ganze war einfach abartig. Die im Auto waren tot. Krieg ich deswegen jetzt Schwierigkeiten?

Was hat er noch zu euch gesagt?

Der Junge ließ den Blick durch die Cafeteria wandern. Er sah aus, als bräche er gleich in Tränen aus. Wenn ich's nochmal machen müsste, würd ich's anders machen. Das weiß ich.

Was hat er gesagt?

Er hat gesagt, wir wüssten nicht, wie er aussieht. Er hat David einen Hundertdollarschein gegeben.

Hundert Dollar.

Ja. David hat ihm sein Hemd gegeben. Damit er sich eine Schlinge für seinen Arm machen kann.

Bell nickte. Na schön. Wie hat er ausgesehen?

Er war mittelgroß. Schlank. Hat ausgesehen, als wär er in Form. Vielleicht Mitte dreißig. Dunkle Haare. Dunkelbraun, glaub ich. Ich weiß nicht, Sheriff. Er hat ganz normal ausgesehen.

Ganz normal.

Der Junge senkte den Blick auf seine Schuhe. Dann blickte er zu Bell auf. Er hat nicht normal ausgesehen. Ich mein, da war nichts, was ungewöhnlich ausgesehen hat. Aber er hat wie einer ausgesehen, dem man lieber nicht in die Quere kommt. Wenn er was gesagt hat, hat man jedenfalls zugehört. An seinem Arm hat unter der Haut ein Stück Knochen vorgestanden, und das hat er so wenig beachtet, als wär's gar nichts.

Aha.

Krieg ich deswegen Schwierigkeiten?

Nein.

Danke.

Man weiß nicht, wohin einen bestimmte Sachen führen, stimmt's?

Ja, Sir. Ich glaub, ich hab was aus der Sache gelernt. Wenn Ihnen das was nützt.

Tut es. Glaubst du, DeMarco hat auch was gelernt?

Der Junge schüttelte den Kopf. Ich weiß nicht, sagte er. Ich kann nicht für David sprechen.

XI

Ich hab Molly beauftragt, seine Familienangehörigen zu ermitteln, und wir haben schließlich in San Saba seinen Dad gefunden. Ich bin dann an einem Freitagabend dorthin gefahren, und ich weiß noch, wie ich beim Losfahren gedacht hab, dass das wahrscheinlich auch wieder so eine Dummheit von mir ist, aber gefahren bin ich trotzdem. Ich hatte vorher mit ihm telefoniert. Ob er mich unbedingt sehen wollte oder lieber nicht sehen wollte, war nicht rauszuhören, aber er hat gesagt, ich soll kommen, also bin ich los. Hab mir ein Motelzimmer genommen, als ich dort war, und bin am anderen Morgen zu seinem Haus rausgefahren.

Seine Frau war vor einigen Jahren gestorben. Wir haben auf der Veranda gesessen und Eistee getrunken, und wenn ich nichts gesagt hätte, würden wir wahrscheinlich immer noch da sitzen. Er war ein bisschen älter als ich. Zehn Jahre vielleicht. Ich hab ihm erzählt, was ich ihm erzählen wollte. Über seinen Jungen. Hab ihm den Sachverhalt geschildert. Er hat bloß dagesessen und genickt. Er hat auf einer Schaukelbank gesessen, ist einfach nur ein bisschen vor- und zurückgeschaukelt und hat das Teeglas auf dem Schoß gehalten. Ich hab nicht gewusst, was ich noch sagen soll, also hab ich einfach die Klappe gehalten, und wir haben eine ganze Weile so dagesessen. Und dann hat er gesagt, und er hat mich dabei nicht angesehen, sondern in den Garten geschaut und gesagt: Er war der beste Gewehrschütze, den ich je gesehen habe. Ohne Ausnahme. Ich hab nicht gewusst, was ich dazu sagen soll. Ich hab Ja, Sir gesagt.

Er war Scharfschütze in Vietnam, wissen Sie.

Ich hab gesagt, dass ich das nicht gewusst hätt.

Er war in keine Drogengeschäfte verwickelt.

Nein, Sir. Das war er nicht.

Er hat genickt. So ist er nämlich nicht erzogen worden, hat er gesagt.

Ja, Sir.

Waren Sie auch im Krieg?

Ja, war ich. In Europa.

Er nickte. Llewelyn, wie der nach Haus gekommen ist, hat er mehrere Familien von Kameraden besucht, die es nicht zurückgeschafft hatten. Das hat er bald wieder aufgegeben. Er hat nicht gewusst, was er zu ihnen sagen soll. Er hat gesagt, er hat sie da sitzen sehen, wie sie ihn angeschaut und gewünscht haben, er wäre tot. Man hätte es ihren Gesichtern angesehen. Anstelle ihres eigenen Verstorbenen, verstehen Sie.

Ja, Sir, das kann ich verstehen.

Ich auch. Aber abgesehen davon hatten sie da drüben Dinge getan, die sie lieber da drüben gelassen haben. Bei uns gab's so was nicht im Krieg. Oder nur ganz wenig davon. Er hat einen oder zwei von diesen Hippies windelweich geprügelt. Haben ihn angespuckt. Ihn einen Babykiller genannt. Viele von den Jungs, die zurückgekommen sind, haben immer noch Probleme. Ich hab immer gedacht, das liegt daran, dass das Land nicht hinter ihnen gestanden hat. Aber inzwischen glaub ich, es ist noch schlimmer. Das Land, das sie gehabt haben, war kaputt. Das ist es immer noch. Und daran waren nicht die Hippies schuld. Und auch nicht die Jungs, die da rübergeschickt worden sind. Mit achtzehn, neunzehn.

Er hat sich zu mir gedreht und mich angesehen. Und da, fand ich, hat er viel älter gewirkt. Seine Augen haben älter gewirkt. Er hat gesagt: Die Leute sagen immer, Vietnam hätte dieses Land vor die Hunde gebracht. Aber ich hab das nie geglaubt. Es war schon in schlechter Verfassung. Vietnam war bloß das Tüpfelchen auf dem i. Wir haben nichts gehabt, was wir ihnen nach da drüben hätten mitgeben können. Ich weiß nicht, ob sie so viel schlechter dran gewesen wären, wenn wir sie ohne Gewehre hingeschickt hätten. So kann man nicht in den Krieg ziehen. Man kann nicht ohne Gott in den Krieg ziehen. Ich weiß nicht, was passiert, wenn der nächste kommt. Beim besten Willen nicht.

Und das war auch schon so ziemlich alles, was gesagt worden ist. Ich hab mich dafür bedankt, dass er Zeit für mich gehabt hat. Der nächste Tag sollte mein letzter Tag im Amt sein, und ich hatte an vieles zu denken. Ich bin über Nebenstraßen zur I-10 zurückgefahren. Bin nach Cherokee runtergefahren und hab die 501 genommen. Ich hab versucht, die Dinge in die richtige Perspektive zu rücken, aber manchmal ist man ihnen einfach zu nah. Sich selbst so zu sehen, wie man wirklich ist, dauert ein Leben lang, und selbst da kann man sich noch täuschen. Und das ist etwas, wo ich mich nicht täuschen will. Ich hab darüber nachgedacht, warum ich Polizist hab werden wollen. Irgendwas in mir wollte immer verantwortlich sein. Hat mehr oder weniger darauf bestanden. Wollte, dass die Leute zuhören, wenn ich was sage. Aber irgendwas anderes in mir wollte einfach nur alle ins Boot zurückholen. Wenn ich versucht hab, irgendwas zu pflegen, dann das. Ich glaub, wir sind allesamt schlecht vorbereitet auf das, was kommt, und es ist mir gleich, welche Form es annimmt. Und ganz egal, was kommt, ich schätze, wir werden's kaum schaffen, über die Runden zu kommen. Diese alten Leute, mit denen ich rede, wenn man denen hätte sagen können, dass es auf den Straßen unserer texanischen Städte mal Leute mit grünem Haar und Knochen in der Nase geben würde, die eine Sprache sprechen, die man gar nicht versteht, tja, dann hätten sie einem schlicht und einfach nicht geglaubt. Aber wenn man ihnen nun erzählt hätte, dass das ihre eigenen Enkel sind? Tja, das alles sind Zeichen und

Wunder, aber es sagt uns nicht, wie's dazu gekommen ist. Und es sagt uns auch nichts darüber, wie's weiter werden wird. Irgendwo hab ich immer geglaubt, ich könnte wenigstens ein bisschen was reparieren, aber so kommt's mir längst nicht mehr vor. Ich weiß nicht, wie ich mir vorkomme. Ich komme mir vor wie die alten Leute, von denen ich geredet hab. Und das wird auch nicht besser. Man verlangt von mir, dass ich für was eintrete, an das ich nicht mehr so glaube wie früher mal. Dass ich an was glaube, für das ich vielleicht nicht mehr so bin wie früher mal. Das ist das Problem. Und selbst als ich noch dafür war, ist es mir nicht gelungen. Jetzt hab ich erlebt, wie das Ganze sozusagen ans Licht gehalten worden ist. Hab erlebt, wie jede Menge Gläubige abgefallen sind. Ich bin gezwungen worden, es mir nochmal anzusehen, und ich bin gezwungen worden, mir mich selbst anzusehen. Zu welchem Ende, weiß ich nicht. Ich weiß auch nicht, ob ich Ihnen überhaupt noch raten würde, sich mit mir einzulassen, und solche Zweifel hatt ich noch nie. Wenn ich mehr Lebenserfahrung hab, dann hab ich einen Preis dafür bezahlt. Einen ziemlich hohen Preis. Als ich ihr gesagt hab, dass ich aufhöre, hat sie zuerst nicht mitgekriegt, dass ich das wörtlich meine, aber ich hab ihr gesagt, dass ich es so meine. Ich hab ihr gesagt, ich hoffe, dass die Leute in diesem County so vernünftig sind, nicht für mich zu stimmen. Ich hab ihr gesagt, dass es mir nicht richtig vorkommt, das Geld dieser Leute zu nehmen. Sie hat gesagt, das meinst du doch wohl nicht im Ernst, und ich hab ihr gesagt, dass ich jedes Wort ernst meine. Dabei haben wir aufgrund dieses Jobs noch sechstausend Dollar Schulden, und wie ich das regeln soll, weiß ich auch noch nicht. Tja, dann haben wir einfach eine Zeitlang zusammengesessen. Ich hätt nicht gedacht, dass es sie so aufregen würde. Schließlich hab ich einfach gesagt: Loretta, ich kann das nicht mehr machen. Und sie hat gelächelt und gesagt: Du willst aufhören, obwohl du vorne liegst? Und ich hab gesagt, nein, Ma'am, ich will einfach nur aufhören. Und vorne lieg ich überhaupt nicht. Und das werd ich auch nie.

Eins noch, und dann bin ich still. Mir wär's lieber gewesen, das wär ungesagt geblieben, aber es hat in der Zeitung gestanden. Ich bin nach Ozona gefahren und hab mit dem Staatsanwalt dort geredet, und die haben gesagt, wenn ich wollte, könnt ich mit diesem mexikanischen Anwalt reden und vielleicht beim Gerichtsverfahren aussagen, aber mehr wär nicht drin. Hieß natürlich, dass überhaupt nichts drin war. Und das hab ich dann gemacht, und natürlich ist überhaupt nichts dabei rausgekommen, und der Bursche hat die Todesstrafe gekriegt. Also hab ich ihn in Huntsville besucht, und Folgendes ist passiert. Ich komm rein und setz mich hin, und er hat natürlich gewusst, wer ich bin, weil er mich schon vor Gericht gesehen hatte, und er fragt: Was haben Sie mir mitgebracht? Und ich hab gesagt, ich hätt ihm gar nichts mitgebracht, und er hat gesagt, er hätt gedacht, ich müsst ihm doch irgendwas mitgebracht haben. Irgendeine Süßigkeit oder so was. Ich wär ja anscheinend in ihn verknallt. Ich hab den Schließer angeschaut, und der Schließer hat weggeschaut. Ich hab diesen Mann angeschaut. Mexikaner, vielleicht fünfunddreißig, vierzig Jahre alt. Konnte gut Englisch. Ich hab zu ihm gesagt, ich wär nicht hergekommen, um mich von ihm beleidigen zu lassen, sondern wollte ihm bloß sagen, dass ich mir für ihn alle Mühe gegeben hätte und dass es mir leidtäte, weil ich nicht glauben würd, dass er's war, und er hat sich fast gekugelt vor Lachen und gesagt: Wo hat man Sie denn ausgegraben? Sind Sie überhaupt schon die Windeln los? Ich hab dem Scheißkerl genau zwischen die Augen geschossen, ihn an den Haaren in seinen Wagen zurückgezerrt, den Wagen angezündet und ihn zu Fett verbrannt.

Tja. Diese Leute durchschauen einen ziemlich. Wenn ich ihm eine gelangt hätte, hätte der Schließer kein Wort gesagt. Und das hat er gewusst. Er hat's gewusst.

Ich hab dann da einen Staatsanwalt rauskommen sehen, den ich so gut kenne, dass wir ab und zu ein paar Worte wechseln, und wir sind stehengeblieben und haben uns ein bisschen unterhalten. Ich hab ihm nicht gesagt, was vorgefallen war, aber er hat gewusst, dass ich versucht hab, diesem Mann zu helfen, und vermutlich zwei und zwei zusammenzählen können. Ich weiß es nicht. Er hat mich nicht nach ihm gefragt. Hat mich nicht gefragt, was ich da mache oder so. Es gibt zwei Arten von Leuten, die nicht viele Fragen stellen. Die einen sind zu blöd dazu, und die anderen haben es nicht nötig. Ich überlass es Ihnen zu erraten, für welche Sorte ich ihn halte. Er hat da einfach mit seiner Aktentasche auf dem Flur gestanden. Als hätt er alle Zeit der Welt. Er hat mir erzählt, er wär nach dem Studium eine Zeitlang Strafverteidiger gewesen, aber das hätt sein Leben zu sehr kompliziert. Er hätt keine Lust gehabt, für den Rest seines Lebens täglich angelogen zu werden, als wär's das Natürlichste von der Welt. Ich hab ihm gesagt, mir hätt mal ein Anwalt gesagt, im Jurastudium brächten sie einem bei, sich keine Gedanken um Recht und Unrecht zu machen, sondern sich einfach an das Gesetz zu halten, und ich wär mir da nicht so sicher. Er hat drüber nachgedacht, und dann hat er genickt und gesagt, er würd diesem Anwalt eigentlich weitgehend zustimmen. Wenn man sich nicht an das Gesetz hält, hat er gesagt, retten einen Recht und Unrecht auch nicht. Ich schätze, das leuchtet mir ein. Aber das ändert nichts an meiner Meinung. Schließlich hab ich ihn gefragt, ob er wüsste, wer Mammon ist. Und er hat gesagt: Mammon?

Ja. Mammon.

Sie meinen, wie in Gott und Mammon?

Ja, Sir.

Tja, hat er gesagt, das kann ich nicht unbedingt behaupten. Ich weiß, das ist aus der Bibel. Ist das der Teufel?

Ich weiß nicht. Ich werd's nachschlagen. Ich hab das Gefühl, ich müsst wissen, wer das ist.

Er hat freundlich gelächelt und gesagt: Das hört sich fast so an, als würd er demnächst bei Ihnen im Gästezimmer einziehen.

Tja, hab ich gesagt, dann hätt ich wirklich Grund zur Sorge. Jedenfalls hab ich das Gefühl, ich muss mich mit seinen Gewohnheiten vertraut machen.

Er hat genickt. Irgendwie gelächelt. Dann hat er mir eine Frage gestellt. Dieser geheimnisvolle Mann, hat er gesagt, von dem Sie glauben, dass er den State Trooper umgebracht und in seinem Wagen verbrannt hat. Was wissen Sie von ihm?

Gar nichts. Ich wünschte, ich wüsste was. Vielleicht bild ich mir das aber auch bloß ein.

Ja.

Er ist fast so was wie ein Geist.

Ist er fast so was, oder ist er einer?

Nein, er ist irgendwo da draußen. Ich wünschte, er wär's nicht. Aber er ist es.

Er hat genickt. Wenn er ein Geist wäre, müssten Sie sich keine Gedanken um ihn machen.

Ich hab ihm zugestimmt, aber seither hab ich drüber nachgedacht, und ich glaub, die Antwort auf seine Frage lautet, dass, wenn man auf der Welt bestimmten Dingen begegnet, Beweisen für die Existenz von bestimmten Dingen, dann geht einem auf, dass es sehr gut sein kann, dass man dem nicht gewachsen ist, und ich glaub, das ist hier der Fall. Wenn man gesagt hat, dass es das wirklich gibt und dass es sich nicht nur im Kopf abspielt, dann bin ich mir überhaupt nicht sicher, was man damit eigentlich gesagt hat.

Loretta hat übrigens eins gesagt. Sie hat sinngemäß gesagt, es wär nicht meine Schuld, und ich hab gesagt, doch, das wäre es. Und auch darüber hatt ich nachgedacht. Ich hab gesagt, wenn man einen richtig scharfen Hund in seinem Garten hat, dann bleiben die Leute draußen. Und die sind nicht draußen geblieben.

Als er nach Hause kam, war sie nicht da, aber ihr Wagen stand in der Einfahrt. Er ging zum Stall hinüber und sah, dass ihr Pferd nicht da war. Er schickte sich an, zum Haus zurückzugehen, blieb dann jedoch stehen, weil ihm einfiel, dass sie verletzt sein könnte. Er ging in die Sattelkammer, nahm seinen Sattel herunter, trug ihn in die Stallgasse, pfiff nach seinem Pferd und sah zu, wie dessen Kopf mit spielenden Ohren über der Boxentür auftauchte.

Die Zügel in einer Hand, ritt er los und tätschelte dabei mit der anderen das Pferd. Im Reiten redete er mit dem Tier. Ist schön, draußen zu sein, was? Weißt du, wo sie hin sind? Schon gut. Mach dir keine Sorgen. Wir finden sie schon.

Vierzig Minuten später sah er sie, hielt an und beobachtete sie. Die Hände auf dem Sattelknauf gekreuzt, ritt sie, der untergehenden Sonne entgegenblickend, einen aus roter Erde bestehenden Kamm entlang in Richtung Süden, und ihr Pferd stapfte langsam durch den lockeren, sandigen Boden, dessen rote Staubfahne ihnen in der unbewegten Luft folgte. Das ist mein Herz da drüben, sagte er dem Pferd. Das war es immer.

Zusammen ritten sie zum Warner's Well, saßen ab und setzten sich unter die Pyramidenpappeln, während die Pferde grasten. Tauben flogen die Wassertanks an. Spät im Jahr. Die werden wir auch nicht mehr viel länger sehen.

Sie lächelte. Spät im Jahr, sagte sie.

Dir ist es zuwider.

Von hier wegzugehen?

Von hier wegzugehen.

Das geht schon.

Aber nur wegen mir, stimmt's?

Sie lächelte. Tja, sagte sie. Wenn man erst mal ein bestimmtes Alter erreicht hat, dann gibt es so was wie eine gute Veränderung wohl nicht mehr.

Ich schätze, dann sind wir in Schwierigkeiten.

Wir kriegen das schon hin. Ich glaube, es wird mir gefallen, dass du zum Abendessen zu Hause bist.

Ich bin jederzeit gern zu Hause.

Ich weiß noch, als Daddy aufgehört hat zu arbeiten, da hat Mama zu ihm gesagt: Ich hab gesagt, in guten wie in schlechten Zeiten, aber vom Mittagessen hab ich nichts gesagt.

Bell lächelte. Ich wette, sie wünscht, er könnte nach Hause kommen.

Garantiert. Ich wünsche mir das übrigens auch.

Ich hätt das nicht sagen sollen.

Du hast nichts Falsches gesagt.

Das sagst du doch in jedem Fall.

Das ist mein Job.

Bell lächelte. Du würdest es mir nicht sagen, wenn ich unrecht hätte?

Nein.

Und wenn ich wollte, dass du's tust?

Schwierig.

Er sah zu, wie sich die kleinen, gebänderten Wüstentauben unter dem stumpfen rosigen Licht niederließen. Stimmt das wirklich?, fragte er.

So ziemlich. Nicht ganz.

Ist das denn eine gute Idee?

Tja, sagte sie. Ganz gleich, worum es ginge, ich geh davon aus, dass du auch ohne meine Hilfe dahinterkommen würdest. Und wenn es etwas wäre, worüber wir verschiedener Meinung sind, dann würde ich da wohl drüber hinwegkommen.

Ich dagegen vielleicht nicht.

Sie lächelte und legte die Hand auf die seine. Lass gut sein, sagte sie. Es ist schön, einfach nur hier zu sitzen.

Ja, Ma'am. Das ist es wirklich.

XII

Ich wecke Loretta einfach dadurch auf, dass ich selber wach liege. Dann lieg ich da, und sie sagt meinen Namen. Als würd sie mich fragen, ob ich da bin. Manchmal geh ich dann in die Küche und hol ihr ein Ginger Ale, und dann sitzen wir da im Dunkeln. Ich wünschte, ich hätte ihre Gelassenheit. Die Welt, die ich gesehen hab, hat mich nicht zu einem spirituellen Menschen gemacht. Anders als sie. Und über mich macht sie sich Sorgen. Das seh ich. Ich hab wohl geglaubt, weil ich älter und der Mann bin, würd sie von mir lernen, und in vieler Hinsicht hat sie das ja auch. Aber ich weiß, wer wem was schuldet.

Ich glaub, ich weiß, wohin es mit uns geht. Wir werden mit unserem eigenen Geld gekauft. Und es sind nicht bloß die Drogen. Da draußen werden Vermögen angehäuft, von denen kein Mensch was weiß. Was glauben wir eigentlich, zu was dieses Geld führen wird? Geld, mit dem man ganze Länder kaufen kann. Das ist ja auch schon passiert. Kann man auch dieses Land damit kaufen? Ich glaub nicht. Aber es zwingt einen, sich mit Leuten gemeinzumachen, mit denen man das besser nicht tun sollte. Das Problem ist auch nicht die Polizeiarbeit. Ich bezweifle, dass sie das je war. Rauschgift hat es immer gegeben. Aber die Leute beschließen nicht einfach ohne jeden Grund, sich mit Drogen vollzustopfen. Und zwar millionenfach. Ich weiß da auch keine Antwort. Und schon gar nicht weiß ich eine Antwort, die einem Mut machen könnte. Vor einer Weile hab ich's einer Journalistin hier gesagt – junge Frau, wirkte eigentlich ganz nett. Sie hat sich bloß bemüht, ihre Arbeit ordentlich zu machen. Sie hat gefragt: Sheriff, wieso haben Sie die Kriminalität in Ihrem County so außer Kontrolle geraten lassen? Hörte sich eigentlich nach einer fairen Frage an. Vielleicht war's ja eine. Jedenfalls hab ich ihr gesagt: Es fängt damit an, hab ich gesagt, dass man schlechte Manieren übersieht. Jedes Mal, wenn Sie kein Sir und kein Ma'am mehr hören, ist das Ende so ziemlich in Sicht. Das reicht in alle Schichten hinein, hab ich gesagt. Davon haben Sie ja wohl schon gehört, oder? Alle Schichten? Und irgendwann geht die kaufmännische Moral derart vor die Hunde, dass draußen in der Wüste Leute tot in ihren Fahrzeugen sitzen, aber dann ist es zu spät.

Da hat sie mich ziemlich komisch angeguckt. Zum Schluss hab ich ihr dann noch gesagt, und vielleicht hätt ich das nicht sagen sollen, ich hab ihr gesagt, dass es kein Drogengeschäft ohne Drogenkonsumenten gibt. Viele von ihnen sind gut gekleidet und haben auch gut bezahlte Jobs. Vielleicht kennen Sie ja selber welche, hab ich gesagt.

Was anderes sind die alten Leute, und zu denen komm ich immer wieder. Sie sehen mich an, und immer liegt in ihrem Blick eine Frage. Von früher hab ich das nicht so in Erinnerung. Von meiner Zeit als Sheriff in den Fünfzigern hab ich das nicht so in Erinnerung. Man schaut sie an, und sie sehen nicht verwirrt aus, sondern schlichtweg verrückt. Das geht mir nach. Es ist, als wären sie aufgewacht und wüssten nicht, wie sie da hingeraten sind, wo sie gerade sind. Na ja, in gewisser Weise ist es ja auch so.

Heute beim Abendessen hat sie mir gesagt, sie hätte Johannes gelesen. Die Offenbarung. Jedes Mal, wenn ich vom Zustand der Welt anfange, findet sie irgendwas in der Bibel, also hab ich sie gefragt, ob in der Offenbarung irgendwas darüber steht, wo das alles hinführt, und sie hat gesagt, sie würd mir Bescheid sagen. Ich hab sie gefragt, ob da irgendwas über grüne Haare und Nasenknochen steht, und sie hat gesagt, nicht direkt. Ich weiß nicht, ob das ein gutes oder ein schlechtes Zeichen ist. Dann ist sie hinter meinen Stuhl getreten, hat mir die Arme um den Hals gelegt und mich ins Ohrläppchen gebissen. In vieler Hinsicht ist sie eine sehr junge Frau. Ich weiß nicht, was wäre, wenn ich sie nicht hätte. Das heißt, ich weiß es schon. Ich wär komplett aufgeschmissen.

Es war ein kalter, windiger Tag, als er das Gerichtsgebäude zum letzten Mal verließ. Manche Männer konnten die Arme um eine weinende Frau legen, aber für ihn war das nie selbstverständlich gewesen. Er ging die Treppe hinunter und zur Hintertür hinaus, stieg in seinen Wagen und saß einfach nur da. Er konnte das Gefühl nicht benennen. Es war Traurigkeit, aber es war auch noch etwas anderes. Und dieses andere bewirkte, dass er dasaß, anstatt den Wagen anzulassen. Es war ihm schon einmal so gegangen, aber das war schon lange her, und als er sich das sagte, wusste er auch, was es war. Es war das Gefühl der Niederlage. Des Geschlagenseins. Für ihn bitterer als der Tod. Da musst du drüber wegkommen, sagte er. Dann ließ er den Wagen an.

XIII

Wenn man zur Hintertür rausgegangen ist, war da ein steinerner Wassertrog in dem Unkraut neben dem Haus. Vom Dach hat ein verzinktes Rohr runtergeführt, sodass der Trog immer ziemlich voll war, und ich weiß noch, wie ich mal davor stehen geblieben und in die Hocke gegangen bin, ihn mir angeschaut und drüber nachgedacht hab. Ich weiß nicht, wie lange er schon da war. Hundert Jahre. Zweihundert. Man hat die Meißelspuren im Stein sehen können. Er war aus massivem Stein gehauen, ungefähr eins achtzig lang und vielleicht sechzig Zentimeter breit und etwa genauso tief. Einfach aus dem Stein rausgemeißelt. Und ich bin ins Nachdenken über den Mann gekommen, der das gemacht hat. Soviel ich weiß, hatte dieses Land bis dahin kaum mal eine längere Friedenszeit erlebt. Ich hab seither ein bisschen was über seine Geschichte gelesen und weiß gar nicht recht, ob es überhaupt je eine erlebt hat. Aber dieser Mann hatte sich mit einem Hammer und einem Meißel hingesetzt und einen Wassertrog gemeißelt, der zehntausend Jahre hält. Warum? Woran hat er geglaubt? Jedenfalls nicht daran, dass sich nichts ändern würde, falls Sie das denken. So unbeleckt kann er nicht gewesen sein. Ich hab viel drüber nachgedacht. Ich hab drüber nachgedacht, nachdem ich dort weg bin und das Haus kaputtgeschossen war. Ich bin mir sicher, dass der Wassertrog noch da ist. Es hätte einiges gebraucht, um ihn vom Fleck zu bewegen, das kann ich Ihnen sagen. Ich denk also an ihn, wie er mit seinem Hammer und seinem Meißel da sitzt, vielleicht gerade mal ein, zwei Stunden nach dem Essen, ich weiß es nicht. Und ich muss sagen, das Einzige, was ich denken kann, ist, dass er so was wie ein

Versprechen in seinem Herzen getragen hat. Und ich hab nicht die Absicht, einen steinernen Wassertrog zu meißeln. Aber ich wär gern imstande, so ein Versprechen zu geben. Ich glaub, das wär mir am allerwichtigsten.

Das andere ist, dass ich nicht viel über meinen Vater gesagt hab, und ich weiß, ich bin ihm nicht gerecht geworden. Ich bin mittlerweile fast zwanzig Jahre älter, als er geworden ist, also blick ich in gewisser Weise auf einen jüngeren Mann zurück. Er war als Pferdehändler auf Achse, da war er noch ein halbes Kind. Am Anfang, hat er mir erzählt, ist er ein-, zweimal kräftig gerupft worden, aber er hat gelernt. Einmal, hat er erzählt, hätt ein Händler den Arm um ihn gelegt, auf ihn runtergeschaut und gesagt: Kleiner, ich werd mit dir handeln, als hättest du überhaupt kein Pferd. Das heißt, manche Leute sagen einem tatsächlich, was sie mit einem vorhaben, und wenn einem so jemand unterkommt, hört man besser zu. Das ist bei mir hängengeblieben. Mit Pferden hat er sich ausgekannt, und er hat mit ihnen umgehen können. Ein paar hab ich ihn zureiten sehen, und er hat gewusst, was er tut. War ganz sanft zu den Pferden. Hat viel mit ihnen geredet. Mir hat er nie was eingebläut, und ich verdank ihm mehr, als ich gedacht hätte. In den Augen der Leute war ich wohl ein besserer Mensch. So mies sich das jetzt anhört. So mies es ist, so was zu sagen. Es muss schwer gewesen sein, damit zu leben. Von seinem Daddy gar nicht zu reden. Der hätte es nie zum Polizisten gebracht. Er ist, glaub ich, zwei Jahre aufs College gegangen, hat es aber nicht abgeschlossen. Ich hab viel weniger über ihn nachgedacht, als ich's hätte tun sollen, und ich weiß, dass das nicht richtig ist. Nach seinem Tod hab ich zweimal von ihm geträumt. An den ersten Traum kann ich mich nicht mehr so gut erinnern, aber es ging darum, dass wir uns irgendwo in der Stadt getroffen haben, und er hat mir Geld gegeben, und ich hab's, glaub ich, verloren. Aber der zweite Traum, das war so, als wären wir beide wieder in früheren Zeiten, und ich hab auf einem Pferd gesessen und bin nachts durch die Berge geritten. Hab diesen Gebirgspass überquert. Es war kalt, auf dem Boden hat Schnee gelegen, und er ist an mir vorbei- und immer weitergeritten. Hat kein Wort gesagt. Er ist einfach vorbeigeritten, und er war in eine Decke gehüllt und hatte den Kopf gesenkt, und wie er vorbeigeritten ist, hab ich gesehen, dass er Feuer in einem Horn trägt, so wie die Leute das früher gemacht haben, und sehen können hab ich das Horn wegen dem Licht innen drin. Hatte so ziemlich die gleiche Farbe wie der Mond. Und in dem Traum hab ich gewusst, dass er vorausreitet und irgendwo da draußen in der ganzen Dunkelheit und Kälte ein Feuer machen will, und wenn ich dann dorthin komme, ist er da. Und dann bin ich aufgewacht.

Weitere Titel

Der Anwalt

Der Feldhüter

Der Passagier

Die Abendröte im Westen

Die Border-Trilogie

Die Straße

Draußen im Dunkel

Ein Kind Gottes

Kein Land für alte Männer

Stella Maris

Verlorene

Die Border-Trilogie

All die schönen Pferde

Grenzgänger

Land der Freien

Die Rowohlt Verlage haben sich zu einer nachhaltigen
Buchproduktion verpflichtet. Gemeinsam mit unseren Partnern
und Lieferanten setzen wir uns für eine klimaneutrale
Buchproduktion ein, die den Erwerb von Klimazertifikaten
zur Kompensation des CO_2 -Ausstoßes einschließt.
www.klimaneutralerverlag.de